As Profecias de Urag

Leonel Caldela

Caçador de Apóstolos

Caçador de Apóstolos

EDIÇÃO: *J.M. Trevisan e Victória Cernicchiaro*
REVISÃO: *Gustavo Brauner e Vitória Vozniak*
PROJETO GRÁFICO E LETTERING: *André Carvalho*
DIAGRAMAÇÃO: *Victória Cernicchiaro*
ILUSTRAÇÃO DE CAPA: *Rod Mendez*
ILUSTRAÇÃO DE MIOLO: *Maurício Dias*
ASSISTENTE DE PRODUÇÃO: *Laura Reginin*
EDITORA-CHEFE: *Karen Soarele*
DIRETOR-GERAL: *Guilherme Dei Svaldi*

EQUIPE DA JAMBÔ: Guilherme Dei Svaldi, Rafael Dei Svaldi, Leonel Caldela, Akila Gabriel, Ana Júlia Gamla, Anderson Dornelles, André Schwertz, Bruno Piñeiro, Daniel Boff, Dan Ramos, Dani Marques, Davide Di Benedetto, Elisa Guimarães, Gabriel Adam, Gabriel dos Santos, Jaime de Andruart, José Cerqueira, J. M. Trevisan, Julia Rosiello, Karen Soarele, Laura Reginin, Leticia Mendes, Marcel Reis, Marcelo Cassaro, Marina Alvarez, Marcus Vinicius, Marlon Vernes, Maurício Feijó, Miguel Souza, Priscilla Souza, Simone Rocha, Tatiana Gomes, Thiago Rosa, Tiago Guimarães, Tiago Orib, Victória Cernicchiaro e Yasmim Borges.

JAMBÔ

Rua Coronel Genuíno, 209
Porto Alegre, RS • CEP 90010-350
contato@jamboeditora.com.br • www.jamboeditora.com.br

2ª edição: junho de 2025 | ISBN 978858365170-3

C146c Caldela, Leonel

Caçador de apóstolos / Leonel Caldela; edição de J.M. Trevisan. — Porto Alegre: Jambô, 2025.
368p. il.

1. Literatura brasileira — Ficção. I. Caldela, Leonel. II. Trevisan, J.M. III. Título.

CDU 82-312.9

Para os amigos que se encontram às quartas e sextas.

O Diabo está morto

1

Esta não é a minha história. O escritor nunca é importante. Eu sei que já fiz mais que os outros: menti, é claro, e vou continuar mentindo, mas por escolha. Nós, escritores, somos mentirosos. Falamos sobre fios de espadas com as mãos moles. Falamos sobre acampamentos e cascos de cavalo, cheiro de vinho, axila, merda e sangue. Mas tomamos chá. Falamos de mulheres com lábios entreabertos, de amores ebulindo no esterno e na virilha — fechados em nossos quartinhos, debruçados em nossos papéis. Todo escritor tem vergonha. Quem somos nós para falar de tudo isso?

Esta história não é minha, e nem estou fingindo que seja toda verdadeira. Vou estofar como bonecos todas as partes que não vi. Meus personagens falarão com vozes precisas, estudadas; talvez eu aplaine uma verruga ou estreite um nariz. Mas, no meio das mentiras, está o que eu presenciei, e é por isso que vale a pena escrever. Contar a história que não é minha, é do meu protagonista. Não um herói montado de imaginações, um homem; o melhor homem que conheci.

Meu melhor amigo, o homem que queria me matar.

Estava ali mesmo, e eu me escondia. O maior criminoso sob o céu, o Soldado do Diabo, o traidor que usara o nome de Deus. Senti o peso da história sobre mim. Senti ser um número, uma marca na contagem dele à próxima centena de corpos. Forcei as costas a não recurvar — daquele jeito, encolhido, era um alvo ainda mais óbvio, mais fácil. Meu disfarce era a sujeira da estrada e do estábulo onde dormira pela última vez. Se não mostrasse os dentes, poderia ser confundido com as pessoas que se aglomeravam; era dia de festa.

Empurrei os ombros para entrar no meio do povo, procurando esconderijo na multidão e camuflagem nos cheiros. Gritaria e hálito. Formavam um semicírculo em torno do amarrado infeliz, ereto a um poste, cordas prendendo os membros e amordaçado. Mas não vendado: era divertido ver seus olhos de súplica. Nenhuma festa era maior que uma execução, e tanto melhor que fosse um herege. Aos lados, dois executores. Numa vila daquele tamanho, eram pais, primos e amigos de taverna, voluntários para o trabalho bissexto. Um deles era açougueiro e via os filhos babarem de orgulho. O outro tentava aprender ferraria e, naquela noite, poderia escolher qualquer rapariga da aldeia. Ser executor era melhor do que ser escritor. Havia também um padre, é claro, mas ele aguardava sua deixa para fazer uma grande entrada espetacular.

O condenado fez mais uma tentativa; remexeu-se, forçou as cordas. O suficiente para que lhe queimassem a pele e para arrancar uma gargalhada da plateia. Os executores tentavam não sorrir.

Eu sabia que meu próprio carrasco não estava longe. Talvez estivesse ali mesmo entre os espectadores. Lancei um olhar demorado no rosto do herege. Glória a Deus pelas pequenas bênçãos: minha morte não estava tão próxima nem seria tão pública. Ele também olhou para mim, nauseei. Virei-lhe as costas. Tremendo, sentindo um arranhar no fundo do estômago, olhei para baixo. Não podia fazer nada para ajudá-lo, repeti sob a respiração.

Sol laranja, era quase noite. Faltavam minutos para o espetáculo das tochas. O condenado sabia que tinha pouco tempo, e eu também. Chapinhei pelo barro, desviei-me de um bode solto, rumei para a única taverna. Em toda a aldeia, haveria casas desertas; todo mundo estava lá. Crianças correndo em círculos, numa peleja imaginária. Outras com olhos para minha bolsa. Dois jovens trocando sorrisos, sugerindo e planejando um segredo. Uma mãe repreendendo um garoto com um tapa, depois lhe afagando o cabelo. A placa da taverna não tinha nada escrito, porque ninguém sabia ler. Mostrava um desenho rude, na madeira cheia de nós — um asno coroado, abraçado por uma garota em vestido longo.

Logo fora da taverna, cheiro de comida. Um fogo de chão era atendido por um velho maltratado. A gordura veterana dentro da panela fritava guloseimas. Outro vendedor estava ali perto, seus braços roliços entregando bolos aos aldeões. Em volta, muitas pessoas de moedas em punho.

— Ainda prefiro enforcamento — disse o homem das frituras.

— Fogueira é mais bonito — disse o outro, servindo um freguês.

— Com fogueira, não se pode vender carne assada. As pessoas associam o cheiro.

— Isso é verdade. Enforcamento não tem cheiro.

— Até o sujeito estrebuchar e soltar o intestino. Todo mundo perde o apetite.

Concordaram, sábios.

Entrei na taverna. O interior era mais quente. Chão de terra, uma continuação do lado de fora, apenas cercada por paredes de madeira e coberta de sapé, onde alguns pássaros faziam ninhos. O ar era translúcido de fumaça. Fregueses acotovelavam-se em duas mesas compridas, e muitos outros estavam de pé. Com moedas suficientes, compravam o zumbido do vinho na cabeça, para melhor aproveitar a diversão. Com mais um pouco, compravam a embriaguez, uma justificativa para qualquer comportamento. Estavam felizes.

Grunhi por uma bebida, lembrei de esquecer o por favor. Não queria despertar atenção. Entrincheirei-me num canto, equilibrando o caneco transbordante. A cerveja tinha gosto de água e pés. Perto de mim, alguém aliviava a bexiga, apoiando a testa na parede, sustentando o corpo.

Um homem subiu em uma das mesas. Tinha um alaúde. Pensei: merda, um bardo. Não gosto de bardos, ainda menos do que de escritores. Mas é claro que ele sabia o que as pessoas queriam, ainda mais em noite de fogueira. Começou a história do modo habitual:

— Havia dois soldados. Um de Deus, e um do diabo.

Duas ou três notas quebradas do alaúde, e foi soterrado pela gritaria satisfeita do público. Aplausos e punhos na mesa, a ponto de derramar os canecos e quase fazê-lo cair. O bardo vestia uma túnica puída, sapatos absurdos de pontas recurvadas — feitos para corte e tavernas, desgastados por viagens. Até mesmo um bardo com roupa remendada conseguia sobreviver contando a história do Cavaleiro Imaculado e do Guerreiro do Povo.

Havia dois soldados. Um de Deus, e um do diabo.

Os truques do diabo castigavam a terra, pois ninguém sabia que ele tinha seu próprio guerreiro e sua própria Voz. Sempre, desde que nos foi dado o presente da memória, a Voz de Urag governou nossa ilha, protegeu nosso povo. Sempre esteve acima do mais alto nobre e à frente da

Santa Igreja da Fala de Deus, Sobre Tudo e Sobre Todos. E a terra sofria, porque a Voz de Urag, mulher escolhida por Deus como receptáculo de Sua vontade, era cruel.

Os mortais não entendiam. Como podia a Voz falar mentiras? Como Urag permitira que houvesse tanto sofrimento? A heresia ficava impune, a fome consumia os corpos. Turbas voltavam-se contra seus senhores. Seria uma provação? O bom povo suportava, confiante. Como a Voz de Urag não revelava as soluções?

Os sábios então descobriram uma profecia. Tudo já fora previsto, no infinito plano de Deus. Haveria uma Voz corrompida, diabólica, disfarçada com os mantos de Urag. E haveria dois guerreiros sagrados, destinados a derrubá-la.

Os dois guerreiros se revelaram. Como fora previsto, eram opostos, mas unidos pelo amor de irmãos. O Cavaleiro Imaculado, em sua armadura reluzente e seu corcel branco, o filho mais sublime da nobreza. Garboso, digno, elegante, como um anjo descido à terra. E o Guerreiro do Povo, de botas no chão e espada em punho, nascido na mais pobre aldeia. Vindo da miséria e do trabalho, ascendeu por sua fé e sua força, tornando-se general. Resistente, determinado, incansável e confiante, como o espírito da ilha transformado em gente. Mesmo tão diferentes, eram inseparáveis. Por muitos anos compartilharam a amizade vinda do verdadeiro caráter e da fé. Unidos, lideraram a guerra justa contra a Voz corrompida.

Os exércitos da serva do demônio investiram num enxame contra as fileiras abençoadas, mas o Cavaleiro Imaculado e o Guerreiro do Povo postaram-se à frente. Por meses, travou-se uma guerra cruel. A Voz conquistou a santa capital de nossa terra. Mas Urag interveio, e auxiliou Seus generais. Os dois escolhidos romperam as muralhas da cidade tomada, derrotaram as intermináveis hordas de hereges e traidores. Alguns dizem que demônios lutaram naquele dia, mas nada adiantou contra a bondade, a fé e o amor fraternal. O sangue da meretriz do diabo manchou as lâminas. A Voz caiu. A Igreja estava limpa, estava limpa a terra.

Ou achávamos.

Era o plano do diabo. A Igreja, embora limpa, estava sem líder, sem Voz. O Guerreiro do Povo tinha sede de sangue, deleitara-se com a morte da inimiga. O Cavaleiro Imaculado não quis acreditar no que vira. O Guerreiro do Povo voltou-se então contra os cardeais, os príncipes da Igreja. Sem Voz, restavam apenas aqueles humildes religiosos para guiar os fiéis. O Cavaleiro Imaculado os protegeu. Os dois irmãos lutaram.

Os sábios da Igreja descobriram mais uma profecia:

Haveria dois soldados. Um de Deus, e um do diabo.

O Guerreiro do Povo era o Soldado do Diabo. Foi vencido e escorraçado pelo amigo que traíra. A artimanha falhou — a maldade da Voz corrupta, o engodo do falso santo, nada foi páreo para o poder da fé. Um ano depois, as forças da Santa Igreja caçam o apóstata. Aguardamos por uma nova Voz, e confiamos em Urag para nos guiar por mais essa provação.

Tudo mentira.

O poder dessa história, é claro, é não ter final. Os homens à minha volta berraram num entusiasmo de religião e ufanismo ao ouvir as últimas notas. Ainda não havia uma Voz, e o inimigo estava à solta. Cabia a todos nós vigiar, em nome de Urag. O bardo contara uma versão quase perfeita; não havia muitos erros. Eu conseguia vê-los, mas acho que mais ninguém. Era um bom bardo, considerando-se tudo, e talvez bardos fossem melhores que escritores, no final das contas.

Não restava quase sol algum lá fora. Os aldeões acenderam as tochas, em busca de luz e calor. E acima de tudo, purificação.

— Prefiro quando não são hereges — disse uma mulher perto de mim, através da falha nos dentes.

— Todo mundo aproveita a noite — disse outra. — Menos nós.

Naquela noite, todos as ignoravam. Tentavam ser religiosos.

— Execução de herege tira o tesão.

— Não tira. Mas deixa com medo.

A outra concordou. Ninguém traía a esposa quando achava que Deus estava olhando.

— Em que será que eles pensam antes de morrer?

— Boceta.

— Será?

— Claro. Se for homem.

— E se for mulher?

— Que queria ter nascido homem. Para pensar em boceta.

Riram.

— Homem sempre pensa em boceta. Nunca viu um enforcamento? O sujeito fica duro, pendurado lá na corda.

— Até depois de mortos, continuam querendo o de sempre.

A cerveja pesou dentro de mim, como uma centena de pedregulhos insolentes. O cheiro da urina empoçada, lentamente absorvida pela terra, e da fritura distante, entrando pelas frestas, provocavam um enjoo fundo, primordial. Quis vomitar, não tinha nada no estômago. Os fregueses começaram a sair da taverna. O homem estava para morrer. Eu também, mas pelo menos não estava preso.

Era uma lenta multidão, derramando-se para o lado de fora como gelatina. Uma vagarosidade preguiçosa. Então, o fluxo se deteve. O povaréu se abriu, meia dúzia recuou. Houve quem reclamasse, desafiasse, mas eram bêbados, que logo foram calados pelos amigos. Enquanto eles saíam, um homem entrara. Tentei me encolher.

Ele era meia cabeça maior do que todos. Seus ombros e sua espada denunciavam: soldado. O rosto não acostumado a olhar o chão, e o caminhar decidido, com um propósito. Seus cabelos eram loiros e longos, amarrados atrás da nuca. O rosto largo, de maçãs altas, bem escanhoado. Não estava sujo. Ou talvez estivesse, mas não era a sujeira entranhada, ancestral, dos que viviam e morriam no celeiro, no curtume, no meio dos porcos. Era ele. Eu estava morto.

Sentou-se à mesa. Já quase todos estavam de pé, mesmo assim abriram um espaço à sua volta. Ele andava pela taverna como se os outros não existissem, uma confiança fácil de guerreiro. Olhou ao redor — o bardo maltrapilho, os bêbados de saída, o taverneiro, as prostitutas, eu. Não se deteve em ninguém. Como saber se me reconhecera? Vira-me, é claro, mas não sei se minha tremedeira podia ser notada.

Chamaram lá fora. Começou a oração. Urag, calai nossas palavras, falai por nossa língua. Tochas foram acesas. O prisioneiro estava para morrer, e eu também. Mas ele seria morto por um padre. Meu assassino era um homem melhor.

Quase ninguém estava na taverna, e a cada instante menos. Ficaríamos só nós dois. Para sumir no povo, eu deveria sair também, mas o caminho até a porta passava por ele. Não me olhava. Eu tinha certeza de que, ao passar, sentiria sua mão agarrando minha camisa, seria derrubado sobre a mesa. Quase senti a madeira áspera no rosto, e então o som da espada deixando a bainha, uma dor aguda, e a sensação quente do sangue escorrendo. Não conseguia tirar os olhos dele. Criava cenas, entre o grotesco e o trágico, para minha própria morte, um vício de escritor. Um homem lá fora iria morrer de verdade. Já estava morrendo.

Ouvi um grito. Haviam tirado a mordaça do herege. Ele pedia por favor. Senti a pulsação na garganta. Larguei o caneco.

Corri.

Abri a porta com a mão espalmada. Havia passado por ele, sem notar. Só tinha olhos para o herege que iria morrer, e o fogo já crepitando aos seus pés. O homem deu um berro. A multidão estava hipnotizada em volta, acompanhando o fogo e os gritos. Dos dois lados, os executores seguravam tochas. À frente, o padre — um padre qualquer, a batina tão puída quanto as túnicas dos fazendeiros. Segurava um livro que não sabia ler, recitava passagens meio lembradas, com erros que eu percebia.

Um homem estava para morrer, e eu não conseguia fingir que não tinha culpa.

Empurrei a primeira linha de espectadores, peguei-os de surpresa, um deles escorregou, indo apoiar-se em outro. Eu era um pouco mais baixo que a maioria e meus braços de escritor não estavam acostumados com aquilo. Não era mais forte que ninguém ali, mas empurrei a segunda fileira. Empurraram-me de volta. Dei um chute às cegas, já não conseguia enxergar nem herege e nem padre, só de esguelha o brilho das chamas. Senti o fedor da fumaça, por enquanto só palha. Minha bota acertou uma canela, seguraram-me o ombro, joguei o cotovelo para trás, bati em alguma coisa. Um homem agarrou minha camisa. Fiz algo que nunca fizera: dei-lhe um soco no nariz. Foi um soco patético, mas cheio de raiva, e vi sangue, alguma coisa raspou no meu punho fechado.

Empurrei, e notei que gritava, gritava junto com o herege. Não sabia por que estavam matando aquele homem. Talvez pela mesma razão de sempre, falou a coisa errada na hora errada, ou talvez fosse um assassino e estuprador. Mas eu sabia que ele, assim como eu, era um condenado, e assim sentia uma estranha afinidade. Éramos gêmeos de morte. Empurrei mais, dei um soco em um estômago, levei pancadas nas costelas e na cabeça, mas estava ensandecido, mal sentia qualquer coisa.

Senti uma golfada de ar fresco, eu saíra da multidão. Logo fui atingido pelo bafo da fogueira. Estava na frente de todos, e bem junto ao herege, aos executores e ao padre. Não sabia qual era o meu plano. Pulei na direção dos algozes, minhas pernas fraquejaram, caí como um boneco, minha fúria era maior que minha habilidade atlética. Vi meu pé dobrado, o tornozelo torcido, senti uma dor lá no fundo, compensei pulando de novo. O executor arregalou os olhos sob o capuz. Caí em cima dele, desequilibrei-o, tomei-lhe a tocha. Uma pancada súbita contra minha omoplata. Então outra na cabeça, eram pedras.

E se eu tinha algum curso de ação, foi aí que o abandonei. Estava enfurecido com aquele padre, aquela gente que me apedrejava e matava um herege. Com a tocha na mão, deixei o executor, corri para o padre. Era um velho horrendo. Brandiu o livro santo contra mim como se fosse uma arma, e era mesmo, mas não funcionaria naquela hora. O herege gritava. Bati na cara do padre, usando a tocha como um porrete, seus cabelos pegaram fogo. Agora eram dois gritando — ou três, porque acho que eu gritava também. O segundo executor investiu contra mim, e a multidão investiu contra mim com suas pedras e toda sorte de objetos que haviam brotado de algum lugar.

Joguei a tocha para cima deles. Algo estúpido, mas que valeu alguns instantes. Eu só procurava uma maneira de salvar o condenado, resolvi pular por sobre a palha em chamas, tentar desamarrá-lo antes que eu mesmo queimasse. Caí de pé junto ao tronco, agarrei as cordas. Mas obviamente estavam bem presas, não havia nada que eu pudesse fazer. Minhas calças prenderam fogo. Meio saltei, meio desabei por aquele chão de terra, jogando a palha incendiada para todos os lados. Algumas brasas voaram longe, vagarosas, queimar tetos de sapé. Rolei no chão, tentando apagar minhas próprias chamas, a turba se espalhou, muitos vindo contra mim.

Senti um chute no estômago, agarrei a perna, o desgraçado caiu. Arrastei-me pelo seu corpo, alcancei seu rosto e mordi. Não tinha noção da força, causei um ferimento feio. Senti o impacto longo de uma paulada nas costas. Eu era o segundo sacrifício daquela noite. Seria um festival, algo para contar aos netos.

Um relincho.

O povo se abriu como um pano na tesoura. Ele surgiu cavalgando, os enormes cascos da montaria se agitaram perto de cabeças. Não sei se alguém morreu atropelado, mas quero acreditar que não. Ele montava em pelo, segurando a crina, e a outra mão no cabo da espada. Os calcanhares na barriga do cavalo, que parecia saber que estava sendo montado por um homem digno, um protagonista. Ele saltou, e eu tive uma esperança besta de que fosse me salvar, mas é claro que não. Saltou na direção do herege. Nem cavalo e nem cavaleiro se importavam com as chamas, porque eram heróis invencíveis. Não: porque eu espalhara o material incendiado, e o que havia sido uma pilha compacta e mortal tornara-se um fogo arredio e disperso, sem combustível, que assustava mais do que feria. Ele passou pelo herege, estendendo o braço da espada para trás, cortando as cordas. O homem despencou. Ele o agarrou e o jogou no lombo do animal. Claro que salvaria o herege. Era o Soldado do Diabo.

Um momento para tomar fôlego: todos os olhos nele, nenhuma atenção em mim. Aproveitei, ergui-me, o tornozelo torcido me derrubou de novo, apoiei-me num qualquer. O homem que eu mordera tentou agarrar minha perna, dei-lhe um coice. O Soldado do Diabo voltou seu cavalo para mim. Incitou-o ao povo, fazendo-os cair, correr, sair da frente. Galopou em minha direção, eu não saí — valentia de mártir, paralisia de medo.

— Estou, aqui, Atreu! — gritei. — Não estou fugindo! Venha me matar!

Ou quase. Meu grito saiu esganiçado, e não cheguei à segunda palavra, antes que o cavalo estivesse sobre mim. E Atreu, o Guerreiro do Povo, o Soldado do Diabo, ergueu sua espada e a abaixou, e tudo escureceu.

Outra mentira: não era um cavalo. É claro que não haveria um cavalo num lugar miserável como aquele.

Era uma mula.

Mas um cavalo soa melhor.

2

Abri os olhos. Dor no corpo todo, o tornozelo e as costelas e o estômago, e as pernas e os braços, que reclamavam do esforço. E o latejar na testa, onde Atreu havia me atingido.

Eu não estava morto.

Era dia, e uma estrada. Tinham-me deixado estirado na relva, perto da beira. O sol atacou meus olhos, tentei erguer a mão, mas estava preso. Pisquei até conseguir enxergar, ainda fiquei com um olho estreito e o outro fechado. Atreu estava sentado, espada casual ao alcance da mão, comendo qualquer coisa. A mula divertia-se mastigando. O herege estava solto; eu, amarrado. Em vez de pensar como qualquer pessoa normal, fui escritor e notei primeiro a ironia da situação. Este é um dos mais baixos recursos de escritores canhestros. Quis que me tivesse acontecido um bom recurso, algum tipo de simbolismo ou sugestão de eventos futuros, e então me doeu a cabeça, e eu não quis mais nada.

O herege andava para lá e para cá, fascinado com a súbita liberdade. Olhava-me de revesgueio. Decerto sofrera queimaduras, mas não parecia dar muita importância a isso. Sorria como um inocente. Atreu enfiou o resto da comida na boca, mastigou como uma obrigação e engoliu enquanto vinha até mim. Fiquei assustado.

Gesto rápido, encolhi-me, as mãos de Atreu em mim. Achei que ele cortara as minhas cordas, com uma faca rápida que eu nem vira, mas apenas desamarrou os nós. Atreu era muito bom com nós, fizera uma tal engenharia de cordas que bastava um puxão, e eu estava livre.

— Por que — comecei.

— Dói? — disse ele, cutucando-me as costelas. Soltei um grunhido.

Virou-se de costas e foi buscar algo em uma sacola. O herege olhava com interesse. Atreu retornou com um embrulho, exigiu que eu tirasse a camisa. Obedeci, mas foi muito difícil, porque cada movimento doía. Era difícil respirar, o peito reclamava sempre que eu tentava inflá-lo.

Ele me fez ficar imóvel, sentado, braços longe do corpo. Apalpou minha caixa torácica com expressão concentrada e pupilas para o céu. Localizou o que estava quebrado, encaixou o osso no lugar, retirou ataduras e curativos do embrulho, amarrou em volta do meu peito. Era um cardápio de sensações que eu nunca experimentara, mas já me sentia um pouco melhor. Ele instruiu sobre alguns movimentos que eu deveria evitar.

— É uma costela solta. Se não tiver cuidado, pode perfurar seu pulmão. E aí você vai morrer.

Pisquei.

— Você queria me matar.

Atreu concordou.

— O que aconteceu? — eu disse.

Um tempo de olhar, como se me avaliasse.

— Você fugiu por alguns meses, mas eu o achei. Tentou salvar a vida de um herege. Dormiu quase um dia inteiro. E agora estamos aqui.

— Por que não me matou?

— Por que tentou salvar o herege?

— Eu perguntei primeiro — protestei.

— E eu tenho uma espada. E você tem uma costela quebrada.

Atreu, eu descobriria, era um pragmático.

— O que vai acontecer agora? — eu disse.

— Estou viajando. O tempo está acabando. Uma guerra está para começar.

— Guerra contra quem?

— Acho que você já sabe.

— Sou prisioneiro?

Ele me lançou um olhar significativo.

Deu-me comida, e então viajamos.

O herege se chamava Zeno, e teve direito à mula, porque realmente sofrera queimaduras nos pés. Coube a mim um cajado, para me ajudar a andar. O alívio das queimaduras do herege viera de um unguento administrado por Atreu. Zeno recusava-se a entender que era um anestésico temporário, e que não havia sido curado por um milagre. Devia ter a minha idade. Demorou pouco para que eu quisesse saber sua história e o motivo de sua execução.

— É que às vezes não entendo as coisas — disse Zeno.

— Não é motivo para ser executado.

— Também acho. — Ele deu de ombros. — Mas gente mais esperta acha que é.

Zeno disse aquilo com um meio sorriso. Em nada lembrava o homem aflito do dia anterior. Como se, uma vez contornada, a situação fosse posta inteiramente de lado. Também não demonstrava apreensão por quase ter sido queimado em sua própria aldeia, e por não ter mais casa ou qualquer posse material. Eu quis saber de seu crime.

— Se a Voz de Urag era serva do diabo, por que o Soldado do Diabo quis matá-la? — Zeno expôs.

— Ora, para destruir a Igreja.

— Mas não seria melhor para o diabo deixar a Voz corrompida no poder? Ou então matar uma Voz boa?

Vi que eu estava defendendo a história. Orgulho profissional.

— Você falou isso para outras pessoas?

Zeno fez que sim.

— Perguntei ao padre.

— E?

— Ele disse que eu estava sugerindo matar uma Voz de Urag. Que estava dando ideias para o diabo. Então, quiseram me matar.

Ele aceitava aquilo com uma naturalidade titânica. Eu precisava admitir que havia algo de tentador em assassinar todos que enxergassem falhas em um enredo.

— O que vai fazer agora, Zeno?

Não sabia.

— Como vai viver?

— Deus vai cuidar de mim.

Lembrei de onde estava, e com quem estava falando. Atreu me lançou um olhar funéreo, dizendo é tudo culpa sua, e era verdade, era tudo culpa minha.

Por vivermos em uma ilha, e por sermos governados pela Santa Igreja, éramos assustadoramente ignorantes. Ainda somos. É fácil acreditar que o mar se estende para sempre, que não há nenhuma terra além das ilhotas que são como satélites, e que tudo que existe está sob o governo da Voz, sob os olhos de Urag. Mesmo os pescadores, e mesmo os marinheiros, não veem outra civilização. Eu veria terras distantes, mais tarde. Mas, naquela época, todo o meu conhecimento provinha de livros antigos, de impressões sobre achados, de conclusões lógicas. A existência do minério divino sugeria algo além — algo maravilhoso, mesmo que o folclore e os dogmas afirmassem que eram fragmentos de coisas tocadas por Deus. As raríssimas ruínas de uma civilização imemorial, que ninguém conhecia, eram para mim provas de que nem sempre fôramos nós aqui. Um punhado de histórias e lendas faziam referência às Grandes Rainhas do passado, que não significavam nada para qualquer pessoa viva. *Devia* haver algo mais, porque era *impossível* que só existisse isto. Mas o povo não sabia ler, e conclusões lógicas eram quase satanismo, e então vivia-se e morria-se pensando que o mundo acabava onde acabava o governo. Que os líderes da Igreja eram os líderes do mundo, que nossos criminosos e heróis eram o ápice da maldade e da luz na história. Zeno pensava assim, e sempre pensaria.

Atreu, à noite, sacava instrumentos cujo propósito eu entendia de raspão. Olhava por lunetas, fazia cálculos em pergaminhos, traçava nosso curso sem precisar de estradas. Entramos em uma floresta, seguimos por colinas pedregosas sem marcação. A terra era pequena, mas ainda assim tinha muito espaço sem dono. Bom para fugitivos, como nós três.

— Para onde estamos indo? — eu disse, após alguns dias.

Atreu não tirou os olhos de sua matemática.

— Sudário do Louco.

Era uma cidade, algum livro havia me ensinado. Eu não sabia se era um prisioneiro, estava solto, e seguia com ele porque não sabia bem o que fazer. Talvez houvesse algum tipo de protocolo, algo que eu não conhecesse, e que tornasse bem clara a minha posição. Seguia o homem que desejava me matar, de quem eu fugira por meses. Mas ainda estava vivo. Buscava uma explicação.

— Por que não me matou?

— Por que tentou salvar o herege? — ele retrucou.

Não respondi, e ficamos um tempo assim. Depois de mais um dia, encontramos um riacho, que seguimos corrente acima, e notei que a água era suja. Muita gente enfiando as mãos — as mãos de perpétua imundície dos aldeões e soldados — e muita gente lavando suas roupas e panelas, e a disenteria que se instalava sempre que havia um grande ajuntamento. A terra começou a se mostrar pisoteada, mesmo para os meus olhos acostumados com tapete. Estávamos chegando perto de um exército. Quando avistamos Sudário do Louco, fomos saudados pela impressão de calor e cheiro de uma grande multidão. Era uma cidade pequena, mas ali se planejava o fim do mundo.

Atreu sorriu para si mesmo ao avistar os homens. Em volta da cidade havia uma selva de acampamentos, fogueiras e, para os mais prósperos, até mesmo tendas. Em alguns pontos, erguiam-se estandartes, mostrando armas, animais, torres e carvalhos, sobre fundos de cores simples. Eram estandartes de uma singeleza esmagadora, estandartes de lordes guerreiros, muito mais simples e ferozes do que os brasões nobres a que eu estava acostumado. Os guerreiros que ocupavam a floresta de acampamentos, em ócio ou labuta, ergueram-se em uma onda, à visão de Atreu. Difícil confundi-lo: o povo de nossa terra tem um ar mestiço e pangaré, traz as marcas de uma vida de pancadas, fomes, doenças de pele, trabalhos indignos. Atreu parecia ter brotado do chão naquele instante, sem que o mundo tivesse tempo de maltratá-lo, e suas cicatrizes emprestavam ferocidade ao invés de humildade. Foi reconhecido de imediato, seu nome foi gritado com urras, de cinco em cinco vieram abraçá-lo.

Então, um grupo sorridente fez seu caminho entre os outros. Eram homens altos, curtidos, que carregavam escudos de madeira reforçada com aço, ostentando a imagem de um grande sol redondo. Eram os guerreiros de Atreu, os Escudos do Sol, e o lorde segurou-lhes os ombros e apertou-lhes ao peito, chamou a cada um pelo nome: Bellio, Péricles, Cadmo, Felix, Amadeu, e mais dezena e pouco.

Continuamos, com a escolta feliz, os vivas, eu também fui cumprimentado algumas vezes, nem perguntaram meu nome. Ainda bem, porque acho que iria mentir. Depois dos acampamentos, a cidade se erguia como um toco compacto, muralhas antigas de pedra reforçadas com terra à volta, e um fosso. Atravessamos os portões. A cidade fedia, como fediam quase todas, mas havia um ar de esperança, que o sol entusiasmado aumentava, como se Urag sorrisse para aquilo tudo. O que não fazia o menor sentido, porque era uma reunião de blasfemos.

Casas de madeira ou pedra, tetos de sapé como em tantas outras, e todo canto apinhado de gente. Os guerreiros preenchiam as ruas, e as pessoas atendendo às necessidades dos guerreiros. Sudário do Louco era o ponto de partida de uma guerra, e de muito mais, como eu viria a descobrir.

Zeno ria para tudo.

— Quer ser guerreiro? — disse-lhe Atreu.

— Nunca peguei em uma espada — disse o condenado.

— Pode aprender — acenando para os guerreiros de outros estandartes, com escudos que exibiam águias, raposas, fêmures cruzados. — Enquanto isso, alimente os cavalos, ajude os cozinheiros, cave latrinas.

— Sei cavar latrinas!

Atreu despachou-o para se apresentar a um capitão daquela frouxa hierarquia. Zeno disparou sobre sua mula, o homem mais feliz do mundo. Invejei-o.

— O que vai acontecer comigo? — eu disse.

Recebi um olhar entre a decepção e a condescendência.

— Apesar de tudo, você é um homem da Igreja. — Foi a resposta, como um ataque. — Pareço seu deus?

— Não tenho deus. — Ergui o queixo. Naquela época, era mentira, mas eu sentia uma rebeldia púbere.

— Então por que pergunta para outro qual é o seu destino?

Por que eu estava lá? Achava que era prisioneiro. Nesta terra, estávamos todos muito acostumados à cangalha.

Ali estava a importância daquele exército de ímpios.

Antes que eu me livrasse de um rápido delírio de espadas e heroísmo, já estava na praça da cidade, onde a estátua de uma antiga Voz de Urag fora derrubada, e onde os generais se reuniam. Todos ali haviam sofrido nas minhas mãos, todos teriam razão para me matar.

— Uma guerra não se resolve em uma batalha — disse a mulher alta.

Impossível não olhar para seu corpo, mesmo com vergonha e à socapa, pois a armadura de couro e cota de malha deixavam ver parte de seus seios sardentos, e o saiote de talas mostrava parte das coxas. Não era uma indumentária de luta que fizesse sentido, e ela carregava as cicatrizes que comprovavam. Imaginei como aquela senhora da guerra, a selvagem chamada Penélope, enfrentaria cavaleiros e saraivadas de virotes. Seus cabelos ruivos machucavam a vista, sua pele pálida e as sardas lembravam uma criança. Assim como todos os homens, fui enfeitiçado por sua aparência.

— Não queremos território — disse o impassível general que vestia uma estranha casaca e dragonas.

— Precisamos desgastar o inimigo, queimar seus recursos, aterrorizar seu povo! — insistiu Penélope.

— Não faz parte do objetivo. — O homem voltou a falar.

— A velha sede de sangue. Penélope é um cardume de tubarões. — Outro general sorriu. Era baixo e atarracado, exibia o escalpo nu e um farto bigode negro. Carregava um sabre à cintura e tinha o balançar de quem vive em navios.

— Uma guerra prolongada é boa para eles — disse Atreu. — Não vamos desgastá-los, Penélope, isso já não deu certo antes. Eles colhem grãos e matam vacas. Nós só lutamos. Nossos recursos vão acabar primeiro.

— Não se capturarmos as fazendas, os moinhos.

— *Não queremos conquistar, Penélope* — Atreu falou como um machado. — Queremos apenas destruir.

O baixote riu para sua bebida, recostado à cadeira. O estranho de casaca azul e cabelos curtos e meticulosos permaneceu estático, sem piscar. Penélope mastigou os lábios.

Aqueles eram os rebeldes, os generais que desafiavam nosso governo. Nossa terra. Nosso deus.

Em Sudário do Louco, planejava-se uma revolução. A guerra civil, quando a última Voz de Urag havia sido assassinada, não cicatrizara por completo. Na praça, sob o sol, em meio aos burburinhos de soldados, sentados em cadeiras díspares e ao redor de uma mesa com mapas e pergaminhos seguros por pedras, estavam os criminosos de guerra. Atreu os enfrentara antes, como o Guerreiro do Povo, mas agora era seu aliado.

Penélope atraía mais meu olhar, é claro, mas os outros também eram tipos esdrúxulos. D'Agostini era o homem baixo e bigodudo, que sempre parecia esperar que o chão se movesse como um convés. Fora um almirante na marinha da Igreja, e agora comandava toda a minúscula frota dos revoltosos. Deixara seus navios numa baía discreta, não muito longe dali, para participar do último conselho de guerra.

O que mais me inquietava era Pugna Marco Segundo, de nome tão bizarro quanto seu comportamento e vestes. Eu nunca vira aquele tipo de roupas, mais ainda em um guerreiro: uma sobrecasaca azul desbotada, com detalhes em fio de ouro ausente em muitos lugares, dragonas também douradas, e algumas medalhas desencontradas, que não faziam sentido. Quando não estava falando, Pugna mantinha-se imóvel, com os braços caídos ao longo do corpo, uma posição meio imbecil. Tinha cabelos negros curtos, oleados à perfeição, e um bigode discreto, bem aparado. Causava-me a impressão de não piscar, de esquecer-se de respirar às vezes. Eu já ouvira falar em Pugna Marco Segundo, assim como muita gente, mas achara que os boatos a seu respeito eram só mais uma mentira. Já questionava isso.

Ainda aguardavam mais um outro, chamado Oberon, cujo paradeiro ninguém sabia. Todos haviam defendido a Voz corrupta e, vencidos, esconderam-se nas reentrâncias de nossa terra. Atreu, agora um renegado da Igreja, fora acolhido naquele grupo. Eu esperava que também me aceitassem, apesar do que fizera, apenas por ser um pária.

Era um exército de párias, com uma missão obscena.

O inimigo era a Igreja.

O objetivo era destruí-la.

— Nada no céu — reafirmou Atreu.

Era o cumprimento e o lema dos rebeldes, embora nem todos acreditassem. *Não há um deus no céu; nada exceto as nuvens.* Os outros generais responderam.

— Vão matar os cardeais? — Não me contive.

Atreu fez que sim.

— E substituir com o quê?

— Nada.

Mesmo para mim, assustador.

Por isso, não era uma guerra de conquista. Eles avançariam à capital de nossa terra, Ruiturus, e fariam um ataque devastador. Não havia esperança de vencer as forças da Igreja em um conflito longo; os rebeldes tinham poucos números e poucas bases. Sudário do Louco, ninho de heresias, livre de padres, acolhia-os, mas quase nenhum outro. Eram poucos, mas eram ferozes, arreganhavam os dentes e espumavam. Numa missão de açougueiros, poderiam triunfar.

Todos os olhos se voltaram para mim. Eu falara sem prudência.

— Quem é? — disse Penélope.

Atreu falou entre goles:

— Iago.

Amoleci por dentro ao ouvir meu nome. Um gelo frouxo dominou meus músculos e minha mandíbula. Uma nuvem atravessou os semblantes; D'Agostini retesou os ombros e desfez o sorriso, Penélope rosnou para mim. Pugna manteve-se como estava.

— Você ia matá-lo — disse Penélope.

— Mas não matei.

— Por quê?

Eu também queria saber, embora não estivesse tão decepcionado quanto ela.

— O diabo gosta dele — disse Atreu.

— É um assassino — insistiu Penélope.

— Eu também.

— Matou *meus* homens.

— Eu também.

— Pelo menos você teve coragem de pegar em uma espada, sentir seu bafo — disse D'Agostini.

E eu não tivera.

— Ele é muito perigoso — disse Penélope.

Algo que nunca me ocorrera, mas eu era perigoso mesmo, no meu mundo. Era estranho sentir aquela inversão; todos eles haviam sido minhas vítimas, indefesos contra as minhas armas, no meu território. Agora, bastava que qualquer um movesse um braço, e eu estaria morto. A vida era linda e cheia de complexidades, e a maior parte delas fazia alguém sangrar.

— Você quer usá-lo contra o inimigo — disse Pugna. Ao falar, saiu de sua posição mortiça, e interessou-se como uma pessoa.

— Não! — Atreu foi rápido.

— É sua única utilidade. Sem isso, é só mais um estômago.

— Vou lutar! — eu disse, por alguma razão.

Olharam-me. Eu lutara uma única vez na vida, poucos dias atrás, e tomara uma surra. Estava cheio de dores, não tinha talento algum, e nem qualquer valentia excepcional. Poderia dizer que não sei por que falei aquilo, mas sei. Foi porque era dramático e, em uma história, seria esperado, e eu demonstraria meu valor na batalha, conquistando meu lugar como mais um dos díspares generais. Seria um guerreiro-poeta, já imaginava meu estandarte. Esse tipo de idiotice passa pela cabeça dos escritores.

— Ele vai lutar — disse Atreu, nem um pouco surpreso.

E me entregaram uma espada.

Botaram-me em um quartinho, chamado de alojamento por causa do jargão, mas era um quartinho. Pertencera a um garoto que morrera de catapora, ficava na casa de uma família com dinheiro e sem religião, que se orgulhava muito em hospedar os guerreiros. No meu quartinho dormiam oito, todos com cheiros fortes. Dois em cada colchão de palha, sem pudor, porque era necessário.

Vi Atreu mais uma ou duas vezes naqueles dias. Procurava-o como uma criança, tentava chamar sua atenção. O homem que quisera me matar. Eu me assombrava com minha própria burrice. Fiz algum treinamento com a espada, mas não podia me mexer muito, por causa da costela. Atreu advertira-me, e advertira o infeliz com a tarefa ingrata de me instruir: eu era um pupilo sem talento e alcijado.

Oberon, o último general, demorava. Sem notícias. Esperavam-no para o último conselho de guerra, para a reunião antes do ataque definitivo a Ruiturus. E, a cada dia que se demorava, aumentava o perigo. Mesmo em nossa terra erma, não se podia manter uma cidade rebelde escondida para sempre. Eu cavava latrinas com o cantarolante Zeno, tentando ser útil, quando vi um mascate se aproximar. O homem tentou desviar o caminho discretamente, mas poucos metros depois Penélope cortou sua garganta. Ele vira o acampamento rebelde, era um risco, devia ser silenciado. Todos fingiram não ver, eu fiquei quieto.

Noites e dias se passaram, veio uma chuva e foi embora. Começou-se um racionamento de comida. Oberon não chegava.

— O que vamos fazer? — perguntei a Atreu, quando consegui emboscá-lo na taverna transformada em refeitório.

— Você vai curar sua costela, aprender a segurar uma espada e cavar mais latrinas.

— O que *vocês* vão fazer?

— Esperar.

— E se o tal Oberon não chegar?

— Atacaremos, mas seremos vencidos.

Digeri aquilo por um instante.

— Por que não me matou?

— Por que tentou salvar Zeno?

— Não sei.

Ele fez um gesto, como se exibisse a solução.

No dia seguinte, as tropas inimigas chegaram. Fomos cercados.

3

Não sei como começar sobre Jocasta. Talvez Jocasta seja a pessoa mais importante desta história. Deveria dizer personagem, tenho que ver Jocasta como personagem, e não como pessoa. Tenho que ver todos como personagens. E Jocasta, fico cada vez mais certo disso, é a personagem mais importante desta história, talvez a pessoa mais importante da história de nossa terra.

Veremos.

Nunca descobri como aprendeu a ler. Ela mesma não lembrava, disse que sua mãe contava que ela aprendeu sozinha. Não sei se isso é possível. Também não sei o que poderia haver de palavra escrita na aldeia onde Jocasta cresceu. No máximo, um Discurso Santo, o que ajudaria a explicar sua religião fervorosa, mas mesmo isso é improvável. Também nunca descobri como Jocasta ficou livre de marcas na pele, de febres e pestes onipresentes, de calos, arranhões e cicatrizes. Em um lugar que triturava os espíritos e maltratava os corpos como um pilão, Jocasta manteve-se bela, corpo ligeiro e pele fresca.

Naquela época, ainda mais sozinha. Não que tivesse grande convívio com as garotas da vila. Mas, aos quinze ou dezesseis, era uma pária: não tinha filhos e nem mesmo estava grávida. Não mais de dez meninas por volta de sua idade na aldeia, e todas já arrastavam pequenos de nariz ranhento ou, no mínimo, barrigas volumosas. Era preciso ter filhos cedo, para que ajudassem nas lides, e para aumentar as chances de pelo menos um herdeiro sobrevivente. Jocasta estava chegando à metade da vida, com sorte, e sua vagina ainda não cuspira nenhuma criança.

Mas começarei antes. Pela vila.

A vila não tinha padre. Ou melhor, tivera, mas o homem morreu de peste. Era um povoado lamacento e ermo, longe de estrada e mar, longe de rio e cidade, e ninguém, muito menos Deus, preocupou-se em substituir o pregador. Vado, o oleiro, tirou a batina do cadáver e quis assumir a função de guia espiritual. Mas confundia-se com as histórias das Vozes, errava e contradizia, sem querer, o padre anterior. Um dia, acharam que ele era um herege, e jogaram pedras até que morresse. Jocasta também deve ter arremessado uma pedra, embora fosse muito jovem para compreender. A esposa de Vado foi acolhida piedosamente, sustentada pelas famílias, mas não parava com a choradeira. Chorar demais por um herege também era prova de degradação e a viúva foi marcada, a ferro quente no nariz e nas orelhas, e expulsa da vila.

Desde então, sem padres.

Vez por outra, chegavam pregadores andarilhos. Podiam ser hereges, ou manter-se em dia com as modas da espiritualidade. Por uma semana e pouco, eram alimentados e abrigados, desfrutavam do vinho e do pão dos aldeões, e às vezes de suas filhas e esposas, e ofereciam ensinamentos, conforto para a alma. Certo ano, Jocasta tinha doze, o inverno foi muito rigoroso, e um padre errante ficou preso pelas nevascas. Foram meses de alegria, todos os casais em pecado juntaram-se aos olhos de Deus, muitas dúvidas metafísicas foram sanadas. Imploraram para que o homem santo ficasse após a neve derreter, mas ele tinha deveres em outras partes. Sabia que uma ou duas barrigas logo começariam a inchar, e foi embora.

Deste, e de todos os religiosos esporádicos, Jocasta tirou sua educação espiritual. Tinha memória prodigiosa, e recitava trechos inteiros de sermões improvisados há anos, recordando até mesmo as pausas, tosses e hãs. Era muito nova quando arremessara uma pedra contra o oleiro herege, mas compreendia os riscos associados ao papel de líder religioso. Nunca dividiu suas impressões de Deus com ninguém, exceto com a mãe, em noites bissextas, quando dores de cabeça impediam que ela dormisse e Jocasta ajudava a passar o tempo, conversando. O pai nunca soube, e era melhor que não soubesse.

Jocasta aos treze anos, um verão muito chuvoso. A chuva afogou as plantações, o pai voltava para casa segurando forte a cabeça, de noite virava-se com insônia. Ela ouvia tudo, porque dormia a poucos metros dos pais, na única peça da cabana. Mandaram-na para o chiqueiro, logo fora da casa, como faziam sempre que desejavam copular. A cópula era vil aos olhos de Urag, um mal necessário para a bênção dos filhos, um tipo de expiação prévia. Mas, naquela noite, o que Jocasta ouviu não foram os grunhidos do pai, não foram os gemidos e nem mesmo o choro da mãe. Os dois falaram em sussurros altos, chiados, depois aumentando a voz, até que gritaram. Houve um som de tapa, cambalear, esbarrando na mesa, e soco e soco, o homem aqui sou eu, está decidido.

De manhã, a mãe estava indisposta. O pai voltou ao meio-dia, como nunca costumava fazer, e apresentou um rapaz. Era Raldo. Jocasta o conhecia, todos se conheciam — uma apresentação formal era sinal de importância. Raldo e seu pai não tinham sido afetados pela chuva. Possuíam uma carroça, e família grande o bastante para dividir em várias tarefas. Haviam cortado lenha e viajado para vendê-la em outra aldeia. Lá haviam comprado comida, um bem precioso naquele período, e vendido aos conterrâneos. Eram as pessoas mais viajadas da aldeia, e alguns dos únicos que já haviam lidado com dinheiro de verdade. Raldo e seu pai estavam dispostos a oferecer uma vaca e dois bezerros em troca de Jocasta. Uma fortuna. O pai aceitou.

— Aqui está o seu marido. Amanhã vocês se casam.

Naquela época, Jocasta já era bela, ao ponto do incompreensível. Não faz sentido que sua pele tenha sido sempre alabastrina. Não faz sentido que seu nariz fosse delicado, sutilmente apontando para o céu, quando seu pai tinha nariz vermelho de tubérculo e sua mãe tinha algo que parecia um bico de ave. Não faz sentido que seus olhos fossem tão enormes e tão castanhos — não do castanho mortiço de todos, mas de uma luminosidade mesmerizante. Jocasta lavava o cabelo como todas, mas seus fios eram lisos, bem comportados, não tinham nós. Por que as mãos de Jocasta eram delgadas, por que seus dedos eram compridos, por que seu corpo cresceu para uma voluptuosidade discreta, elegante? Não sei, e ela nunca soube. Mas era linda, já aos treze e mais ainda aos dezesseis, quando os eventos realmente começaram. E aos treze foi vendida a Raldo, que admirava-a e queria romper seu hímen.

No dia seguinte, realizou-se o casamento. A mãe de Jocasta tinha um olho roxo, porque tropeçara e batera num móvel.

— Minha filha, este é o dia mais feliz da sua vida. Você vai se casar e ter muitos filhos, e ver suas próprias filhas casando aqui mesmo.

Jocasta foi encontrada empoleirada numa alta viga em um celeiro, depois de horas de busca. Foram precisos dois homens adultos para arrastá-la, ela por fim amoleceu o corpo e deixou-se levar. Amoleceu tanto que seus braços penderam. Os homens olharam seu rosto estático, olhos abertos, não respirava. Largaram-na no chão, chamaram o pai, a menina tivera um ataque. Então ela pulou e saiu correndo, e mais cinco horas até que a encontrassem de novo. Mas casou-se, o pai celebrando a cerimônia, os pés de Jocasta atados bem juntos.

De noite, a aldeia reunida do lado de fora, Raldo levou-a para uma cabana. Era só sua, casa de homem casado, tirou a roupa e tirou a dela. Jocasta olhou seu pênis ereto.

— Urag odeia você.

Raldo não esperava ouvir aquilo da esposa. Chegou-se por sobre ela, e Jocasta não resistiu. Mas disse:

— Essa coisa é feia, fraca. Não é a espada de um guerreiro, é um verme que você quer enfiar dentro de mim. Nunca vi nada mais ridículo. Deus está rindo de você.

Raldo ergueu-se, flácido. Nem sua ânsia de adolescente conseguia sobreviver àquilo.

— Você teve que comprar uma mulher porque ninguém o ama. E ninguém o ama porque você não é homem, é um amante de cabras.

Ele protestou; não era verdade.

— Eu *sei* o que você pensa à noite. *Todos* sabem. Todos nos reunimos, quando você não está por perto, e rimos das suas fantasias, dos seus desejos doentes. É ótimo!

Jocasta sabia mentir. E, de alguma forma, sabia com clareza que os garotos tinham pavor das próprias imaginações noturnas, de que alguém descobrisse o que pensavam. Não sei como, mas Jocasta sabia ler a alma dos outros. Sabia que, naquela idade, todos se acham anormais, temem a si mesmos.

Raldo chorou, e não conseguiu consumar a união.

Na terceira noite infrutífera, o rapaz foi queixar-se ao pai.

Um grupo de mulheres da vila, de boa moral e sabedoria reconhecida, foi examiná-lo. Cerca de oito, velhas encarquilhadas e matronas, fizeram com que deitasse e descobriram-lhe o membro. Determinaram que era saudável e funcional — o problema era a esposa.

E então, finalmente, Jocasta deitou-se na palha da cabana, os pulsos amarrados, as pernas mantidas abertas pelas mãos de duas mulheres fortes. Quase todas as esposas da vila assistindo, meneando a cabeça em desaprovação à rebeldia. Meteram-lhe uma mordaça. A mãe afagava-lhe o cabelo. Dizia é assim mesmo, minha filha, tenha calma.

O pai suspirou de alívio. Não precisaria devolver os animais.

Jocasta rezou todas as noites para que Urag não lhe permitisse engravidar. Foi atendida. Então rezou por libertação e, menos de um ano de casada, foi atendida com o deslizamento de uma ribanceira. Raldo quebrou as duas pernas. Houve uma grande infecção, a carne ficou preta. Cortaram ambas as pernas, mas não conseguiram salvá-lo. Pelo costume, Jocasta deveria pertencer a um cunhado, mas a família a entregou de volta ao pai. Nem queriam a vaca e os bezerros, apenas que ficasse com a megerinha.

Então, viúva, sem filhos e com boatos de esterilidade, metida em papéis ou pergaminhos com coisas escritas que obtivera sabe-se lá onde, Jocasta foi taxada como alguém a se evitar. Ela sabia do perigo de ser considerada bruxa, e esforçava-se para manter todas as atividades esperadas, e fingir toda a ignorância necessária.

Jocasta ia ao poço, catorze anos quase por findar, quando deixou cair o balde, esparramando a água, e suas pernas tiveram um espasmo. Desabou na terra. Os braços se agitaram, levantando poeira, os pés dançaram a uma melodia inaudível. Os olhos giraram para enxergar o interior do crânio, e uma espuma branquicenta emergiu de seus lábios. Enquanto a língua se contorcia para trás, Jocasta tinha uma vaga impressão de estar falando coisas que não entendia, e mesmo assim conhecia. Uma língua estrangeira, mas as línguas estrangeiras eram erradicadas pelo santo exército da Igreja, fala de pagãos. Uma língua estrangeira — ou a língua dos anjos.

O êxtase cessou e Jocasta ficou deitada na areia por um tempo. Tinha certeza de que algo acontecera ou aconteceria. Urag falava com ela.

Voltou a encher o balde, foi para casa e encontrou, na praça da aldeia, um pregador esbaforido.

— É o fim do mundo — disse o homem.

A Igreja descobrira uma profecia, e eles estavam vivendo nos dias do apocalipse. A Voz de Urag era corrupta, uma amante do diabo, e em toda a terra a Igreja reunia tropas para combater seus exércitos perversos. A Voz contava com legiões de depravados, mas as fileiras sagradas eram lideradas por dois homens invencíveis, dois soldados supremos, opostos em tudo, que se amavam como irmãos.

O Guerreiro do Povo.

O Cavaleiro Imaculado.

Os dois escolhidos fascinaram a aldeia. A imagem do Guerreiro do Povo, soldado de pés no chão, nascido em um povoado como aquele, ascendido do estrume e da enxada para encabeçar a santa guerra de Urag, fez borbulhar o peito dos jovens. Muitos partiram naquele mesmo dia, para se juntar ao bom combate.

Jocasta sabia, então, que recebera uma mensagem.

Nos meses seguintes, o inverno chegava, e a vila estremecia por notícias. Passou por lá um mascate, vendendo quinquilharias. Contou da vitória iminente dos dois generais sobre as hordas demoníacas (diziam que os inimigos eram possuídos por demônios no campo de batalha, adquiriam dentes pontudos e cascos de bode). Mas, o mais impressionante, o mascate possuía uma pintura dos dois, e os habitantes do vilarejo poderiam ver a aparência dos heróis, por algumas moedas ou um pouco de comida.

Pagaram. O homem desenrolou um grande tecido, com muito cuidado, e deixou que vissem as figuras feitas de tinta.

Era uma representação rústica, malfeita, mas era milagrosa para aquela gente. O Guerreiro do Povo usava espada e escudo, tinha longos cabelos loiros. O Cavaleiro Imaculado montava um corcel branco, era coberto de metal prateado. Seus cabelos castanhos emolduravam um rosto afilado, os lábios bem vermelhos, olhos azuis escuros. Na imagem, as figuras estáticas despedaçavam infelizes soldados demoníacos, que protegiam uma grotesca mulher de enorme sorriso cheio de dentes, com as pernas abertas mostrando uma obscena e gigantesca vagina, aberta como um túnel.

Os aldeões gritaram pelo Guerreiro do Povo, como se estivessem vendo-o em pessoa, mas Jocasta foi hipnotizada pelo Cavaleiro Imaculado. Completou na mente as feições rústicas da pintura. A lembrança de seu imperfeito marido morto causou-lhe repugnância. Um homem deveria ser bravo, belo e santo.

O inverno chegou e a pintura continuava o assunto principal, porque não havia nada de novo. Especulava-se sobre a guerra, os aldeões contavam uns para os outros as histórias que todos já sabiam.

Então veio um padre, em busca de abrigo do frio, com expressão triste.

Novidade? Sim, a guerra fora vencida. Sim, a Voz corrupta fora morta. Mas fomos todos enganados. A Igreja descobrira outra profecia:

Haverá dois soldados. Um de Deus, e um do diabo.

O Guerreiro do Povo era um servo infernal desde o começo, um diabolista infiltrado para destruir a Santa Igreja. O Cavaleiro Imaculado conseguira vencê-lo, chorando pela traição do querido amigo, mas o covarde fugira. Agora, o Soldado do Diabo estava à solta na terra, era o maior assassino e criminoso de todos os tempos. Ninguém estava em segurança, e não havia uma Voz de Urag.

Nosso herói era falso, suspiraram os aldeões, devíamos saber que do estrume não nascem santos. Jocasta pensou que sabia o tempo todo, que Urag lhe mostrara desde o começo quem era o melhor dos dois. Mas ficou quieta e suspirou com todos.

Nos dias seguintes, a realidade se assentou com a percepção: não havia Voz de Urag. A terra estava sem líder, o povo não podia escutar Deus.

O inverno passou. Veio um grupo de salteadores, dizendo que Deus estava surdo e mudo, não havia mais lei. Roubaram e estupraram, mas Jocasta conseguiu se esconder.

Veio um homem que se dizia padre, falou que a Igreja não mais tinha poder, Deus falava por todos, todos eram Vozes. Foi morto por heresia.

Jocasta teve mais duas convulsões, mas conseguiu escondê-las.

Ela foi a primeira a enxergar a coluna ao longe, levantando poeira. Centenas e centenas de fanáticos, maltrapilhos, vagabundos, peregrinos, desesperados, seguindo uma mulher sentada em uma liteira. Boas novas, entoavam. A próxima Voz de Urag estava chegando.

Jocasta, naquela idade, perita em afetar ignorância, deixou que outros descobrissem, mostrou-se igualmente surpresa.

Os fanáticos chegaram na aldeia. Melhor seria dizer invadiram, e não havia nada que se pudesse fazer. Os primeiros correram, um deles saltitando e fazendo cabriolas, uma energia surpreendente para alguém tão magro e maltratado. Ele pulava e no meio do pulo girava, com as pernas bem abertas e a boca bem aberta. Junto ao louco saltador havia uma mulher com longas marcas de unhas no rosto, trilhas sempre renovadas e olhos perpetuamente inchados de chorar, e um entusiástico aleijado que impulsionava uma plataforma de madeira com rodas, já que não possuía pernas. Um barbudo imundo que chicoteava as próprias costas, um homem que cortara o próprio pênis para se purificar, morrendo aos poucos pela infecção e um ex-soldado de olhos glutões. Um punhado de aldeões olhou aquilo, aparvalhados, com ancinhos na mão e um filhote de porco debaixo do braço, sem saber o que fazer.

— Que vila é esta? — perguntou o soldado.

Os aldeões deram de ombros. Não sabiam que vila era. Era a vila.

— Vocês são um exército?

— Somos o povo de Deus! — entusiasmou-se o saltador. — Trazemos a palavra da salvação. A Voz de Urag está aqui.

O soldado empurrou um dos aldeões, ele caiu no chão, derrubando o porquinho. O soldado pegou o animal, ergueu-o sobre a cabeça, comemorando o jantar que acabara de obter. Os outros seguiram por entre os casebres e então vieram todos.

Nunca tanta gente havia estado na aldeia. O povo mal acreditava que pudesse haver tantas pessoas no mundo. Depois dos primeiros, uma avalanche de esfarrapados de todos os tipos tomou cada espaço. Uma dúzia de homens se reuniu, preparados para defender o lugar, mas encontraram uma correria de esquálidos, que se jogaram em seus facões e machados, e os espancaram, morderam seus rostos, arrancaram-lhes os cabelos. As primeiras portas receberam chutes, uma infinidade humana surgiu dentro dos casebres, agarraram pães, grãos, vegetais, carne defumada, tudo que havia para comer, e engoliram com sofreguidão. Havia ervas de tempero penduradas sobre o forno rústico em cada casa, e essas também foram mastigadas assim como estavam, tudo que enchesse um estômago.

Os fanáticos entoavam cânticos. A maioria era hinos eclesiásticos, suas letras distorcidas por anos de compreensão errada e repetição. E eles tinham seus próprios hinos, melodias rudes, rimas pobres, *a Voz fala por nós*. Cantavam, a plenos pulmões, a alegria de servir à Voz de Urag e de encontrar uma aldeia que alimentasse os fiéis.

Jocasta correu para casa, pés descalços sem marcar a areia. Ainda não fora vista pelos invasores, e conhecia o efeito que sua aparência surtia nos homens. Encontrou a mãe vermelha de emoção, tentando carregar numa braçada todo o queijo, farinha e manteiga que possuíam.

— Chegou a hora, minha filha. Finalmente chegou quem vai nos salvar.

Mandou que Jocasta carregasse a carne seca e o que mais se pudesse comer para entregar aos anunciadores da milagreira. Não demorou um minuto e já estavam na porta. Quando a mãe de Jocasta saía, lágrimas pularam de seus olhos espontaneamente ao ver os fanáticos, puxaram-na com toda a comida, os alimentos sumiram entre a multidão. Agarraram os braços da mãe de Jocasta, ela se jogou no peito de um peregrino coberto de crostas de sujeira, soluçou de felicidade.

Os fanáticos entraram na casa. Jocasta largou o que arrastava e pulou a única janela, abaixando-se para não ser vista. Ouviu a voz do pai, foi espiar. Sentiu medo e depois alívio — o pai iria provocar uma briga, seria morto.

Mas o pai de Jocasta gargalhou, correu para a multidão, começou a pular junto com os peregrinos. Glória à Voz.

Já era difícil diferenciar os aldeões dos recém-chegados.

A coluna estava esfomeada, mas não lhes faltava vinho. E os fanáticos invadiram as casas que tinham vinho e cerveja, e pegaram tudo. Gigantescos odres começaram a ser passados de mão em mão, derramados em gargantas, a bebida escorrendo livre pescoço abaixo. E chegavam mais. A coluna não terminava, Jocasta achou que não caberiam mais pessoas, mas sempre cabiam. Seu pai cambaleou de volta ao casebre, achou-a escondida atrás da porta, agarrou seu pulso e a arrastou para a multidão.

— Esta é minha filha! Viuvinha tão jovem, precisa ser purificada.

E logo brotaram dois pastores. Mãos sem dono seguraram Jocasta, seus braços, seus ombros. Os dois pastores meteram os dedos em sua cabeça, apertando como se quisessem quebrar. Um era um velho de estômago inchado e rosto de criança, metido num saco de estopa que deveria simular uma batina, outro era um sujeito alto de barba cheia de nós e uma íris que teimava em cair. Os dois falavam ao mesmo tempo, corruptelas de orações mal lembradas.

— Urag, tire a maldição desta menina! Poupe-a de ser matadora de maridos!

Jocasta foi sacudida por dezenas de mãos, o ambiente ao redor tornou-se borrado. De repente, sentiu um abraço, um cheiro familiar, era sua mãe.

— Você está livre, minha filhinha. Tiraram o seu demônio, estou tão feliz.

Jocasta viu o pai de Raldo, seu sogro, ajoelhado sem camisa, recebendo chibatadas nas costas, chorando de fervor, pedindo mais, mais. Viu a vaca que fora pagamento por seu hímen ser arrastada para o meio da multidão, pescoço cortado ainda brotando sangue. Alguém tentava fazer fogo, outros cortavam-lhe o bucho. Um fedor terrível de excremento projetou-se do estômago do animal, e os fanáticos agarraram mãos cheias de carne crua. Os aldeões ficaram horrorizados, depois beberam mais um gole e se juntaram. E chegava mais gente. Jocasta não conseguia andar sem se esfregar em novos corpos, em novas sujeiras. Foi abraçada por uma estranha, que beijou-lhe o rosto e disse tudo vai ficar bem, a Voz chegou. Foi abraçada por uma garota aldeã, da mesma idade, que não lhe dirigia a palavra por não ser mãe, que disse eu te amo, eu amo todos, Urag te ama. E muitos abraçaram-na, assim como abraçaram outras mulheres. Homens de todas as idades encostaram seus corpos e apalparam-lhe o que interessava. Alguém jogou brasas de uma fogueira no chão, e muitos começaram a andar de pés descalços sobre as pelotas incandescentes, provando que sob Urag não sentiam dor. E sempre os cânticos, sempre os hinos.

A massa foi empurrada, posta de lado, por um grupo de homens enormes, tão maltrapilhos quanto o resto, mas de corpos poderosos: ex-ferreiros, guerreiros, lenhadores. Defendiam o que era mais importante no mundo, carregavam a liteira. Traziam a Voz.

Os fanáticos urraram, redobraram o volume da cantoria. Os aldeões ficaram mudos, estáticos. Jocasta escalou um muro para enxergar a futura líder da Igreja.

Tinha cabelos loiros, mas apenas sob investigação. Na superfície, eram cinzentos de sujeira, sebosos e cheios de nós cegos. Seus olhos eram bem verdes, e muito projetados para fora das órbitas, gerando uma perene expressão alucinada. A Voz vestia camadas e camadas de roupas e por cima de tudo, uma casaca de nobre, que deveria ter pertencido a um homem. Sua pele branca era marcada de alguma peste antiga, seu sorriso muito largo exibia falta de quatro dentes e seus lábios eram dois bifes gordos. A Voz usava joias. Jocasta achou difícil determinar sua idade, mas devia ter trinta anos: velha e sábia.

— Deus está aqui — disse a Voz de Urag.

— Vocês vivem em pecado — disse a Voz.

Todos ouviam, estupefatos. Os aldeões, mesmo os que estavam quase sóbrios, mal conseguiam lembrar que, poucas horas antes, a mulher não fazia parte de suas vidas. Agora sentiram as tripas encolhendo, ao ouvir a repreensão.

— Vocês vivem em pecado — repetiu —, porque vivem assim.

Fez um gesto largo para a aldeia inteira.

— Deus não quer que vivam desse jeito. Ele me falou! Deus não quer que trabalhem nas lavouras, que passem frio no inverno e que tenham fome. Deus não quer que seus filhos morram, que vocês fiquem doentes, que seus animais quebrem as patas. Quem quer isso é o diabo.

Silêncio.

— E por que vocês vivem assim? Por que acolhem o diabo?

Os aldeões olhavam-se. Os peregrinos sabiam a resposta, e compartilharam um sorriso satisfeito, mas não disseram.

— Porque querem! — urrou a Voz. — Adoecem porque querem, abortam porque querem, têm fome porque querem. Perdem seus filhos porque querem.

Apontou um dedo torto e acusador em volta:

— *Vocês matam seus filhos!*

O pai de Raldo chorava, dizia é verdade, é verdade, é minha culpa.

— Para seguir o caminho de Deus, basta querer — sorriu a Voz. — Deus quer que comam todos os dias, que bebam tanto vinho quanto puderem. Deus quer que tenham sapatos. Deus ama vocês, Ele me disse, e vocês O estão enfurecendo com sua teimosia!

Um engasgo coletivo.

— Eu sou a Voz de Urag. Deus fala comigo, e eu falo o que ouvi. Nós vamos a Ruiturus, a capital, e eu vou assumir o dever, o fardo que Deus me entregou. Eu sou a Voz de Urag, e vocês podem ser o povo de Urag, se quiserem.

Era atraente. Imagino se eu mesmo não seria tentado. Para resolver todos os problemas, bastava aceitar o amor de Deus e querer. Sem trabalho, sem plano. Culpa, sim — mas a culpa infantil de ter desobedecido a um pai. Nada da responsabilidade de um adulto. Deus cuidava.

— Vamos a Ruiturus, e todos vamos ser ricos. Todos vão ter servos, nunca mais precisarão trabalhar. Todos vocês, se me seguirem à capital, vão ter todos os padres e os cardeais aos seus pés, e Deus ao seu lado.

A Voz sorria. Todos estavam em silêncio, exceto pelo choro de um punhado.

— Quem vai seguir o caminho de Deus?

A aldeia explodiu em berraria. Houve quem arrancasse chumaços de cabelo, numa ânsia irracional para expressar devoção. A multidão correu para a Voz, querendo abraçar, beijar, tocar aquela mulher divina. Sua guarda santa os empurrou de volta, usando mãos e bastões.

— O segredo é aceitar o amor de Urag! — disse a Voz, por sob as juras enlouquecidas de fidelidade. — Urag nos deu muitos presentes, e não queremos aceitar! Tudo o que Urag dá é bom. O que é ruim é obra do diabo.

Fome, doença, dor eram obras do diabo. Trabalho era obra do diabo. A negação de qualquer prazer era obra do diabo.

— Façam o que quiserem. Tudo que é bom é puro aos olhos de Urag. Não temam o amanhã, apenas sonhem. Encham seus estômagos, deixem tudo para trás. Aceitem o amor.

Noite adentro, a aldeia aceitou o amor de Urag. Comeram tudo que havia, não deixaram um animal vivo. Foram às plantações, que representavam o trabalho sem fim, e dançaram sobre os vegetais, pisoteando tudo, porque Urag iria lhes dar de comer para sempre. Beberam vinho até vomitar. Jocasta se escondeu. Assistiu ao pai fazendo coisas que sempre tinha considerado pecados mortais, enquanto a mãe chorava, abraçada a outras mulheres, pedindo para ser marcada a ferro quente, para expiar o pecado.

Não fazia sentido, é claro. A mensagem da Voz falava de prazer e inconsequência, mas havia autoflagelantes, havia candidatos a mártires, havia defensores da moral da Igreja. Diziam que era necessário sofrer para pagar pelo pecado anterior de sofrimento, diziam que era preciso desafiar o diabo com suas próprias criações. Não precisava fazer sentido. Na coluna de fanáticos, a gritaria constante reforçava a crença de todos, e cada um sabia que a vontade de Urag estava sendo cumprida.

Ninguém dormiu. A orgia não esmaeceu, a embriaguez não clareou. A coluna apenas seguiu, depois de horas, e a aldeia ficou deserta, exceto por um ou dois bebês esquecidos.

Jocasta pensou em ficar lá, sozinha.

Mas a coluna ia para Ruiturus.

Ela se juntou.

Será que devo falar sobre Benedict agora? Ele mereceria seu próprio início, é claro, mas sua história está atrelada à de Jocasta. Juntei Atreu à minha história, e nossos caminhos não estavam tão interligados.

Por enquanto, direi apenas que Benedict já estava num caminho de guerra, mas recebeu uma mensagem dos cardeais. Foi a contragosto que mudou seu trajeto. Pôs o elmo, montou em seu cavalo, conduziu seus homens para a matança.

4

CORNETAS, PRIMEIRO. FOMOS AVISADOS, PORQUE UM EXÉRCITO daquele tamanho, centenas de botas, lâminas, arcos, peitorais de ferro, estômagos barulhentos, não viaja em silêncio. Nossas sentinelas (sem demora eu também as considerava minhas) avistaram e ouviram a nuvem de poeira erguida pela marcha em cadência, o barulho de clangor, vozes, tosses, ordens. Era o exército da Igreja, chegando para nos engolfar. Nisso eu fazia parte dos rebeldes, mesmo que não gostassem de mim: seria engolfado, preso e morto como todos. Não havia nada que pudesse fazer, exceto aprender algum golpe de espada.

Os homens do acampamento recuaram para dentro das muralhas. Sudário do Louco, apinhada de civis e soldados, virou um formigueiro. Meu quartinho foi invadido por um número incontável de irmãos-em-armas, cada superfície ocupada por alguém dormindo, comendo, afiando uma arma ou defecando. Nas últimas horas antes do inimigo, tentamos alargar o fosso, plantamos estacas em volta da cidade, para impedir uma carga, reunimos qualquer objeto que pudesse servir de munição.

Passamos a comer pouco.

E logo estávamos cercados. Onde se olhasse, inimigos. Era a infantaria, com poucos punhados de cavaleiros, ali mais para exibição, e muitas fileiras de arqueiros que, em formação, disparariam todos ao mesmo tempo, fazendo um cobertor de pontas de flecha sobre todos nós. Atreu subia nos muros, olhava com sua luneta. O inimigo tinha algo ainda pior: canhões, transportados em carroças pesadas, incômodas, puxadas por bois. Eram coisas traiçoeiras e temperamentais, tubos de ferro negro que cuspiam bolotas também de metal, ou outro tipo de munição. Podiam derrubar uma parede ou dilacerar uma linha de homens. Podiam também explodir as equipes de engenheiros que operavam-nos, mas sua principal função era amedrontar. Não havia soldado que não temesse um canhão.

Os estandartes do inimigo ergueram-se altos. Bordados em cores vivas, franjados, esquartelados. Mostravam o brasão da Igreja, as três trombetas sobre fundo vermelho e os símbolos de nobres importantes. Os estandartes dos rebeldes, nossos estandartes, voavam sobre as muralhas, em desafio.

Nunca mais tive minha cama, passei a mendigar qualquer lugar onde dormir. Minha bolsa de dinheiro sumiu logo depois. Em um ajuntamento tão compacto, era impossível manter o controle de coisas pequenas, e o ouro não tinha valor ali, por isso não me importei. Fiquei assustado quando ouvi uma tosse — qualquer praga podia se espalhar como tinta na água. Atreu também levava a sério qualquer sintoma, mesmo um espirro, e examinava os guerreiros que se queixavam. Sem casa, nem meu colchão de palha, nem o resto de ouro, sem nada para me preocupar além do cajado onde me apoiava e a espada com que treinava, percebi-me subitamente livre. Com fome o tempo todo, como estava a cidade inteira, e temeroso, mas livre. Meu instrutor sumira, ocupado no pandemônio de novas tarefas e na confusão de tanta gente, de qualquer forma, não havia espaço para treinar sem acertar algum desavisado. Procurei ordens, primeiro Atreu, depois, qualquer general. Quando conseguia achá-los, disputava sua atenção com uma dúzia de homens mais fortes, com voz mais alta, e então desisti, e me fiz útil como pude. Enxergava alguém lavando panelas e pegava uma sem perguntar. Ajudava a carregar qualquer coisa, alimentar animais, fazia minhas próprias ordens. A última vez que fora tão livre, ainda estava escrevendo, ainda com a companhia, antes que a Igreja me capturasse, me elogiasse, me cobrisse de ouro e me escravizasse. Antes que matassem minha atriz principal, quando eu ainda viajava e ainda estava com fome. E agora eu estava com fome de novo, e estava livre de novo. Trabalhava como um aldeão, ou um guerreiro, o que passei a ser, e estava feliz. Eu estava muito feliz.

Olhava os estandartes rebeldes e sentia orgulho, como se fossem meus. Mas, sem aviso, um dia percebi:

— Que falcão horrível.

Um dos bandos — eram isso, bandos de guerreiros — tinha como estandarte um falcão, que também estava pintado nos escudos. Os guerreiros pintavam seus próprios falcões, seus próprios sóis e lobos e chifres. E ali estava, bem na minha frente, um falcão horrendo, irreconhecível, que parecia ter sido desenhado por uma criança. Os soldados do inimigo não pintavam seus próprios estandartes. Marchavam sob bandeiras bordadas, sob símbolos ancestrais, aperfeiçoados por padres estudiosos, e sob o símbolo eterno da Igreja. Nossos guerreiros consertavam seus próprios escudos. Costuravam as próprias túnicas e botas, ou então arranjavam alguma mulher que o fizesse. Mas sempre estavam mais interessados em deitar com as mulheres, e preferiam usar botas e túnicas rasgadas a deixar passar uma oportunidade de coito. Éramos esfarrapados, e o inimigo era garboso. Improvisávamos, e o inimigo seguia manuais. Éramos, enfim, um amontoado de guerreiros, e o inimigo era um exército.

No quarto dia de cerco começou uma epidemia de vômitos, e houve um tiro de canhão.

— Biltres e espurcos — disse D'Agostini, sombrio. — Não precisam fazer nada. Vamos morrer na nossa própria imundície.

Passava-se muito tempo entre um tiro de canhão e outro. O inimigo não tinha muitos canhões, talvez dois, e demoravam um tempo enorme para recarregá-los. O primeiro disparo fez tremer as muralhas, a vibração reverberou pela cidade intera, mas a proteção de terra absorveu a maior parte do impacto. Era primitivo, mas funcionava. O segundo tiro fez rachar duas casas. Os soldados inimigos avançaram, à noite, para tentar desfazer nossa muralha de terra, mas fomos para cima dos muros, e derramamos óleo fervente sobre eles. Eu fui também, ajudei, subi nas escadas, apesar das dores, e mandei minhas costelas para o inferno. Derramei óleo sobre soldados inimigos e, quando ouvi seus berros, senti um êxtase que nunca experimentara com a frase mais bem-construída. Bradei vitória e comemorei junto aos guerreiros.

Mas, como D'Agostini dissera, eles não precisavam fazer nada; iríamos morrer em nossa própria imundície.

— Não podemos aguentar um cerco — disse Penélope. — Temos que atacar.

Nem um milagre garantiria a vitória num ataque, e aquele era um bando que não acreditava em milagres. Sudário do Louco estava protegida e, caso saíssemos, as tropas seriam afuniladas pelo fosso que devia manter os inimigos longe, virando presa fácil. Seria uma fila contínua de gado de abate.

— Abrimos os portões — disse D'Agostini. — Deixamos eles virem a nós. Estarão em fila, é só matá-los.

Penélope gostou da ideia.

— Você pensa como um homem — disse Pugna, como se despertasse de um torpor. — Eles pensam como a Igreja. Não importa quantos morram, irão sacrificar dez para matar um dos nossos, até ficarmos fracos. E então o portão estará aberto.

Naquele momento, eu deveria ter um lampejo intelectual, uma súbita lembrança, vinda de toda a minha leitura e meus estudos, algo que nos salvasse. Ou então uma ideia, fruto de minha fértil mente de imaginador. Eu deveria salvar o dia. Mas as coisas não funcionam assim, e eu não tinha nada a acrescentar. Só assistia à reunião por acaso.

— Quem é o general deles? — disse Atreu.

Ninguém sabia. Não havia estandarte.

Mais uma noite, as horas marcadas por canhonaços. Quando escureceu, Atreu sujou-se de carvão, amarrou os cabelos junto ao escalpo, vestiu preto e uma adaga, e pulou o muro. Era como um gato. Eu não o vi, mas imagino-o assim, um animal furtivo. Ele se esgueirou pelo acampamento inimigo, agachado, pé depois de mão em silêncio, ultrapassou as sentinelas.

A Igreja possuía tendas. A Igreja possuía comida, e a visão dos restos era suficiente para encher de água a boca de Atreu. Seu estômago fazia mais barulho que seus passos. Vasculhou o acampamento, procurou o estandarte que sabia não existir. Não vira o estandarte do general, porque aquele general não o tinha. Alcançou a tenda maior, aguardou uma hora e meia nos fundos pela troca da guarda. No espaço de instantes sem proteção, rastejou para dentro, ergueu a lona e rolou para o interior da tenda sem fazer barulho, a adaga em punho para matar qualquer um.

Havia um pequeno altar na tenda e um arco do tamanho de um homem, sem a corda para que a madeira não deformasse, e várias sacolas de flechas. Atreu viu o general. Dormindo. Aquele general deitava-se tarde, porque gostava muito de rezar. Sua garganta estava exposta, ele dormia um sono pacato de sem culpa, sobre um monte de palha e sob um lençol rude de tecido que coçava. Ao lado, um Discurso Santo, fechado, uma página marcada com uma tira de tecido. Atreu o deixou viver. Foi embora.

Enganou também nossas sentinelas: despertou Penélope sacudindo-a. Pugna estava à sua espera, parecia não dormir nunca.

— Oberon foi capturado? — disse Penélope, primeira reação.

— Não — Atreu respondeu. — Não procurei.

— Por quê?

— Oberon não é prisioneiro. Todos sabemos por que está atrasado. Fui descobrir quem é o general deles.

Pugna disse:

— Não usa estandarte.

— Nunca usa estandarte. — Atreu falava sobre o que sabia, sobre alguém que conhecia como a si mesmo. Sobre um amigo. — É Ganimedes.

Os três se olharam.

— Tenho um plano — disse Atreu.

Pela manhã, dois deles vieram ao nosso portão, sob bandeira de trégua, ostensivamente sem armas, oferecendo um pergaminho. Foi aceito, e eles puderam voltar sem flechas, sem óleo quente. Achei que fosse uma exigência de rendição, mas era uma pergunta simples. Ganimedes, o general inimigo, queria saber os nomes dos guerreiros guardando as muralhas, em especial aqueles nas ameias.

Atreu respirou fundo ao ler, mordeu o nada, levou aquilo muito a sério. Qualquer que fosse seu plano, foi adiado, e passaram-se horas até que qualquer coisa ocorresse. Atreu falou com vários guerreiros em particular, e me chamou também.

— Como está sua costela?

— Não sinto nada.

Eu não sabia direito como mentir para ser corajoso, achei que tivesse exagerado. Eu sentia muita dor, adquirira uma espécie de palidez constante, mas conseguia fazer a maior parte das tarefas. Atreu pôs-se a me examinar, fez uma série de perguntas, sentiu a temperatura de minha testa com a mão.

— Diga a verdade.

— Dói — admiti. — Mas quero ser útil.

— Teria uma missão, se estivesse pior.

Mais uma vez, eu não entendia.

— Se não tivesse salvação, você iria para as ameias, Iago. Mas vai viver.

Nas ameias estavam os doentes. Os condenados.

Ganimedes avançou pelo campo, acompanhado de meia dúzia. Era um homem esguio e belo, cabelos quase brancos derramando-se ombro abaixo, olhos grandes e cinzentos, dotados de uma tristeza longa. Vestia uma túnica branca, sem brasão, e uma cota de malha por baixo. Carregava um arco, grande como ele mesmo, e duas aljavas às costas. Ajoelhou-se, logo fora do alcance de nossas flechas, e rezou.

Todos queríamos ver, mas era perigoso. Ganimedes rezou por muito tempo, o sol se moveu enquanto ele permanecia ajoelhado. Então ergueu-se, sacou uma flecha, retesou a corda do arco e disparou.

Um dos homens das ameias caiu.

Eu entendia: impossível não ter vigias sobre os muros. Mas, com Ganimedes do outro lado, eles morreriam um a um, apenas questão de tempo. O general inimigo quisera saber seus nomes para rezar por suas almas, e pela sua própria, em perdão por matá-los. Não temia por seu corpo, apenas pela opinião de Urag sobre seu caráter.

O sol atingiu seu ápice, nossos homens permaneceram escondidos. Ganimedes ereto e imóvel, uma estátua de súbita violência. Quando um dos vigias erguia-se um palmo para espiar, brotava-lhe uma haste na testa. Ganimedes esperava, com paciência infinita, o instante para matar. Caíram quatro, e o escuro engoliu o sol. Ganimedes, o dia inteiro sem comer ou beber água, ajoelhou-se e rezou, e voltou ao acampamento sob vivas.

Os generais se reuniram de novo. Nenhuma privacidade, discutindo estratégias ao ouvido dos guerreiros, pois não havia espaço.

— Não vai dar certo — disse D'Agostini. — Não há soldado que não ame Ganimedes.

— Eu amaria Ganimedes, se servisse a ele — disse Penélope. E mesmo do outro lado, era difícil não amá-lo, para aqueles que tinham conhecido-o como aliado, antes da guerra civil.

Os nobres leais à Igreja, e em especial os comandantes de soldados, tinham uma grande preocupação na vida: penitência. Urag ordenava que não matassem, que estendessem a mão e abrissem os braços. Mas, através de Sua Voz, que destruíssem Seus inimigos. Assim, os guerreiros tinham de rezar por perdão. Pouca importância para um soldado comum — um peso monumental para um líder, sobre cuja cabeça pendia toda a matança feita sob seu estandarte. Impossível rezar tanto assim. Então compravam orações. Pagavam os mosteiros, cheios de homens simples, pobres e celibatários, para que rezassem em seu nome. Boa parte de seu ouro era gasto nessa rede de segurança contra o inferno. Mas Ganimedes rezava por si mesmo. Nunca pagara um monge. E, tendo ouro de sobra, dividia com seus homens. Não havia soldado que não o amasse.

— Tudo isso vai nos ajudar — disse Atreu, e estava decidido.

Na outra manhã, Ganimedes e sua escolta caminhavam para o alcance das flechas. De repente, nossos portões se abriram. Ante a visão de Sudário do Louco se mexendo, o inimigo fez-se ativo: os comandantes organizaram seus homens em fileiras, florestas de hastes com lâminas, cavalos encilhados e pateando a grama pisada. Arqueiros lado a lado, esperando pela trombeta de ordens. Era uma coreografia de guerra, para massacrar os sitiados. Ganimedes não alterou seu caminho. Seguiu à frente, enquanto a primeira linha de suas forças formava-se em uma parede de escudos.

Na cidade, uma barreira compacta de homens, também com escudos travados, bloqueava atrás do portão. As ameias ainda eram capitaneadas por quem tinha pouco tempo, e o óleo quente estava preparado.

Dos portões saíram só quatro guerreiros: Atreu, Penélope, D'Agostini, Pugna. Cada um com seu estandarte. Andaram a uma braçada um do outro, queixos erguidos de quem é dono. Avançaram por uma contagem exata de passos, estacaram e cravaram suas bandeiras. O estandarte de Atreu exibia o sol. O de Penélope, o cão de duas cabeças. D'Agostini empunhava a enguia de boca aberta. Pugna utilizava o símbolo bizarro e incompreensível que apenas ele mesmo era capaz de reproduzir: uma espécie de cilindro comprido, rodeado de floreios e dotado de duas imensas asas, com distintivos ininteligíveis adornando acima e abaixo.

Ficaram ali, de armas mudas, os pés bem separados, existindo aos olhos de todos. Ganimedes ficou olhando-os. Achei que podia ver um sorriso, ou quase. Completei com impressões o que a visão não me mostrava: os olhos tristes, cinza ao fundo. Ganimedes botou a mão direita em concha ao lado da boca, para amplificar a voz.

— Atreu, faça o meu retrato! — Era talvez a última coisa que eu esperava que o general inimigo dissesse, mas Atreu riu.

— Você ouve vozes à noite, mestre Ganimedes? — disse Atreu. — É o diabo que lhe obriga a desenhar a Voz de Urag como a mais baixa meretriz?

— Os padres *nunca* acreditaram que eu era inocente, sabia?

— Culpa sua. Eu não aguentava mais desenhar sua cara feia.

— Sempre fui um aluno exemplar! Antes de sua chegada, nunca havia roubado vinho do mosteiro. Também nunca escrevi blasfêmias nas paredes, como certos jovens problemáticos.

— *Eu* nunca fui responsável por um apelido que substituiu para sempre o nome de um colega.

— Como era mesmo?

— Arenque!

— E como era o nome do garoto?

— Ninguém sabe, por sua causa! — exclamou Atreu.

Os dois riram.

— Nem mesmo os padres — disse Ganimedes.

— Nem mesmo os padres.

Sorriram um para o outro. Quis muito conhecer as memórias que compartilhavam, era uma intimidade que nunca mais se pode criar depois de adulto.

— Ninguém precisa morrer, Atreu — de repente.

— Se você conhece nosso plano, sabe que pelo menos quatro precisam. Cinco, com sorte.

— Sua vingança só vai levá-lo ao inferno.

— Vingança é só uma parte, Ganimedes. Estamos falando de liberdade.

— Vocês não têm chance!

— Venha não ter chance conosco.

Silêncio.

— Acredita que sou o Soldado do Diabo?

Ganimedes não falou nada.

— Admitir para seus homens que a Igreja mentiu, ou acusar seu amigo? Eu também acharia uma escolha difícil.

— Você *se tornou* o Soldado do Diabo. Se não era um apóstata antes, vestiu sem problemas a carapuça que lhe teceram.

— Você sabe que eles estão errados, Ganimedes.

— São homens, e são falhos. Apenas as palavras de Deus são perfeitas.

— Você já matou homens falhos. Matou quatro ontem, nas minhas ameias. Talvez fossem ladrões e assassinos. Talvez fossem sifilíticos de tantas putas, e tenham espalhado a doença para suas esposas. Não conheço seus crimes, mas eles nunca prenderam uma menina e mantiveram-na trinta anos à meia-luz. Nunca disseram que doença é bênção, ou que loucura é inspiração divina. Nunca falaram em seus ouvidos que o sabor do mel ou o êxtase de uma brincadeira eram tentações do diabo para enfraquecer sua alma. Nunca proibiram-na de ter bonecas ou querer vestidos ou beijar garotos.

— Atreu...

— Nunca convenceram-na de que um mau pensamento podia matar uma dezena de outras crianças. Nunca obrigaram-na a dormir com moribundos para conhecer o sofrimento desta vida. Nunca forçaram-na a mentir e liderar algo que não compreendia. Nunca a chamaram de vadia do demônio e a mataram por ter uma opinião diferente.

— É mais complicado do que isso.

— É *exatamente* isso. Se todos os homens são falhos, então meus homens, que você matou ontem e que estão sendo comidos pelos vermes agora mesmo, são menos falhos que os cardeais, pois nunca transformaram alguém em uma Voz de Urag.

— *Você* foi responsável por essas mortes, Atreu. Você convenceu essa pobre gente a travar sua guerra sem sentido.

— O que os cardeais têm a ver com Deus? Talvez eu esteja fazendo o trabalho de Deus.

— Você não acredita em...

— *Foda-se* o que acredito, Ganimedes! *Você* tem fé. Acha que quatro velhos que torturam uma mulher por trinta anos para depois matá-la falam por Deus?

— Precisamos da Igreja.

— E agora está repetindo o que os padres falavam na Escola Marcial. Eu sempre disse que as pessoas têm fé porque não querem pensar, e você sempre disse que tem fé justamente porque raciocina. Então eu tinha razão? Desistiu da lógica, vai tapar os ouvidos e repetir bem alto a ladainha?

Ganimedes não disse nada. Dos dois lados, nenhum guerreiro ousava fazer barulho. Apenas Pugna não observava, seus olhos desfocados em um ponto aleatório.

— É uma pena, meu amigo — disse Ganimedes.

Atreu deu de ombros.

— Acho que não vamos nos ver mais. — O arqueiro ergueu a mão em despedida. — De uma forma ou de outra, estaremos em lados opostos da pós-vida.

— Não se preocupe com isso — disse Atreu. — Não existir nunca me incomodou antes que eu nascesse, e não vai me incomodar depois de morrer.

Ganimedes fechou o punho direito, dobrou o braço e o apertou no peito, como um meio abraço. Atreu repetiu o gesto. Ganimedes deu as costas e voltou ao seu exército.

Os quatro generais rebeldes permaneceram, sozinhos, frente às centenas. Por um momento, achei que Atreu queria ser um mártir, sacrificar-se por sua causa herege para converter os inimigos e até mesmo Ganimedes, que então lideraria a guerra. Mas isso era um absurdo. Atreu não acreditava em martírios e conversões. E, de qualquer forma, minha maluquice de escritor rejeitou a troca abrupta de protagonista.

Longe, Ganimedes fez um gesto. A parede de escudos avançou, passo firme seguido de outro, sempre borda sobre borda, nenhuma brecha. Os generais imóveis. Os arqueiros, mais atrás, ergueram suas armas e puxaram as cordas. Os quatro desarmados. Atreu olhava os rostos de cada um na parede. D'Agostini sorria. Penélope gritou:

— Belizar! Já fez de sua noiva uma mulher honesta?

Um dos arqueiros estremeceu.

Pugna abriu bem a boca, falou em uma voz retumbante, sem esforço:

— Chidros, infantaria. Filho de Guerasto. Thullo, infantaria. Filho de Belaro. Rakos, arqueiro. Filho de Tharmo. Unthos e Oldren, arqueiros. Filhos de Lysio.

A parede de escudos hesitou, uns deram um passo a mais, dois ou três pareceram tropeçar. Uma vibração de murmúrio e incômodo passou pelos arqueiros, uma flecha voou sem querer.

— Pulchro! — disse Penélope. — Deixe a barba crescer, para esconder essas marcas de varíola!

Cada um daqueles soldados treinara sob histórias dos grandes generais. Da fera Penélope, capturada das nações nômades, de Pugna Marco Segundo, que liderara incontáveis gerações de guerreiros, de D'Agostini, que afugentara os piratas para o mar infinito, e de Atreu, o Guerreiro do Povo. E muitos haviam obedecido às suas ordens, antes da guerra civil. Sua postura fora corrigida por uma repreensão de Penélope, ou haviam perdido a virgindade com uma prostituta paga por D'Agostini. Haviam escoltado a Voz de Urag, sob o comando de Pugna.

— Preparar! — Veio a ordem do inimigo. Era um tom áspero, em nada semelhante à melodia de Ganimedes.

E então, a ordem de disparo. O céu cobriu-se de flechas.

Espalhadas, desencontradas, foram se cravar a meia distância dos alvos ou na coxa de um aliado.

Os quatro generais ficaram estáticos, assistindo às setas se fincarem ao redor. Uma chegou mais perto: roçou o estandarte de Penélope.

— *Quem fez isso?* — rugiu a guerreira.

— Desculpe, senhora! — Veio uma voz anônima, logo silenciada por alguma severa punição militar.

A parede de escudos avançou meio metro, sem vontade, em busca de pretextos.

— Segunda leva! — mas quase em tom de pergunta.

Os arcos foram erguidos, a maioria tremendo. Uns poucos altos demais, vários bem baixos. As cordas foram retesadas, ou quase. Soltaram as flechas, atacando a grama inocente.

Dezenas de arqueiros haviam fechado os olhos, e então os abriram, aliviados por não ver nenhum sangue acidental. Os pescoços voltaram das posições incômodas, olhando para todo lugar que não fosse o alvo.

A parede de escudos não avançou. Dois homens remexeram-se, inquietos, deixaram brechas largas.

Era difícil matar seus heróis. Talvez Atreu ou Pugna, ou até mesmo eu, se quiser lisonjear a mim mesmo, pudéssemos enxergar um mero homem, um reles inimigo, à frente naquela hora. Pudéssemos pensar que bondade ou maldade são artifícios para códigos morais mutáveis, de conveniência. Pudéssemos lembrar que heróis são fabricados, que a história é construída por servos e fazendeiros. Talvez. Mas certamente aqueles criados para a fé cega, para a crença na superioridade inerente de seus líderes, viam quatro gigantes, quatro entidades perenes. Atiravam sem olhar, rezavam para errar.

O amor é mesmo uma coisa engraçada.

— Vocês são bons homens — disse Atreu, e houve vivas do inimigo.

Os quatro deram as costas e caminharam para os portões que se abriam. Houve trombetas, ordens de carga, mas ninguém as cumpriu. E a parede de escudos se desfez: uma dezena saiu correndo, gritando general me leve sou seu até a morte vamos lutar vamos morrer juntos vamos ser heróis. Era muito bom que aquela gente tivesse fé cega — se não em Deus, então em Atreu, porque Sudário do Louco ainda era um pardieiro infecto e sitiado. Nossos homens, todos nós, eu também, comemoraram com gritos a deserção. Demos boas-vindas aos novos irmãos que amávamos, odiávamos há cinco minutos, e os portões se fecharam atrás deles.

Não se lutou mais naquele dia. Não vi Ganimedes. Eu estava rouco de tanto gritar. A vida de rebelde era cheia de raivas e alegrias súbitas.

5

NÃO TENHO RESSENTIMENTO DE JOCASTA. NÃO POSSO CONDENÁ-LA por seus atos, nem mesmo por suas crenças, porque meus atos não foram melhores. Na verdade, foram muito piores, e sei que acredito em disparates tão grandes quanto ela acreditava. Homens estudados e ensimesmados, como eu, pensam em arte; garotas nascidas em pardieiros, como ela, pensam em Deus. Tudo a mesma coisa.

O tempo de Jocasta na coluna da Voz foi estranho. Jocasta enxergava os outros como se estivessem se movendo devagar, lendo falas de uma peça que ela já conhecia. Os comportamentos cristalizados de todos à sua volta tornavam muito fácil prever o que fariam, e se aproveitar disso. Foi uma surpresa, talvez a primeira em anos, quando o fervor religioso e orgiástico tomou conta da aldeia, principalmente de seus pais. De repente, Jocasta não conseguia prever todos os passos.

Caminhou três dias no meio do povaréu esfarrapado. Havia um rudimentar sistema de distribuição de comida, algumas pessoas tomavam para si o dever de alimentar os demais. Mas eram centenas, não havia nenhum tipo de registro, o pão era disputado a cotoveladas, e entregue repetidamente para quem insistia mais, falava mais alto. Jocasta conseguia comer, na maior parte das vezes, enfiando-se de modo sorrateiro entre as pernas dos mais altos e fazendo sumir mantimentos. Ninguém na coluna produzia nada, é claro, e ninguém se preocupava com a fome. Deus proveria e, se não o fizesse, estaria testando ou punindo os fiéis. Ou então, era o diabo os torturando, e isso era culpa deles mesmos, pois o sofrimento era pecado.

Depois do terceiro dia, Jocasta não conseguiu encontrar mais ninguém que tivesse comida. Os rostos variavam muito, a coluna andava em desordem completa. Não sei se alguém, na verdade, possuía qualquer tipo de mapa, ou se caminhavam a esmo, esperando que Deus lhes conduzisse a Ruiturus. Mas, de qualquer forma, era difícil ver a mesma pessoa duas vezes, e raro que ela enxergasse os pais. E todos, conhecidos ou estranhos, tinham fome.

De noite, a Voz os reuniu.

— Não temos o que comer! — proferiu a mulher.

Estava de novo cercada por sua guarda, homens fortes que se outorgavam o direito e obrigação de manter o resto longe. A coluna estava parada. Todos sentados na relva e na estrada, escutando de olhos arregalados ou fornicando à meia-voz, espalhados em uma imensa mancha de pobreza. Se alguém desejasse passar por aquela estrada, não conseguiria, e provavelmente seria roubado.

— Não temos o que comer, e de quem é a culpa? — ela perguntou e em seguida respondeu: — A culpa é nossa.

Os fiéis abaixaram as cabeças. Não ouviam em silêncio, porque era impossível. Os mais próximos cochichavam a pregação aos demais, as palavras da líder viajavam entrecortadas e mutiladas até os limites do acampamento improvisado.

— Nós queremos sofrer! — disse a Voz. — Nós provocamos Urag com nossa desconfiança, nós chamamos o diabo com nossa vontade de agonia!

Jocasta estava a cinco ou seis pessoas da Voz. Mesmo assim era difícil ouvi-la, pois um grupo de carpideiras chorava de forma teatral à sua direita.

— Mas eu confio em Urag! — gritou a Voz. — Eu sei que não preciso ficar com fome. Basta querer e a comida surgirá.

Nisso, ergueu um enorme pão semiesférico. Jocasta conseguiu ouvir os estômagos grunhindo, e pôde imaginar as centenas de bocas enchendo-se de saliva.

— Não vou racionar. Recuso-me a ficar preocupada. Eu confio em Urag! Vejam como confio!

A Voz cuspiu no pão. Então, puxou catarro do fundo da garganta, rasgou a casca e cuspiu de novo. Jogou a coisa no chão e pisoteou. Não havia por que poupar, Urag era generoso.

— Vejam! Não tenho medo! Não duvido de Deus!

A Voz também tinha um grande naco de queijo e os restos secos de um cozido de vegetais. Tudo recebeu cusparadas e chutes, foi jogado ao chão e pisado. O povo juntou-se à demonstração de fé, estragaram a comida com alegria. Não precisavam daquilo, Urag sempre proveria mais.

No dia seguinte, a previsão se cumpriu: passaram por uma fazenda. Invadiram os campos e o celeiro, arrancaram todas as verduras e mataram as vacas e os porcos. Havia o fazendeiro e sua esposa, uma matrona enrugada. O fazendeiro quis defender a família, sua cabeça foi parar no topo de um poste. A matrona apanhou um pouco e, vendo tudo arruinado, decidiu juntar-se à coluna. A mãe de Jocasta a abraçou e beijou seu rosto, disse bem-vinda.

Urag era bondoso.

O mensageiro se encolheu. Não conseguia desgrudar os olhos do cavaleiro, e estava com medo. Não era tão mais jovem, e o dever de viagens e correria havia lhe concedido um corpo poderoso. Mas, frente ao outro e no meio de todos, sentia-se uma criança.

Benedict viu o receio nos ombros murchos, nos antebraços timidamente erguidos do rapaz. Desfez a expressão severa, abriu um sorriso.

— Por que está encolhido, homem? Estufe o peito, você fez o trabalho santo da Igreja.

O mensageiro suspirou e deixou a tensão escorrer com um sorriso mole. Uma risada involuntária acompanhou a sensação de relaxamento.

E agora, então, começo a falar de Benedict. Mais do que um cavaleiro, mais do que um guerreiro poderoso, era um homem cercado de lenda. E alguém capaz de cativar com um gesto, aterrorizar com uma palavra. Não sei o que o mensageiro sentiu, mas ficaria muito surpreso se não fosse algo como o que descrevi. Todos ouviam falar de Benedict antes de encontrá-lo. E, ao vê-lo pela primeira vez, todos eram tomados por um desejo irresistível de agradá-lo. O desgosto em sua face, quando leu a ordem dos cardeais, deve ter esmagado o mensageiro como um monte de rochas, e sua aprovação deve ter provocado um prazer quase físico.

Benedict mandou que descansasse com os homens, que bebesse vinho e comesse algo. Havia algumas fogueiras, e o mensageiro foi recebido com tapas nas costas e odres estendidos.

— O que diz, general? — Um dos homens, ainda metido em armadura e com o elmo sob o braço, abordou Benedict. Seu cavalo, assim como os outros, mastigava com placidez ali perto, livre dos arreios e das decorações daquela nobre companhia.

Benedict mostrou o selo da Igreja, um círculo de cera vermelha com as três trombetas em alto-relevo.

— É dos cardeais. Ou seja, problemas.

Meia dúzia de cavaleiros nas proximidades riu.

Eram trinta ou quarenta, ao todo. Poucos, mas orgulhosos; insolentes, mas invencíveis. Todos trajavam armaduras de placas, compostas por peitorais de aço e protetores de pescoço, coxotes, ombreiras e grevas, partes de um quebra-cabeças complexo que montava-se a custo de minutos encaixando peças e apertando correias, com a ajuda de escudeiros e servos. Trajes pomposos, nada práticos ou mesmo necessários para uma viagem. Mas eles não deixavam de exibi-los, e de mantê-los polidos pelo esforço e chibatadas dos subalternos. Precisavam manter sua imagem e sua lenda: eram os Dragões Celestes, liderados pelo Cavaleiro Imaculado.

É estranho como funciona o respeito. Benedict, o Cavaleiro Imaculado, tinha permissão de fazer um chiste como aquele. E seus homens tinham permissão de rir. Não escondiam do mensageiro o gracejo — que, se o ouviu, congelou de medo, pensando ser um teste. Benedict conhecia o cheiro dos flatos do Cardeal Derionde e do sangue da última Voz de Urag. Benedict exigia mesuras de duques, rezava na Catedral de Ruiturus. Benedict conquistara e mantinha uma intimidade com o poder — com a Igreja —, que tornava-o imune à subserviência necessária para os outros. Benedict parecia ser íntimo de Deus. É claro que boa parte dessa invulnerabilidade devia-se ao seu ar imponente, à sua autoconfiança intrínseca. Mas eu mesmo experimentei algo parecido, quando fui importante. Contei piadas sobre freiras lascivas, fiz padres rirem. Acho que conceder privilégios é uma maneira de conquistar lealdade — Iago, Benedict, Atreu, cada um em sua época, não precisavam se curvar, sentavam-se à mesa. E não nego: era bom fazer parte da elite.

Benedict ficou sério. Os homens prestaram atenção: seu rosto comandava-os, como os joelhos de um ginete experiente comandam um cavalo bem treinado.

— Vamos abandonar nossa caçada — ele disse.

Os cavaleiros teriam soltado uma exclamação, se a disciplina permitisse.

— Vamos abandonar nossa caçada, deixar o pederasta viver mais algumas semanas e seguir para o leste.

Silêncio. Até que:

— Os cardeais querem que Atreu viva?

— Atreu é um cadáver — disse Benedict. — Apenas ainda não percebeu que deve se deitar e apodrecer, em vez de espalhar seu fedor pelo mundo.

— Vamos continuar, então! Vamos levar sua cabeça à capital e deixar que Deus nos julgue!

Benedict olhou os cavaleiros nos olhos. Era impossível ficar indiferente. Suas íris de um azul escuro, quase violeta, prendiam qualquer um. Seus cabelos eram de um castanho denso, como bronze velho. Os fios não chegavam aos ombros, mas eram longos o bastante para voar e ondular, numa espécie de elmo. Seu nariz era pontudo, seus lábios eram muito vermelhos e finos, como os de um boneco. Ele tirou os cabelos do rosto, fez uma pausa teatral e falou:

— Atreu é um monstro, um traidor. Se cada um de vocês o odeia, então imaginem seu ódio alimentado por barris de óleo consumindo todo o horizonte, e chegarão perto do que sinto. Pois nenhum ódio é mais intenso que o ódio nascido do amor.

Benedict tinha jeito com as palavras, mas era prolixo e empolado.

— Amei Atreu como um irmão. Todos os dias rezo para que seu crime tenha sido um engano, para que tudo se resolva sem sangue, e possamos nos abraçar. Sei que é impossível, e detesto-o ainda mais.

Silêncio.

— Mas Atreu é um homem. Mesmo que mentiroso e sacrílego, é um homem. Um grande homem para o mal, assim como o foi para o bem.

Benedict rebuscava sua fala mais e mais à medida que construía um clímax.

— Muito pior que um grande homem maligno é uma turba. E é isso que vamos exterminar, meus Dragões. Uma turba de populacho, um pedaço de imundície arrastando-se e deixando uma mancha repugnante por nossa terra. Uma turba de hereges, liderada por uma falsa Voz.

Os homens já odiavam a turba.

— São arruaceiros e saqueadores, que desejam destruir tudo que é nosso, tudo que é nobre e bom. Miseráveis cobertos de merda, que se acham dignos de nossas catedrais. Vamos até eles, meus Dragões.

Segurou o cabo da espada.

— E vamos matar todos.

Jocasta abriu os olhos num engasgo, quase sentindo a lâmina no pescoço. O corpo não respondeu por um instante, ela piscou duas vezes, até que se mexeu. À volta, apenas ressonares. Alguns bêbados tardios, alguns que rezavam em murmúrios, mas em geral todos dormindo. Não havia espada alguma, nem cavaleiros galopando sobre cadáveres. Fora um sonho.

Exceto que não fora, e ela sabia.

Jocasta ergueu-se, tentando não fazer barulho, mas o barulho que fizesse não importava — todos estavam exaustos de viajar, muitos tão bêbados que não se mexiam durante a noite, acordando com sulcos de tecido na face. Pé ante pé por cima dos fiéis emaranhados. Notou que um homem perto dela estava acordado. Puxou o vestido puído para baixo, defendendo a modéstia de sua virilha, e o homem segurou mais próximo ao peito algo alaranjado, que ela não conseguia distinguir. Ignorou.

Jocasta nunca tivera o dom da profecia, embora soubesse que algumas na sua posição, ou na posição que imaginava como seu futuro, possuíssem essa dádiva. De certa forma, profetizara sua vida inteira, com exceção da coluna e da Voz, observando as pessoas ao seu redor. Mas como aquilo, a visão no sonho e a certeza, nunca.

Continuou avançando. Ouviu uma proposta semiadormecida, não disse nada, não foi mais incomodada.

Urag estava falando. Cabia a ela ouvir. Há tempos não dançava a dança cega, não falava na língua dos anjos, não vertia espuma pela boca. Talvez fosse um novo sinal, um novo poder.

— Para trás — disse o grandalhão. Ela chegara.

Era um guarda da Voz. Os outros estavam dormitando, sentados, abraçados a suas lanças ou cajados ou espadas. A santa tinha uma tenda; não era a única, mas era a melhor tenda na coluna.

— Preciso falar com a Voz.

— A Voz de Urag fala com todos, menina. Quando Urag decide.

Num instante, uma dúzia de respostas:

Urag decidiu, e falou comigo.

Não sou menina, deixe eu passar que mostro para você.

Ouvi homens planejando matar a Voz, vá até lá para investigar.

Mas disse:

— Deus quer que eu seja feliz. Vou ficar feliz se puder falar com a Voz. Se me fizer sofrer, você vai estar servindo ao diabo.

O homem coçou a têmpora, pareceu tão concentrado que não respirava. Da tenda:

— Deixe-a entrar, Tobias.

Jocasta não conteve um calafrio. O guarda mandou que entrasse.

O interior era exíguo. Havia um toco de vela para iluminar e as paredes de lona grossa trancavam todo o calor. Um homem e um mulher estavam estirados, dormindo um sono dopado, nos pelegos onde a Voz se sentava. Jocasta se abaixou para passar pela entrada, deu um passo e sentou-se, com uma mesura. A Voz procurou uma roupa e cobriu os seios.

— Como é o seu nome?

— Jocasta.

— De onde veio?

— Não sei.

A Voz segurou-lhe as bochechas, sorriu com seus dentes beges.

— Não sabe?

— Vim de uma aldeia, senhora. Ninguém nunca parou para dar um nome à minha aldeia. Ou, se fizeram isso, foi há muito tempo, e ninguém lembra.

— Por que está conosco?

Porque não sobrou ninguém na aldeia, só uns bebês que já estão mortos a essa altura, e eu também estaria se ficasse por lá.

Porque meus pais enlouqueceram e seguiram você.

Porque quero ir a Ruiturus, e não sei chegar lá sozinha.

Mas:

— Porque há muito não temos um padre. E eu nunca acreditei em tudo que eles diziam. Quero que a senhora me mostre o caminho até Urag.

A Voz puxou-a e lhe deu um beijo melado na testa.

— Está gostando da vida com o povo de Deus?

Sim.

— Não — falou, surpresa com a própria honestidade.

— Não?

— Ainda não consigo me entregar a Urag. Estaria mentindo se dissesse que é fácil. Cada dia luto para abandonar o sofrimento, não me preocupar com o amanhã, deixar que Deus cuide de mim.

A Voz sorriu, de novo mostrando os dentes.

— Beba isso, menina.

Pegou um odre e uma taça de metal. Serviu vinho, apanhou uma pequena bolsa com um pó amarelado, despejou na bebida. Mexeu com o próprio dedo, dotado de uma unha comprida e suja, e estendeu a Jocasta. A garota entornou a taça, mantendo os lábios bem fechados, sem deixar uma gota escorregar pela garganta. Fez como se engolisse, devolveu. A Voz bebeu o que acreditava ser o resto, deixou a taça cair. O homem ao seu lado se mexeu, ela afagou suas costas.

— Poucos conseguem aceitar a maravilha do plano de Deus, menina — disse a Voz. — Alguns sentem prazer como se estivessem em um festival. Como se, depois de alguns dias ou uma semana, um nobre ou padre decretasse o fim da diversão, e todos fossem obrigados a voltar ao trabalho. Enfurecem Urag, pois acham que entendem, quando são cegos. Você está no bom caminho. Sabe que não entende e procura entender.

Jocasta concordou com a cabeça.

— O que queria me dizer?

— Eu sei que Urag fala apenas com a senhora. E peço o castigo que for necessário se estiver falando uma heresia.

— Castigo nunca!

— Sim, senhora. Mas acho que um anjo falou comigo, já que Urag fala só pela Voz. Tive uma visão. Seremos atacados por cavaleiros. E morreremos se não pudermos nos defender.

Como Jocasta soube convencer a líder dos fanáticos? Como sabia que os maltrapilhos precisariam de lanças, de hastes compridas com pontas afiadas, para resistir a uma carga de cavalaria? Como teve a ideia de cavar trincheiras para que os cavalos quebrassem as patas? Como uma garota criada em um buraco de lodo e superstições conhece qualquer tipo de estratégia militar?

A resposta fácil é imaginar que algum fragmento dos textos que ensinaram Jocasta a ler contivesse uma história de guerra. Será essa toda a explicação? Será que tudo é respondido com livros?

A Voz de Urag acordou seus guardas, transmitiu os pensamentos da jovem. Jocasta voltou ao lugar onde dormia. O homem continuava acordado, e mais uma vez apertou algo cor de laranja ao peito, escondendo com ciúmes.

Dias depois, o peito daquele homem estava coberto de bolhas, como se estivesse queimado. Jocasta sabia muita coisa, mesmo que eu não saiba como, mas não sabia o que é minério divino. Não sabia que foi a proximidade daquela pedra de cor bonita que provocou seu sonho premonitório.

Ou talvez tenha sido coincidência, e Urag tenha mesmo falado.

Mas prefiro não pensar nisso.

6

ATREU VEIO A MIM COM DUAS PENAS, UM VIDRO DE TINTA E UM maço de pergaminhos que haviam sido raspados e ainda tinham marcas tênues de uma prosaica lista de preços e impostos. Disse-me para escrever o que eu estava presenciando. Eu preferia continuar areando panelas e carregando fardos de roupa suja e vigas de madeira e os cadáveres queridos das ameias. Tudo menos registrar as vidas dos heróis como um paspalho. Atreu sabia ser um idiota, às vezes.

— Você quer um bardo — eu disse. — Quer que cantem sua vida e lambam suas botas.

— Você é escritor. Escreva.

— Biografias de heróis são baixas e subservientes.

— Então escreva a sua própria.

— Pior ainda. Escritores não fazem nada digno de nota, além de criar coisas que não existem. Se eu voltar a escrever um dia, vou criar coisas que não existem, pois só isso tem valor.

— A vida real não tem?

— A vida não é suficiente.

A cidade sob cerco e eu discutia literatura com o general.

— Ponha-me a limpar vômito. Um pano é muito mais digno que uma pena e todos esses pergaminhos.

— Vamos lutar, Iago. Pegue uma pena ou pegue uma espada.

Eu sonhara a vida toda que alguém me falasse essa exata frase. Todos os escritores trocariam sua vida intelectual pela força, pela ação concreta, por ouvir de longe alguém dizer não se meta com esse homem, ele é perigoso. Eu era perigoso, mas de uma forma vil e melíflua.

Mas não havia espadas para todos, ainda mais depois que recebemos os desertores. Cedi minha espada de treinamento a um guerreiro que já matara quatro em combates passados, e que iria usá-la melhor do que eu. Ele perdera sua própria espada no desabamento de uma casa, vítima dos abalos causados pelos tiros de canhão. Fiquei de mãos vazias, sentindo-me meio estúpido. Eu não desejava me sacrificar por aquele homem e nem pela revolução, simplesmente não consegui pensar em uma boa justificativa para não lhe dar minha espada. Procurei um porrete na cidade em polvorosa, pensei que eu demonstrava uma timidez e humildade alarmantes, arriscava me deixar matar por um inimigo para não ofendê-lo. Precisava ter mais raiva. Mas consegui um escudo.

Atreu achou-me com o escudo e o pedaço de pau, testando seu peso e equilíbrio, disse que eu era um parvo.

— Assim você vai morrer.

Pegou o porrete para si. Desafivelou o cinto com a bainha e a espada, entregou-me. Agarrei o punho da arma como uma relíquia, maravilhado.

— Preciso de tinta — falei. — Quero pintar um sol no meu escudo.

O sol era o estandarte de Atreu. Eu sentia arroubos de lealdade e tanto entusiasmo que me causava enjoo.

— Faça isso e meus homens vão garantir sua morte na batalha. Você não é um Escudo do Sol, Iago. Não sabe lutar, não fez nenhum juramento e não confio em você.

— Por que me deu a espada?

— Por que salvou o herege?

Eu não sabia, ele não esperou, embrenhou-se nos soldados, dividindo batalhões. Eram os últimos preparativos, e procurei alguém que me desse ordens. Um capitão qualquer me viu ao léu, xingou-me de inútil e enfiou-me numa formação. Era um ajuntamento compacto, uma multidão ombro a ombro, espremida entre as casas e dentro das muralhas, seus equipamentos de guerra atravancando ainda mais. Tive que forçar minha passagem para cumprir a ordem e entrar nas fileiras, não parecia haver espaço para mais ninguém. Fui assaltado pelo fedor de tanta gente embolada, o suor e os hálitos. Empurraram-me um odre com vinho e o levei aos lábios, misturando minha saliva com a de estranhos, passei ao homem ao meu lado. Achei meu canto na formação, fui acomodado, ali, de pé, na massa. Fiquei feliz.

De repente pensei: eu não salvara o herege, quem salvara o herege fora Atreu. Mas então ouvi o barulho dos portões abrindo, um rangido forte, agudo, desafinado, e cornetas de ordens, cujo significado eu não compreendia. Em pânico, olhei para os lados, para imitar os soldados que sabiam o que estavam fazendo. Foi fácil; logo a massa de guerreiros me empurrou para frente e para o lado aonde devíamos ir, esperar nossa vez de sair ao campo, nosso lugar na matança. Eu não temia o combate. Como todos os escritores, e como todas as pessoas, acho, via a mim mesmo como alguém especial. Seria um guerreiro que mataria um inimigo, talvez dois, veria algumas batalhas. Não seria o infeliz que tropeça e morre pisoteado sem ver o rosto de um adversário, nem um dos muitos atravessados por flechas anônimas. O que me amedrontava era cometer alguma gafe, passar vergonha, revelar o novato macio que era.

Eu não enxergava nada, apenas a nuca do homem mais alto à minha frente. O ar estava quente, eu nem sentia mais o fedor de bebida e sovacos, não podia movimentar os braços, estava encostado em outros braços dos dois lados. Sentia alguém pressionado contra as minhas costas, e tocava as costas do grandalhão que me tapava a vista. Estiquei o pescoço, vi um lampejo de céu, uma vaga movimentação, não sabia dizer se já era luta. De repente, à esquerda, os homens se embolaram. Fomos empurrados uns contra os outros ainda mais, apoiados na muralha humana para não cair, e os últimos prensados contra uma parede de pedra. Faziam um corredor, para que algum general passasse, acompanhado de seu bando. Consegui ver o estandarte da enguia, de D'Agostini. Cada vez mais espremido, busquei golfadas de ar fresco, pois senti minha cabeça ficar leve. O bafo sufocava. A massa humana rearranjou-se aos trambolhões quando houve uma queda de dez corpos à minha direita — alguém desmaiara. Podia ser que ele morresse ali mesmo, embora seus amigos tentassem erguê-lo. Gritaram algo no meu ouvido, não entendi o quê, fiquei com um zumbido sereno e ainda mais tonto.

Então fui empurrado por todos, numa diagonal para a esquerda, preencher o espaço que o corredor de D'Agostini deixara e isso me despertou. Não havia notado como estava distraído, intoxicado mesmo, talvez à beira de um desmaio. Sobressaltado, notei que as trombetas soavam já há algum tempo. Sinais e ordens. Fomos andando, sendo arrastados numa maré para frente, vi que a maioria dos guerreiros tinha espada na mão, eu ainda não sacara a minha e nem tinha como sacar. Fiquei constrangido, torci para que ninguém notasse, preferi desembainhá-la em campo aberto. Tomara que não morresse antes.

A correnteza humana aumentou. Vinha um ar mais puro, caminhávamos rumo ao portão, e a gritaria ficou mais clara. Um milhão de sons de corda e sibilares — uma saraivada de flechas fora disparada. Todos ao meu redor se abaixaram, erguendo os escudos. Eu tive o reflexo apenas muito tarde, depois que já os vira, joguei-me ao chão sem técnica, sentindo as costelas, tentei levantar o escudo, mas ele trancou na bainha do homem ao meu lado, encolhi-me e protegi minha cabeça sob escudos alheios. As flechas caíram sobre o tapume acima de mim como socos, uma ponta surgiu bem perto da minha cara. Todos se ergueram, eu cambaleei de pé. Não era justo, o guerreiro ao meu lado tinha tomado uma flechada no escudo, tinha agora menos proteção, e o meu escudo estava intacto. Fui oferecer-lhe para trocar, abri a boca e disse algo, mas o homem não me ouviu. Fomos impulsionados para frente, ele gritou um brado de guerra, e de repente eu estava fora dos portões.

Não estar prensado contra os outros quase me fez cair, e senti frio ao não estar mais abafado. Os homens se colocavam em formação, éramos a terceira linha de uma parede de escudos. Eu saquei a espada desajeitado. O sujeito à minha direita cobriu metade do meu corpo com seu escudo, encaixando a borda com o meu, e fiz o mesmo com o homem à minha esquerda — pelo menos isso eu sabia. Aqueles que tinham lanças projetaram-nas para frente, além dos escudos. Quis ver o que estava acontecendo, procurei um ângulo entre as cabeças.

E vi a matança.

D'Agostini liderava meu batalhão. Correu, acompanhado por seus guerreiros de mar e terra, em direção à parede de escudos inimiga. Vi os soldados da Igreja tremerem. Não os vi fechar os olhos, rezar e engolir em seco, mas direi que foi isso que aconteceu, porque tenho certeza de que foi. D'Agostini correu sorridente, como um ator se apresentando, com o cambalear natural de suas pernas imitando as ondas. Usava um sabre e escudo nenhum. Seus homens se chocaram contra a parede num ataque selvagem, como só existe em histórias. D'Agostini saltou, cravou seu sabre de cima para baixo no pescoço de um soldado, caiu agachado. Um floreio da arma rasgou a carne. No instante em que ele se abaixava, uma lança passou por cima de sua cabeça reluzente. O corpo do guerreiro morto amoleceu, D'Agostini o usou de escudo, deu uma estocada num homem na segunda linha da parede, acertou-lhe a virilha. O guerreiro soltou um gemido fundo, largou sua arma para segurar a genitália arruinada. D'Agostini aparou uma espada com o sabre, girou o braço, desarmou o inimigo. Cortou seu rosto, criando uma fonte de sangue, cegando. Girou, evitando uma lança repentina. Agarrou a borda de um escudo inimigo para bloquear outro golpe de espada. Golpeou com precisão, cortou uma tira de couro, e o peitoral de ferro do inimigo caiu meio aberto. D'Agostini enfiou o sabre em seu coração.

Seus homens batalhavam como selvagens, retalhando com cutelos, espetando com arpões. A parede inimiga se rompeu.

Porque quase não havia lanças.

Uma parede de escudos era terrível porque, de trás da proteção, surgiam as terríveis lanças, que empalavam qualquer um que se aproximasse. Por isso, uma carga selvagem era suicídio e, por isso, morria-se tanto quando duas paredes se chocavam. Mas os soldados da Igreja não usavam lanças. Tinham lanças, e não as usavam.

Uma trombeta inimiga: D'Agostini atravessou as linhas da parede, girando como um demônio, criando uma espiral de sangue. Os soldados começaram a recuar, um passo, depois outro, e deram as costas e correram. A formação se quebrou.

Os homens do almirante perseguiram por dez metros e então se detiveram.

— Posições! — gritou D'Agostini, e eles ficaram parados, voltaram à sua própria formação.

Os inimigos fugiram para a segurança de suas fileiras.

— Nada no céu!

Eu me sentia como um ator. Cheguei a ser ator, no começo, logo que encontrei a companhia, antes de só escrever, antes de condenar minha atriz principal à morte. Eu era muito ruim como ator. Senti como se estivesse nos bastidores, esperando a deixa que não chegava.

D'Agostini ofegava, lá com seus homens. Fora um embate muito curto, mas que lhes arrancara o fôlego. No resto do campo, espadas encontravam madeira e carne. Era estranho que nós estivéssemos parados, e que D'Agostini pudesse descansar.

Não vi, mas foi o que aconteceu.

Ganimedes de arco encordoado, flecha na mão, estático. Dois nobres lhe atendendo: um baronete, chamado Galeus, e o importante Marquês Lucca. Comandavam relutantes tropas vindas de suas terras.

— Podemos enviar os cavaleiros, general — disse o marquês, com a voz ainda ziguezagueante dos muito jovens. Era quase imberbe.

Ganimedes o olhou como se estivesse surpreso por sua presença.

— Nenhum cavalo avança contra uma parede de escudos. — Eu ouviria essa frase muitas vezes.

— Falo em mandar a cavalaria contra os insubordinados!

O Baronete Galeus, que não era tão jovem, deu-lhe um safanão.

— Estão fugindo! — justificou Lucca. — Errando de propósito. São traidores.

— Todos os homens servem a um mestre, Vossa Graça — disse Ganimedes.

— E o mestre deles é o senhor.

— O mestre deles é Deus, que é meu mestre e deveria ser o vosso. Podemos forçar os homens à servidão na ponta da espada, mas todos escolhem seu mestre. Levados à força, irão, acima de tudo, tentar sobreviver. Nunca servirão realmente.

— Então o que faremos?

Ganimedes olhou em seus olhos, segurou seus ombros com as duas mãos.

— Pegue estas flechas. Pegue este arco. A quem Vossa Graça serve?

— A Deus?

— Seria ótimo, mas quero a verdade.

— À Igreja, General Ganimedes. — Olhou para as grevas. — Ao senhor.

— Então aceite minhas ordens. Pegue este arco e estas flechas. Feche os olhos por alguns minutos, ou finja que fechou. E, quando me vir no meio do caminho entre os dois exércitos, puxe a corda do arco, dispare as flechas. Tente me matar. Porque serei um traidor.

Os dois nobres deixaram os queixos penderem.

— Examine seu coração. Veja quem é seu mestre. Os cardeais, ou Deus.

Penélope, quase fora da minha visão, atravessou a grama esmagada num borrão de velocidade, de pé sobre uma biga, uma pequena carruagem puxada por dois cavalos. Penélope empunhava uma azagaia, e tinha outras dispostas em seu veículo. Passou em carreira pela linha de frente, onde seus homens com escudos de cão de duas cabeças empurravam a parede de escudos inimiga. Ela mirou com a azagaia, arremessou e acertou um infeliz no meio dos olhos. A cabeça se abriu como um ovo. Ouvi uma trombeta que já conhecia, mas eram tantas que não podia lembrar o significado, e nem percebi se era nossa ou inimiga. A trombeta anunciou mais uma saraivada de flechas, que voaram espalhadas, de má vontade, e não mataram quase ninguém. Nenhuma chegou perto de mim.

Os homens de Penélope afugentaram a parede inimiga, de novo os soldados correram. Achei que veria um tapete de cadáveres, mas era um número irrisório, uns sete ou oito. Ninguém perseguiu os fugitivos. Morria-se pouco naquela batalha.

Marcha ao lado, trombetas e ordens. O inimigo avançava por nosso flanco, o que era a coisa mais lógica a se fazer, com tanta superioridade numérica. Olhei para minha esquerda e vi soldados de infantaria se aproximando. Tive um susto ao vê-los tão perto, percebi que, até aquele momento, meio esperava que tudo fosse falso, ao menos para mim.

Corneta: ordens para nós. Os homens ao meu lado começaram a se mover. Eu me movi junto, mantendo a parede de escudos. Eles gritavam, e eu gritei também. As fileiras caminhavam contra nós, cheias de armas. Começamos a avançar. Minha respiração ficou rasa, na garganta, e o coração subiu para se juntar, eu notei que fazia uma expressão meio ridícula, mostrando os dentes, puro medo. Caminhamos em direção ao inimigo. De repente, eles correram para nós. Um estouro de boiada, saíram da formação, o que fazia sentido, pois estavam em número maior. Vieram numa onda, firmamos os pés, eu não sabia se havia firmado direito. Olhei para baixo, para ver os pés dos meus companheiros, e o *choque,* eles encontraram nossa parede. Fui jogado para trás com o impacto, bati a cabeça no meu próprio escudo, vi preto por um instante. Ergui os olhos, ergui a espada, quase cortei meu companheiro, pedi desculpas sem notar como era absurdo. Estava seguro, havia duas linhas na minha frente. Mas a primeira linha já caía. Havia apenas um guerreiro entre eu e o soldado alto, de barba incipiente de três dias, que puxava uma espada gosmenta de vermelho, e se preparava para atacar de novo. Fiquei com muito medo daquele homem.

— Deus! Deus! — ele gritava.

Eu não sabia o que gritar.

Ao meu lado, um guerreiro deu um passo à frente, ocupou o espaço da primeira e da segunda linhas, que morriam. Outro veio de trás, juntou o escudo ao meu. Acompanhei o inimigo bem à minha frente, seu escudo empurrando o escudo do meu protetor na próxima linha. Os dois tentavam arranjar um jeito de se estocar com as espadas. Vieram mais soldados inimigos, prensaram os próprios companheiros contra os nossos escudos, fui jogado para trás de novo, mas pelo menos dessa vez não bati a cabeça. Ouvi um gorgolejar, era o homem à minha frente, o segundo choque enfiara a espada do inimigo em seu bucho. O assassino puxava o cadáver ainda estrebuchando, tentava soltar a lâmina, e só havia ele e eu.

Não sei o que fiz. Quando vi, estava sobre o inimigo. Talvez eu tenha avançado ou talvez ele. Senti seu hálito de cebola e fumo, vi que tinha olhos verdes e pele clara, era mais novo do que eu. Moveu o braço para me golpear, seu cotovelo foi detido por alguém atrás, eu ergui minha espada sem lembrar de nenhum movimento treinado, bati como uma criança brincando de guerra. Estiquei o braço, simplesmente, a ponta da espada rasgou seu rosto, o sangue brotou, não sei se destruí um olho ou peguei de raspão. Soltei um guincho de dor, minha costela reclamando. Ele estocou às cegas, por sorte só arranhou pele, e por mais sorte sua lâmina ficou presa um instante no tecido da minha camisa. Desci a espada com toda a força, o que foi uma estupidez, bati em seu elmo e o clangor reverberou em meu braço. O impacto fez meus dentes se chocarem, mordi a língua. Ele procurou a maciez de meu estômago sem golpear, só confiando no fio da espada e na própria força, eu movi meu escudo para bater em seu pulso. A maior dificuldade era fazer duas coisas ao mesmo tempo, eu conseguia apenas me defender ou atacar. Puxei o braço da espada, pensei em golpear onde já havia atingido, o rosto. Errei a mira, apesar do alvo tão próximo, acertei-lhe a mandíbula. Mas então minha lâmina se desviou e perfurou seu pescoço. Ele soltou uma golfada de sangue, e um jato forte e quente me atingiu o peito. O inimigo ficou mole e caiu. Puxei a espada com força, mas não estava presa, acabei batendo com o antebraço em um companheiro. Tinha a impressão de que uma hora havia transcorrido.

Levantei a cabeça, e os inimigos recuavam.

Pugna Marco Segundo avançava para defender nossa esquerda, agitando uma enorme espada e correndo mais do que seus homens conseguiam acompanhar. Deixava pegadas profundas no chão. Parou quando houve a retirada.

Uma trombeta: reconheci, era o sinal para os arqueiros. O céu escureceu, e voou contra nós. Não atiravam em vão, dessa vez. Por instinto, ergui o escudo, surpreso com meu próprio reflexo, e senti uma chuvarada, mas nenhuma ponta se cravou.

Olhei o chão: não havia pontas.

Os arqueiros inimigos haviam retirado as pontas de suas flechas, e nos atacavam com uma saraivada quase inofensiva.

Morria-se pouco.

Atreu avançou com os Escudos do Sol, próximos o suficiente para formar a parede de escudos, se necessário, mas todos correndo demais para se manter em formação compacta. Os soldados inimigos firmaram-se, e os homens de Atreu arremeteram como um maremoto. Esperei ver o reluzir do metal, e as fontes de sangue esguichando de crânios partidos, mas não vi nada disso.

Madeira.

Os Escudos do Sol usavam porretes, bastões.

Atreu golpeou com seu próprio escudo, atingiu os olhos do homem à sua frente. Ele ergueu a espada, Atreu recuou um passo, descreveu um arco com o porrete, acertou-lhe atrás do joelho. O homem despencou, Atreu saltou por cima dele, deu um coice em sua nuca, enfiou a ponta de madeira no estômago do próximo. Girou, defendeu as costas com o escudo, dobrando o cotovelo, enquanto desarmava outro ao seu lado com uma forte pancada na mão. Abaixou-se, girou a perna, derrubou dois, pisou sobre seus peitos, bateu com toda a força numa clavícula. Esmurrou um rosto desprotegido, quebrou um nariz com o escudo e subiu o porrete como um aríete numa virilha. Os soldados da Igreja caíam ao seu redor — nenhum morto.

Os Escudos do Sol imitavam o general, uma bizarra força sem aço e nem fúria, deixando para trás o som de ossos quebrados e uma sinfonia de gemidos que era alegre perto do silêncio dos cadáveres. Eu não podia pintar um sol em meu escudo, nem nunca poderia. Aqueles eram homens feitos para lutar, seus corpos movendo-se sem esforço, sem pensamento, por brechas nas defesas, protegendo-se de lâminas e esmurrando e chutando. Meteram-se na fenda larga que Atreu formara na linha inimiga. Sem um comando viraram as costas uns para os outros, avançaram, alargando o buraco, quebrando as fileiras.

Uma espécie de vibração percorreu o campo de batalha. Cabeças se viraram em onda. Uma figura saiu de trás das formações inimigas, de um salto venceu uma trincheira. Corria para nós, e os soldados sentiram o alarme de uma nova ameaça. Ou apenas um louco que atacasse sozinho, isso às vezes acontecia. Era Ganimedes. Irrompeu entre os dois lados, correndo quase sem tocar o chão.

Atreu, como sentindo a presença do amigo, virou-se de súbito, deu uma risada. Um guerreiro tentou cortar-lhe o pescoço, Atreu agarrou seu braço e, sem tirar os olhos do general, torceu, quebrou e soltou o homem sem lhe dar importância. Correu.

— Venha queimar no inferno conosco, traidor! — berrou Atreu.

— Vai rezar ou morrer! — entoou Ganimedes.

Atreu largou o porrete no meio do caminho, eles se encontraram na terra de ninguém entre os dois exércitos. Atreu tomou o desertor nos braços, eles se abraçaram com felicidade genuína, enquanto centenas olhavam, sem saber o que fazer. O combate arrefeceu. As pessoas assistiam, meio atônitas.

— Vamos destruir a religião, Ganimedes!

— Vamos fazer o trabalho de Deus.

Trombetas: sinal para arqueiros. Trombetas: avançar infantaria. E gritos. Capitães insistindo. Trombetas: canhões.

Sem resposta.

Os dois amigos se olhando no meio do campo de batalha. Os Escudos do Sol recuaram, sem ordens de Atreu. Baixaram os porretes. Os soldados da Igreja deram as costas e fugiram.

Uma flecha solitária veio do campo inimigo. Voou na direção de Ganimedes, cravou-se dez metros longe.

— O que foi isso? — disse Atreu.

— Um bom homem cumprindo ordens.

A Igreja começou a recuar lentamente. Comandantes tentavam impelir os homens para a matança. A vantagem numérica continuava, os equipamentos continuavam sendo melhores, a disciplina ainda era maior. Nenhum daqueles soldados tivera de pintar o próprio falcão. Mas, eu descobri, talvez por isso não tivessem tanto amor.

Trombetas: para nós.

— Avançar! — berrou Penélope.

Todos avançamos, meio desordenados, mas juntos. Os que ainda estavam em Sudário do Louco correram para fora da cidade, espadas ou porretes ou ancinhos em mãos. Pugna caminhava sem se alterar, a enorme espada nas mãos, toda a lenda de sua longevidade fazendo o trabalho de mil exércitos. As tropas da Igreja andaram de costas, até o acampamento. Continuamos, eles largaram suas coisas e deixaram o acampamento. Viraram-se e correram em pandemônio. Fugiram. Nós não corremos tanto. Não queríamos alcançá-los.

A batalha estava ganha.

— Por quê? — disse Atreu, alheio a tudo, para o amigo.

— Alguém precisa fazer de você um bom devoto.

Riram.

— Nada no céu! — subiram os gritos de diversas gargantas.

No meio da gritaria de corre-corre, das nossas gargalhadas, dos nomes dos generais gritados em vitória, soaram trombetas. E elas soavam o tempo todo, ordens contraditórias, algumas desafinadas, um ou outro capitão tentando soprar quando o trombeteiro já fugira. Mas essas eram diferentes. Trombetas: nem nossas, nem deles.

Um novo general. Oberon chegara.

7

Havia uma promiscuidade alegre na coluna. Os miseráveis, sendo miseráveis, não tinham o costume esdrúxulo do banho. De fato, imaginavam que era pernicioso. Entre todas as centenas, tinham um exemplar de cada doença comum e as pragas se espalhavam com rapidez. Sempre havia uma forma de contágio — a saliva trocada compartilhando alimento, uma ferida aberta, tosse gotejando num rosto próximo. Todos os dias, um ou dois ficavam para trás, e quase ninguém se importava. Jocasta viu um rapaz parar na estrada, implorando que esperassem, enquanto acudia a mãe deitada no chão. Mas disseram Deus te abençoe e ninguém parou. Outros caíam sem ser notados.

E o espírito contente de ninho humano, de ajuntamento sem privacidade nem civilização, era mais presente à noite. Já descrevi Jocasta dormindo no meio de corpos estranhos, quando teve seu sonho profético, e estou voltando a isso, porque a bizarria me fascina. Desconhecidos totais encostavam-se, enroscavam-se para dormir. Nossa terra tem poucos meses de frio intenso, e aquela época era de relativo calor, mas a escuridão ao relento gelava. E assim abraçavam-se uns aos outros, como uma gigantesca ninhada de cães, misturavam as pernas, babavam em ombros alheios. E se, na névoa do sono, uma ereção fosse respondida com boas-vindas, fornicavam ali mesmo, encostando-se em outros, sujando-se em alguma masturbação. Por mais que tenha falado nisso, tento evitar citar os estupros, pois esse é um recurso baixo para gerar asco e simpatia no leitor. Havia estupro, é claro, e havia brigas que se degeneravam em pequenas batalhas campais. Havia furtivas adagas entrando em buchos. E, escondido da Voz, havia alguns escravizados.

Jocasta viu tudo isso acontecer de longe. Ela estava emaranhada em um bolo de anciãs, dormindo sem premonições, quando algo fez com que abrisse os olhos. Dois guardas da Voz. Chegavam perto, mas ainda não haviam feito menção de acordá-la. E faziam barulho, mas muito menos que o burburinho perene. Pressentir a aproximação foi apenas mais uma das capacidades extraordinárias de Jocasta, na verdade irrelevante perto do resto.

— A Voz está chamando. — O guarda de nome Tobias cutucou-a com um bastão longo.

Ela se desenredou das velhas. Seu braço esquerdo estava dormente, ela fez movimentos de abrir e fechar com a mão até que os dedos respondessem, enquanto atravessava o mar de corpos.

Tobias abriu a lona, fez que entrasse. De novo um toco de vela, mas não havia companhia noturna. A Voz de Urag dormia sozinha.

— Boa noite, criança.

Jocasta disse boa noite. Sentou-se de pernas cruzadas, as mãos entre as coxas, empurrando o tecido fino do vestido para baixo.

— Encontrou a paz desde que nos falamos pela última vez?

— Rezo todas as noites, senhora.

— Só à noite?

— Tento rezar durante o dia, mas meus pés doem.

Jocasta não tinha sapatos. Seus pés há muito haviam abandonado as feridas e bolhas, e adquirido uma grossa casca de calos. A delicadeza de seu corpo desafiava a lógica, mas pelo menos tinha calos nos pés.

— Conseguimos hastes de madeira, menina. Os homens estão afiando suas pontas. Deus nos deu hastes.

Jocasta não disse nada.

— Um de meus guardas veio me perguntar se não estávamos blasfemando. Essa preocupação com um ataque de cavaleiros pode ser dúvida da bondade de Urag. O que você acha?

— Não sei.

— Eu acho que blasfêmia seria duvidar de que vamos sobreviver. Deus avisou sobre esse perigo através de Seus anjos, e nos deu armas. Existem muitos ex-soldados entre nós. Acho que Deus quer nos mostrar outro tipo de prazer. O gozo do combate.

Provavelmente a Voz não usou palavras tão rebuscadas. Provavelmente não conhecia um sinônimo para “prazer”. Mas não quero repetir palavras aqui, e esta é uma mentira pequena, de qualquer forma.

— Acha que vamos vencer, menina?

— Acho que Urag vai vencer.

Uma boa resposta. Uma das coisas mais atraentes na religião, algo que mesmo agora não deixa de ter atrativos, é o raciocínio retroativo. Acontecesse o que acontecesse, era a vontade de Urag.

A Voz sorriu.

— Nós, mulheres, não experimentamos o prazer da luta. É uma sensação reservada aos homens. Deus vai nos oferecer isso.

— Sim, senhora.

— Imagino que, em breve, os homens irão experimentar nossos prazeres. Terão crianças crescendo em seus ventres, sentirão o êxtase da maternidade. Você tem filhos, menina?

— Não, senhora.

— Eu tive dois. Morreram, mas não me preocupo com isso. Estão com Urag. Quando for o momento certo, terei filhos que sobrevivam. Suas mortes foram bênçãos, porque fiquei livre para viajar, assumir meu fardo como a Voz.

A vela estava em seus últimos estertores.

— Já conheceu os homens, menina?

— Um, senhora. Fui casada.

— O que aconteceu com seu marido?

— Morreu.

— É viúva, então?

As possibilidades de respostas vieram rápido:

Sim, sou viúva, sofri muito por minha perda.

Uma maldição, rezo para que Urag a remova.

Não soube ser feliz quando podia, nem ter filhos, agora estou pronta.

Mas disse:

— Não sou viúva. Fui casada. Sou livre, como Urag deseja.

A Voz sorriu. A vela queimou forte.

— Já conheceu as mulheres, Jocasta?

— Como sabe o meu nome, senhora?

— Deus quis.

A mão da Voz tocou sua bochecha, o dedo escorregou para os lábios, o queixo, o pescoço.

— A fala de Deus desata a língua, criança.

A vela exauriu-se, exalou uma golfada de fumaça, deixou uma brasa minúscula. A mão desceu.

Não foi tão ruim, Jocasta me disse. Não foi violento. Mas confirmou que a Voz não passava de uma charlatã. Uma charlatã que pressentira algo na garota e desejava se aproximar, beber do que tinha de especial.

Deixou a tenda de manhã, enquanto todos se erguiam em acordares sucessivos.

Caminhava há duas horas quando reencontrou os pais.

— Minha filha! — disse a mãe, num abraço súbito.

A mulher agora só fazia chorar com suas novas companheiras de contrição, os olhos vermelhos com bolsas moles. O vestido grudado às costas, por feridas de autoflagelação. O pai fez-lhe um carinho desajeitado nos cabelos. Sua túnica estava suja de vinho e vômito.

Ficaram os dois olhando seu rosto, sorrisos montados.

— Pai, mãe, que saudade — disse Jocasta. Tão sincera quanto fiz parecer.

— Precisa de alguma coisa, filha? — disse o pai.

— Deus dá tudo de que preciso.

— É uma santinha! — disse a mãe, já lacrimejando.

— Deus lhe deu uma família que a ama muito.

— Rezamos por você todos os dias.

— Pensei que nem se vissem — disse Jocasta.

— Seu pai e sua mãe querem o seu melhor — disse a mulher.

— E você quer o nosso melhor também, certo? — disse o homem.

Jocasta ficou quieta um instante, então concordou com a cabeça.

— Soubemos que falou com a Voz — disse o pai.

— Duas vezes, é verdade?

Fez que sim.

— Falou sobre nós? — disse o pai.

Apesar de tudo, o estômago de Jocasta despencou. Nunca se está de todo imune a certas decepções.

— Contei que meus pais me trouxeram para esta peregrinação sagrada — disse Jocasta.

— Que bom que sabe disso, minha filha — disse o homem. — Insistimos que viesse porque amamos muito você.

— Como é a Voz? — disse a mulher.

Jocasta disse que era maravilhosa. Uma pessoa muito sábia. Ouvia os desejos de Urag, parecia até mesmo conhecer Seu plano, conduzia todos a uma felicidade plena, eterna, incondicional.

— Como ela reza? — Quis saber a mãe.

— Em profundo silêncio. Com as mãos postas, uma coisa linda. Chora, ri. É sua maior felicidade.

As lágrimas brotaram dos olhos da mãe.

— Peça para que reze por nós — disse o pai.

— Fale nossos nomes.

Concordou.

— Se puder, eu gostaria de conhecê-la em pessoa — disse o pai. — Entrar na tenda.

— Vou pedir.

Ficaram olhando-a com seus sorrisos de orgulho manufaturado.

— É verdade que vai haver um ataque?

— Sim, pai.

— Dizem que você foi a primeira a saber — disse a mãe.

— Um anjo me avisou.

— Como você é santa, minha filha, deve ficar à nossa frente, chamar os anjos para proteger seu pai e sua mãe.

— Sim, pai.

— Vai mesmo nos proteger?

— Sim, mãe.

— Não esqueça.

— E peça para que ela reze por nós.

— Fale nossos nomes.

— Quero conhecer a tenda.

— Se for possível, uma mechinha do cabelo dela, para mim e minhas irmãs.

— Não esqueça, você deve nos proteger.

— E rezar por nós.

— Sim, pai. Sim, mãe.

Chegaram a uma vila. Menor ainda do que a de Jocasta; nem trinta pessoas, duas famílias procriando com irmãos e primos. Um garoto de sorriso imbecil disse ter avistado uma nuvem de poeira, talvez a meio dia de viagem.

Tomaram para si tudo que a aldeia tinha. O garoto imbecil ficou alegre em se juntar à turba; outros mais beligerantes foram mortos. A Voz ordenou que cavassem as trincheiras, como Jocasta havia sugerido, preparassem as enxadas, machados, lanças e hastes pontudas. Chamou a garota a um casebre que confiscara.

— A hora está chegando, menina.

O coração fazia o vestidinho pular.

— Está nervosa?

Não.

— Sim. Desculpe, senhora.

— Sabe que Deus vai nos proteger, não?

— Sim, senhora.

Coração forte, galopando. Os cavaleiros chegavam. Jocasta olhou o casebre ao redor, o forno de barro, três panelas penduradas acima, a estante rústica com potes e vasilhas de cerâmica, a cama de palha onde se recostava a Voz, o banco de três pernas. Achou já ter visto tudo aquilo, talvez em outra premonição. A Voz disse algo, que Jocasta previu enquanto as palavras se formavam, uma forte sensação de experiência prévia, um sonho. Sentiu cheiro de álcool, pungente, nauseante. O mundo flutuou à sua volta, o casebre nadou numa correnteza de realidade, Jocasta sentiu o peito apertando, músculos contraindo, deu um passo, dois, dobrando os joelhos.

E foi tomada pelo espírito santo.

A Voz ergueu-se de um salto, muda, enquanto a menina sacolejava no chão, agitava braços e pernas sem controle. Suas íris castanhas giraram para trás, espuma branca transbordou de seus lábios, e ela começou a emitir a língua dos anjos.

A Voz soube que estava ameaçada.

E, ao longe, as trombetas soaram.

Benedict.

O homem sem pernas estava sempre à frente da coluna, por mais improvável que isso fosse. Imagino que se esforçasse muito para manter aquele ritmo acelerado, por uma espécie de orgulho dos aleijados. Por isso foi o primeiro a morrer.

As trombetas de Benedict soavam. Não pareciam aviso de morte, mas algo honrado, como o que um lorde justo fizesse tocar antes de defender-se de um inimigo vil. Também pareciam chamados de caça, e eram mesmo. O estandarte de Benedict, um dragão serpenteante em fundo dividido de azul e branco, ao lado das três trombetas da Igreja, erguia-se acima das cabeças, no meio da formação em cunha. O primeiro cavaleiro galopou em fúria, transpôs a linha de hastes afiadas sem dificuldade, saltou sobre uma trincheira, abaixou a lança comprida e a cravou no peito do aleijado. O homem deslizou vários metros sobre sua plataforma com rodinhas. A Voz escolhera fazer a defesa no terreno quase plano da aldeia minúscula, a plataforma pôde correr livre, foi algo cômico e grotesco. O aleijado se estatelou, se espatifou, contra um casebre de pedra, já caiu morto, o esterno partido e o pescoço também. O cavaleiro gritou:

— Pelo Dragão de Deus!

O galope afogou seu brado de guerra, e as trombetas, e o urro animalesco da turba. Os Dragões Celestes investiram.

Havia um perímetro de lanças, de hastes pontudas, e os cavalos tiveram de passar pelos espaços entre elas, refreando a carga. O primeiro viu-se sozinho por uns instantes. Teve de sair da frente de outros, a lança ainda gotejando o aleijado, e foi acossado por quarenta fanáticos. Jogaram-lhe pedras, que repicaram na armadura e no elmo, atingiram a cabeça do cavalo. Correram para ele, com pedaços de pau ou enxadas ou as mãos nuas. Ele deixou cair a lança, sacou a espada, ergueu-a e desceu sem olhar. Partiu um crânio com um som úmido, mas os outros continuavam chegando, golpes e golpes, jogavam a vida fora para tocar o inimigo.

Mãos agarraram suas pernas, as patas de seu cavalo. O animal ergueu-se e escoiceou, esmagou um rosto e quebrou uma clavícula. Os miseráveis penduraram-se em seus cascos, suas mãos foram esmagadas. Um maltrapilho saltou no pescoço do cavalo, e então outro. O cavaleiro bateu com as manoplas, outros erguiam-se na garupa. O peso era demais, e sacudiam o cavalo apavorado, suas pernas fraquejaram e ele tombou.

Um enxame jogou-se sobre animal e homem caídos. Os fanáticos foram esmagados pelo peso do corpanzil e da armadura e das armas, mas novos chegavam, os mesmos rostos pardacentos e marcados, a mesma expressão alucinada. Bateram inutilmente na armadura com os punhos, enfiaram unhas pela viseira do elmo, buscando olhos, enfiaram adagas, cacos de cerâmica e pedras pontudas na carne da montaria.

O bolsão humano foi cortado por uma carga de lança. Os cavaleiros atravessaram o perímetro, mais vagarosos mas ainda mortais, e encontraram pele desprotegida, tecido inútil, vontade de morrer. Galoparam sobre a plebe, e um cavalo despencou, girou no ar gritando, a pata quebrada. Pisara em uma trincheira disfarçada por galhos. Quase ao mesmo tempo, outro, um estalo forte anunciou o pescoço partido. Os outros puxaram as rédeas, fazendo os animais pararem para analisar o chão, procurar as trincheiras. O inimigo era idiota, herege, ignorante, não deveria estar preparado contra a carga.

Trombetas: a segunda leva de cavaleiros atacou.

O turbilhão de gente continuou avançando. Uma correria ensandecida, de todos os lados, brotando do chão, de trás dos casebres, de dentro de um celeiro, atacando com os dentes. Caíram nas próprias trincheiras, foram pisoteados pelos companheiros, formaram um empilhamento de corpos nos buracos. Os cavaleiros receberam-nos com espada e casco, cortando, matando, mas não assustando.

Trombeta: Benedict quebrou a formação.

Os cavaleiros recuaram, perseguidos pela turba. Dividiram-se em dois grupos, contornando a aldeia, forçando os cavalos ao máximo. Benedict olhou para trás e viu que funcionara: o mesmo ódio cego, o mesmo fanatismo que impedia que tivessem medo fazia com que perseguissem, sem chance de alcançar, em vez de defender a posição.

Os dois grupos de Dragões Celestes abaixaram as lanças e cavalgaram em semicírculos, contornando o vilarejo, em direção ao outro extremo da turba. Fizeram carga. Apanharam os dois flancos, encontraram-se dilacerando inimigos.

— Não parem! Não parem! — gritou Benedict.

Pisotearam os hereges, não sacaram espada ou preocuparam-se em se defender: apenas passaram por cima de corpos mortos e vivos, esmagaram o que estava no caminho, os dois grupos se cruzaram, fazendo uma trilha de sangue, e emergiram de novo da massa humana.

Benedict girou o cavalo, para analisar os danos. Vários dos seus haviam morrido. Como aquela gente porca conseguira aquilo?

— Recuar!

As trombetas repetiram sua ordem. Os cavaleiros correram da turba, reagruparam-se em uma cunha única. Os miseráveis corriam em perseguição.

— Carga!

De novo, investiram, chocaram-se com a massa de corpos, que fazia resistência pelos números. Benedict viu um cavaleiro desequilibrar-se e tombar do cavalo, e os fanáticos saltarem sobre ele como um vespeiro chacoalhado. Olhou ao redor, e os inimigos formavam o horizonte. Não enxergava a aldeia, apenas miséria humana, tapando toda a visão.

Benedict puxou as rédeas, fez seu cavalo erguer-se, chutar com os cascos da frente e então escoicear com os de trás. Um vão se abriu, ele sacou a espada e girou, cortando um punhado de rostos e pescoços. Aquela gente não fugia. Era preciso destruir o centro de sua fé.

— Por Deus! — gritou Benedict. Sempre funcionava. — Pelos Dragões! Vamos encontrar a líder!

Impulsionou o cavalo à frente, atropelando a multidão fedorenta. As trombetas berraram, até que um fanático pendurou-se no instrumento e o derrubou no chão junto ao trombeteiro e o estandarte.

— Vamos ao paraíso, Dragões Celestes!

Ouviu um brado em resposta. O mesmo fanatismo também ardia nos cavaleiros.

As duas forças suicidas encontraram-se. De um lado, números. Do outro, excelência. Benedict viu os cavaleiros tombarem à sua volta, mas não importava. Precisava chegar à Voz falsa, matar o centro de tudo, e então poderia vencer.

Jocasta emergiu sem lembrar de vários minutos. Demorou até que conseguisse ficar sentada, olhou em volta e não reconheceu o teto ou as paredes. Mas a Voz estava lá, com três de seus guardas. Jocasta limpou a espuma da boca.

Devagar, notou gritaria lá fora. Galope.

A Voz soluçava, segurando o rosto. Virou-se.

— Quem é você, bruxa? — guinchou a mulher.

Jocasta tentou recuar, mas ainda estava tonta.

A Voz foi até ela, um esgar mostrando dentes apodrecidos. Abaixou--se, segurou seus cabelos.

— É uma bruxa? Uma puta e uma bruxa? Por isso sabia que viriam me matar?

Os anjos me disseram.

Deus me recompensou...

Um forte tapa.

— O que você estava fazendo, meretriz?

— Não sei, senhora.

Outro tapa.

— Que língua estava falando?

— A língua dos anjos.

— *Eu* sou a Voz de Urag. Você é uma puta estéril. Não vai roubar o meu povo.

Os três guardas de pé ao redor, como juízes.

Algo se chocou na porta. Então, batidas frenéticas. Alguém chamando aos gritos.

— Jocasta!

Era sua mãe.

— Você prometeu!

Jocasta levou a mão à testa. Difícil compreender tudo.

— Minha mãe está lá fora.

— Acha que vai roubar o meu povo?

— Minha mãe está lá fora.

As batidas cada vez mais fortes. Aos berros, chamava o nome da filha. A voz do pai se juntou.

Jocasta sentiu a tontura aumentar. O vago cheiro de álcool recomeçava. Era preciso fazer algo rápido. Apostou na desonestidade, sempre a escolha mais segura.

— Deus fala comigo — disse.

A Voz deteve a mão erguida.

— Eu ouço a voz de Deus, senhora. Por isso sabia dos cavaleiros. E sou tomada por Deus, de vez em quando.

— *Eu sou...*

— Digo-lhe tudo que Ele disser, se deixar meus pais entrarem.

Tentador.

A sensação de que tudo já ocorrera antes.

— Jocasta!

— Vou matá-la se tentar me enganar.

— A senhora terá milagres verdadeiros.

— Sempre vê o futuro?

— Sempre.

— Pode curar os enfermos?

— Claro.

— Jocasta!

— Deixe meus pais entrarem.

Os músculos das pernas contraindo-se. Aperto no peito.

— Deixem os dois entrar.

A porta foi aberta, e o pai e a mãe de Jocasta cambalearam para dentro. Ele tinha um corte na cabeça, de onde vertia sangue em profusão. Ela estava com os lábios inchados de algum golpe, os dentes da frente espatifados. Vários outros atrás, mas foram repelidos a facão e porrete, pelos guardas da Voz.

— Minha filha!

— Sabia que não iria nos abandonar.

— Megerinha mentirosa, prometeu que ficaria à nossa frente, chamaria os anjos.

O cheiro de álcool muito forte. Tudo já acontecera antes.

A porta voou para dentro, arremessando dois guardas, que caíram inertes. Dois cascos poderosos surgiram por entre as ripas de madeira quebrada. O cavaleiro desmontou, saltou para o casebre de espada em punho, rugindo.

O terceiro guarda avançou contra ele, machado na mão. O cavaleiro desviou-se de seu golpe, estocou, perfurou-lhe o estômago. Sangue e fedor brotaram num borbulhar vermelho. O cavaleiro apoiou o pé no peito do homem, libertou a espada com um puxão.

O pai e a mãe de Jocasta gritavam. A Voz gritava.

O cavaleiro deu dois passos. O pai de Jocasta agarrou a mãe pelos ombros, jogou-a para o inimigo, enquanto tentava se afastar. O cavaleiro ergueu a espada e desceu-a, abrindo uma fenda enorme no pescoço da mulher. O corpo amolecido caiu. O cavaleiro agarrou o pai de Jocasta pela roupa, atirou-o no chão, cravou a espada em seu rosto. Olhou para a Voz.

— Não sou ninguém! — gritou a mulher. — Ela é a Voz de Urag!

O cavaleiro deu um golpe lateral, destroçou sua têmpora. Os olhos da Voz saltaram, ela tombou numa poça de sangue.

As íris de Jocasta rolaram.

O cavaleiro se aproximou.

Benedict gritou uma ordem, mas não conseguia enxergar ninguém para obedecer. O último cavaleiro à sua vista sumira num mar de punhos e ancinhos um minuto atrás. Ele galopava por entre os casebres, sentindo pedras se chocarem contra a armadura. Seu cavalo sangrava. Seria mesmo derrotado por uma turba de imundos?

Fez a montaria saltar, aterrissou sobre membros, peitos, cabeças. O cavalo quase perdeu o equilíbrio. Um alucinado correu de encontro a ele com um chicote que usava em si mesmo. Benedict o decapitou e logo esqueceu.

Um sobrevivente! Um de seus cavaleiros ainda estava vivo, galopava para um casebre onde o povo se juntava, tentando entrar. A porta foi aberta, alguns foram admitidos, os demais rechaçados. O cavaleiro atravessou o ajuntamento, fazendo seu cavalo golpear e morder, quebrou a porta, então desmontou e entrou.

Benedict foi atrás.

Seis ou sete hereges pularam no lombo de sua montaria, o cavalo andou de lado, escorregou e caiu. Benedict conseguiu sair debaixo do animal, para que não fosse esmagado. Ergueu-se com a espada na mão, cortou alguns pescoços, abriu caminho como num matagal, foi até o casebre onde estava seu homem.

Seguravam-lhe a armadura, os cabelos, a túnica. Tocavam com sua sujeira e sua pobreza, jogavam-se em sua lâmina e manchavam a espada com seu sangue fétido. Agarravam-se em suas canelas. Benedict avançou numa areia movediça, sentiu a cabeça flutuar de calor e mau cheiro, o braço golpeando independente. Enfim alcançou a porta do casebre, arrastou-se para dentro, e viu.

Cadáveres. Seu cavaleiro de pé sobre uma garota que estremecia e babava.

Atrás, a turba.

— General, esta é a falsa Voz! — disse o cavaleiro. — Morreremos, mas mataremos a líder dos hereges!

A turba entrando para matá-lo.

— Esta é uma mulher santa! — disse Benedict.

E enfiou a espada no rosto de seu cavaleiro.

O homem estrebuchou em surpresa, tentou gesticular, e caiu.

A turba ficou estática.

Jocasta piscou, achou que sonhava.

O homem à sua frente era belo, alto; cabelos castanhos empapados de suor, mas lindos. O sangue complementava a face delicada como maquiagem. Os olhos azuis ferozes, enquanto matava o assassino de seus pais, salvava sua vida.

Ela não duvidou por um instante: era o Cavaleiro Imaculado.

Proferiu a boa nova na língua dos anjos, dançando no chão.

Benedict deixou cair a espada, virou-se para os hereges, abriu os braços.

— Matem-me!

Eles estavam confusos.

— Entrego minha vida a Deus! À Voz!

Alguém fez menção de atacar. Mas, sozinho, logo mudou de ideia.

— Agora que o último dos infiéis está morto, posso ir em paz. — Sorriu o Cavaleiro Imaculado. — Mandem-me para Urag, por favor.

Não sabiam o que fazer.

— Ele me salvou — disse Jocasta.

A mente da garota clareava aos poucos.

Benedict se ajoelhou, estendeu-lhe a mão.

— Foi a língua divina que ouvi? Foi o espírito santo que vi?

Nada.

— Será que fui tão abençoado? — disse Benedict. — Terei visto um milagre?

Jocasta não soube responder.

— Quem é você, minha senhora? — disse com a mais melodiosa das vozes.

Jocasta olhou os cadáveres, olhou os fanáticos. Expectantes, ansiosos.

— Acho que sou a próxima Voz de Urag.

— Eu também acho.

Beijou-lhe a mão.

8

Eu não estava acostumado a correr tanto, não estava acostumado a correr nada, e logo exauri meu fôlego. Não precisava matar mais nenhum sujeito alto com barba de três dias. Ninguém mais precisava matar naquele campo, os inimigos fugiam em desordem completa. Nossos homens estavam felizes porque muita pilhagem fora deixada para trás. Eu tinha certeza de que conseguiria uma espada e um elmo, talvez uma cota de malha. Parei para descansar, os outros corriam à minha frente, perseguindo o inimigo como se persegue um bando de galinhas rumo ao galinheiro. Ainda estava com a espada de Atreu na mão. Meu corpo estava arqueado, eu me apoiava na espada, fincando sua ponta na terra. Era uma função indigna para uma espada de herói.

Então ouvi as trombetas, as novas trombetas. Olhei para frente e vi um novo caos tomando conta do inimigo. A certeza de que não fugiam para a segurança espalhou-se como uma gripe. Souberam que havia um novo perigo à frente. Correram incertos, ao ver os companheiros desacelerando e parando, e começaram a se empurrar, a vanguarda dos fujões dando meia-volta. Tropeçaram uns nos outros, voltaram para os nossos guerreiros, que os perseguiam.

Oberon chegara.

Um jorro de guerreiros explodiu contra os fugitivos. Portavam espadas e machados, tinham escudos que exibiam uma cabeça de touro. Minha primeira impressão foi a riqueza daqueles homens: quase todos usavam cota de malha, muitos tinham peitoral de ferro, braceletes e torques no pescoço, as barbas eram adornadas com anéis. Os soldados da Igreja nem armas tinham mais. Vi um deles olhar para trás, para os novos algozes que chegavam e, de novo, virar o rosto na direção da fuga, ainda a cara de pavor, gritando piedade, mas veio alguém com escudo de touro, correndo, e partiu sua cabeça com um machado.

Nossos inimigos foram pegos entre nossas duas hordas. Não conhecia Oberon, mas achei que sua horda era minha também e, de repente, a matança recomeçou.

— Recuar! Recuar! — gritou Atreu. Vi-o correr, de mãos vazias, e saltar para a biga de Penélope. Arrancou-lhe as rédeas da mão e tocou os cavalos, para alcançar os trombeteiros com maior velocidade. — Recuar! Recuar!

E as trombetas soaram, com o sinal de recuo, mas também havia os sinais de Oberon, dizendo para matar. Era tudo uma grande confusão. Os soldados fizeram o que lhes vinha mais naturalmente, é claro.

Mataram.

Um estrondo enorme chacoalhou meus ouvidos, e uma listra vermelha atravessou os inimigos desesperados. O cheiro inconfundível da pólvora veio em uma nuvem cinza. Um dos canhões da Igreja fora capturado e usado contra as tropas que deveria defender. Quando o som do estouro se desfez, ouvi uma gargalhada.

— Sete de uma vez! Foram sete, viram isso?

Um homem imenso correu, vindo do flanco esquerdo, acompanhado por cinco guerreiros em frenesi. Era ruivo, tinha cabelo curto, cortado a faca e uma barba eriçada, mas não usava bigode. Exibia o peito nu, mostrando a enorme tatuagem de uma cobra engolindo um homem. Usava um saiote e suas canelas estavam protegidas por grevas. Os músculos brotavam em sua pele avermelhada e sardenta, e uma camada fina de gordura sacolejava com a corrida, uma modesta cobertura por todo o corpo. Comemorava os sete que matara com um tiro de canhão, agitava um machado e um martelo acima da cabeça. Oberon era um homem alegre.

— Sete, alguém faz melhor? Sete de uma vez!

Pulou com um berro, caiu com as duas armas sobre um soldado pálido, estraçalhou sua têmpora e cortou seu peito. Um outro ficou paralisado, entre a massa que não sabia para onde correr. Oberon golpeou com o machado, mas errou, o homem se encolheu, Oberon deu um passo até ele, bateu com o martelo em seu ombro, mordeu sua orelha, puxou até arrancar. Girou o tronco para acertar com a lâmina do machado as costas de outro, gritou, mostrando a língua.

Os outros guerreiros imitavam. Os que estavam em Sudário do Louco, com todo tipo de desenho em seus escudos, enfiaram suas espadas no bucho dos inimigos em fuga, e nem mesmo em fuga, porque não havia mais para onde fugir.

Vi aquilo, eles morrendo no moedor de carne, fui tomado por uma alegria, era justo que aquilo ocorresse. Ótimo que estivessem naquele massacre: eram inimigos, não eram gente. Haviam tentando me matar, e teriam conseguido, se eu não tivesse matado antes. Que morressem, morressem todos! Como ousavam servir a outro mestre, ter outras vidas, estar do outro lado? Como ousavam não ser nós? Agarrei a espada e corri para me juntar aos meus, na batalha ganha.

— Recuar, recuar! — gritou Atreu, de novo.

— Não adianta! — disse Penélope. — Oberon está no comando.

E a biga carregando os dois passou na minha frente. Os olhos de Atreu encontraram os meus por um momento.

Atreu rugiu, tanto ferido no orgulho quanto frustração.

— Você não pode desonrá-lo agora — disse Penélope. — Os homens estão servindo a ele.

Senti um enjoo repentino, parei. Fiz uma careta de pura vergonha. Quase fora um covarde, quase fora assassino. E teria sido, se não tivesse cruzado meu olhar com o de Atreu, porque o ouvi dizer que recuássemos, e não obedeci. Teria cravado a espada de Atreu em um inimigo rendido, em um homem desarmado. Não fiz porque não tive chance.

Ganimedes tremia, de pé no meio do campo de batalha. Os Escudos do Sol, porretes baixos, estavam ao seu redor, olhando tudo com tristeza.

Uma gritaria infernal, mas parecia silêncio. Os homens da Igreja jogavam as mãos para o alto, imploravam e recebiam o aço. Eu me senti amortecido e surdo. Atreu desistiu de tomar o controle. Todos escolhiam a qual mestre servir, e os guerreiros rebeldes haviam escolhido servir a Oberon. Vomitei.

Vencemos aquela batalha.

Oberon tinha boas intenções. Conhecia os planos e a data em que deveria se reunir com os outros generais para o último conselho de guerra. Partira na hora certa, no dia certo, fizera o caminho certo. Não era sua culpa que o destino houvesse conspirado, de forma maléfica e imprevisível, para que tudo acontecesse daquele jeito.

Deveria se encontrar com os outros em Sudário do Louco. Era a única prioridade. Nada mais importava, porque eles eram fugitivos, criminosos, odiados pelos cardeais e por Deus e iriam realizar um ataque repentino, secreto, contra o coração do inimigo. Oberon cruzou uma planície, alcançou uma ravina, tudo de acordo com o mapa. Desceu com seus homens, avançou pelo esconderijo natural, como combinado. E, como qualquer general de valor, estabeleceu um perímetro vigilante, destacou batedores e sentinelas. Falou para seus Cabeças de Touro e para os soldados comuns que aqueles eram dias de sacrifício, mas que os homens suportariam, se fossem mesmo homens. Dormiriam quatro horas por noite, fazendo turnos para vigiar os companheiros, e marchariam como a peste para o ponto de encontro, quando então todos iriam para a capital, reunidos, mudar o mundo.

No terceiro dia, um batedor relatou um batalhão da Igreja, a três horas de distância.

— Quantos? — disse Oberon.

— Vinte, general.

Oberon tinha muito mais de vinte homens. Tinha uma centena. Mais, até.

— Três horas, você falou? E se corrermos?

O batedor não soube responder.

— Vamos matar esses capangas dos padres.

— General, podemos evitá-los. Nem precisaremos fazer um grande desvio. Basta seguir pela floresta. Perderemos meio dia, no máximo.

Oberon virou-se para o guerreiro à sua direita, deu um sorriso debochado, com os lábios projetados para fora e as sobrancelhas arqueadas. Indicou o batedor com a mão, e depois a deixou pender, frouxa. Os homens riram.

— Temos uma donzela em nossa tropa! — disse Oberon, sob os apupos para o batedor. — Então, se não vamos matar inimigos, vamos nos divertir um pouco. Abra as pernas, donzelinha!

Os homens gargalharam.

— Vou falar mais uma vez, e espero ouvir uma resposta de homem. Vamos matar esses capangas dos padres.

— Vamos matá-los, general — disse o batedor.

Oberon ergueu os braços, mostrando os pelos ruivos das axilas. Uivou de entusiasmo, deu um tapa de violento carinho nas costas do subordinado.

— É claro que vamos! Ainda bem que reencontrou suas bolas!

E eles foram atrás do batalhão. Para não perder tempo, correram. Oberon corria muito, nunca ficava cansado, e exigia que seus homens tivessem a mesma resistência. Desviaram-se do caminho para seguir a presa, que também estava se movendo. Sete horas depois, encontraram--nos e fizeram uma carga esfalfada.

Oberon não acreditava em pergaminhos, ábacos, salas de aula ou outras coisas de mulher, e por isso seus batedores não sabiam contar. Eram cinquenta inimigos. Foram vencidos. Oberon deixou quinze de seus próprios homens estirados no chão, mas era um preço baixo. Matou os prisioneiros, porque não tinha como levá-los.

— Algum fugitivo?

Ninguém sabia. Oberon mandou outros três batedores, enquanto ele e os demais descansavam. Os batedores escolheram não reclamar da nova missão logo após a marcha forçada e o combate. Alguém achou vinho entre os cadáveres inimigos e todos beberam.

Pouco tempo depois, os batedores voltaram, com informação de que sim, havia fugitivos. Oberon ordenou perseguição. Os soldados não entenderam, porque sua voz estava engrolada. Ele repetiu duas vezes e a ordem foi cumprida.

— Senhor, tenho certeza de que foram por aqui.

— Bobagem! — rugiu Oberon, empurrando o rastreador. — Devem estar indo para a fortaleza da Igreja ao leste.

Dois dias, e nem sinal dos fugitivos. Oberon chegou perigosamente perto da fortaleza ao leste. Deliberou, decidiu não atacar, deu meia-volta.

— Estamos sendo perseguidos, senhor.

Era muito azar. A maldita fortaleza enviara um pelotão. Oberon embrenhou-se numa floresta, contornou por um riacho, demorou um dia e meio, mas conseguiu pegar os perseguidores desprevenidos. Num ataque surpresa, seus homens triunfaram, e ele perdeu apenas vinte.

Seguiu para a rota original. Em poucos dias estavam de volta ao curso. Era difícil exigir tanto dos homens. Seus Cabeças de Touro, cheios de metal precioso e equipamentos de guerra, nunca esmoreciam. Mas o comum dos guerreiros perdia o espírito ao se defrontar com as adversidades. Então, Oberon os reunia à noite e falava sobre o futuro glorioso. Falava sobre o ataque a Ruiturus, a capital da Igreja, sobre como os quatro cardeais tombariam ante as lâminas rebeldes, sobre como eles iriam depredar as catedrais e tomar para si o ouro e os adornos, e todos seriam ricos.

— Quem planejou isso, general?

— Eu, é claro. — Era importante manter a confiança dos homens, fazer com que acreditassem que seu líder era um demônio na batalha e um gênio estrategista.

Quiseram saber detalhes, fascinados pela mente guerreira. E Oberon contou, falou dos outros generais sob sua liderança forte. Da exuberante e feroz Penélope, do imortal Pugna, do caçador de piratas D'Agostini, do engenhoso Atreu, seu grande amigo, cujo estandarte ele mesmo criara. Da cidade rebelde que iria recebê-los como heróis, da investida surpresa.

Mas o azar perseguia Oberon: os fugitivos do primeiro ataque haviam chamado reforços, e uma grande força inimiga os encontrou. Oberon era um lutador mas também um enxadrista, e sabia a hora de recuar. Fugiu por um brejo, despistou os inimigos e perdeu apenas cinco ou seis homens. Talvez estivessem mortos, ou tivessem sido capturados, quem sabia? O importante era a missão, o conselho de guerra e o ataque secreto.

Depois de alguns dias para contornar o caminho original em segurança, qual não foi sua surpresa: encontrou as forças de Ganimedes sitiando a cidade. Seus próprios guerreiros, em quem ele depositara sua confiança, haviam cedido ao interrogatório, prisioneiros do inimigo. Oberon esperou por dois dias, para atacar na hora propícia, e então deu o golpe final naquela horda que rastejava para as batinas. Sem sua intervenção, todos aqueles pústulas teriam escapado, para aterrorizar o povo mais uma vez, para chamar reforços e comprometer o glorioso ataque a Ruiturus. Oberon era mesmo um herói.

Mas o que o sórdido Ganimedes fazia ali, no meio dos rebeldes? Seria primeiro torturado ou sua execução seria rápida?

Atreu não sabia o que fazer. Não conseguia pensar e, por isso, trancou-se um longo tempo com Penélope, expulsando guerreiros, feridos e moradores de uma casa qualquer. Quando eu tinha dificuldade para escrever, falava com minha atriz principal. Sempre ajudava. Hoje não tenho mais dificuldade de escrever, mas também não tenho mais atriz principal.

— Sobrou alguém? — disse Atreu.

— Você não é idiota. Nunca morrem todos.

— Até ouvir a resposta, posso ter a esperança de que você tenha sido infundida pelo espírito punitivo de um Deus flamejante e dilacerado todos os traidores da Igreja.

A frase pomposa não chega a ser um exagero de minha parte, embora eu esteja especulando o diálogo que os dois travaram. Atreu era dado a beletrismos ocasionais e, quando relaxava, permitia que sua infância transparecesse na fala.

— Você também matou — disse Penélope.

— Não estou acusando. — Ele fez-lhe um afago no cabelo, ela se aconchegou mais perto. — É claro que você foi mais forte. Matou antes, matou mais, matou melhor.

— Odeio matar gente desarmada.

— Certa vez meu tutor tentou salvar um bezerro. Havia nascido sem as patas de trás. As patas da frente terminavam nos joelhos. Como seu palato era fendido, não conseguia mamar. Isso é raro, mas acontece, o animal morre em poucos dias. Meu tutor cortou sua garganta, para que não sofresse. O que fizemos foi isso. Sacrificamos coisas vivas que iriam morrer logo. Poupamos sofrimento.

— Odeio matar gente desarmada e nunca matei um bezerro.

— Também odeio matar gente desarmada. Já matei animais, mas nunca filhotes. Já dissequei um cão, mas não era filhote. Já dissequei vários cães.

Atreu, Penélope, Pugna e D'Agostini não mataram com alegria, como Oberon, nem com indignação frenética, como eu teria matado se tivesse a chance. Foi um trabalho soturno, triste, cansativo, desgastante. E necessário. O plano original era afugentar os inimigos, fazer com que se espalhassem em todas as direções, com a lembrança de Ganimedes virando a casaca e dos rebeldes poupando vidas. A realidade foi que, sob Oberon, houve um massacre. Amedrontados, eles voltariam para a Igreja. Seriam torturados e executados por sua covardia, por sua traição. Contariam o que viram. Em um instante, em uma decisão sanguinolenta, Oberon transformara as sementes de mais rebeldia em um abatedouro.

— Ele pôs tudo a perder — disse Penélope. — Nunca pensei que as coisas fossem acabar assim.

— Nada acabou. Vamos continuar.

— Você queria um ataque surpresa.

— Ainda temos chance, se formos rápidos. Talvez com mais aliados. Não sobrou mesmo ninguém vivo na sua tribo?

Penélope se desvencilhou dos braços dele, ergueu-se, procurou algo para cobrir os seios.

— O que vai fazer? — disse ela.

— Tudo se resume a matemática.

— Que resposta típica.

— Temos que calcular. Os homens que Oberon nos custou, em seu trajeto até aqui, e os homens que desperdiçou entre os que iriam se converter à nossa causa. E os que vai condenar ou afugentar nas próximas vezes em que tomar essas decisões. Quantos são? E quantos são os que serviriam apenas a ele, e a mais ninguém? Qual é a menor perda?

Penélope ficou o olhando. Atreu não parecia esperar uma resposta.

— Entre os que desertariam na ausência Oberon, quantos vão se tornar bandidos? Quantos mercadores vão roubar? Quantas moças estuprarão? Será que podemos soltar esses guerreiros sem mestre na terra?

— Existe uma solução para isso.

Oberon jogou um braço musculoso e gordo sobre meus ombros, puxando-me para perto. O gesto fez um som como uma espécie de tapa úmido. O braço de dele era sardento, seu suor estava pastoso, agia como uma cola.

— Você é o escritor?

Eu disse que sim.

— Vai escrever sobre isto?

— Não.

Oberon meteu uma manzorra no meu cabelo cacheado, desarrumou-o.

— É claro que vai. Foi uma vitória heroica!

— Está certo, vou.

— Escreva sobre o que viu, garoto! Fale dos meus guerreiros, de como esmagamos os vermes da Igreja!

— Está certo, vou. — Eu só queria que ele parasse de encostar em mim, era repugnante.

— Escreva sobre como aprisionamos um general inimigo.

— Tenho que ir. Tenho deveres.

Ele me cutucou com um dedo que parecia um cinzel, um gesto agressivo, disfarçado de amizade. Bem nas minhas costelas.

— Você mijou na cabeça de Atreu, escritor. Não sei por que ele mudou de ideia e o deixou viver, mas você vai retribuir.

Notei que estava no meio de um círculo. Cercado pelos homens de confiança de Oberon, com seus escudos de cabeça de touro e seus rostos de bandido.

— Por que escreveu tudo aquilo?

— Não sei — eu disse, sem conseguir encará-lo.

— Mas eu sei. Porque mandaram. Você e Ganimedes fizeram o que lhes mandaram.

— Sim.

— Eu mando agora. Você é minha puta, escritor.

Eu não disse nada. Só queria que acabasse.

— Tem novos mestres. — Espalmou a mão em meu peito. — Vai sentar e vai escrever o que mandarmos.

Abaixei-me e me libertei do seu braço fedorento. O suor fez um barulho pegajoso ao se desgrudar.

— O que foi? — Ele abriu as mãos ao longo do tronco, num desafio ostensivo.

Olhei para baixo.

— Vai escrever?

— Vou.

O círculo rente perto de mim.

— Um pústula, como todos da Igreja. Mas agora eu sou seu senhor. Fique de joelhos.

Estava cansado, sujo, mas não tão sujo quanto Oberon. Estava cheio de dores. O que tinha de coragem no combate se fora, porque eu estava sozinho e não estava mais no ambiente bizarro e inédito que era a parede de escudos. Estava muito consciente de mim mesmo e do general que me intimidava, e de seus homens me cercando. Estava com medo. Já me ajoelhara muito, para fazer bonito aos cardeais, e agora deveria me ajoelhar a um homem. Então, fiz mais uma coisa estúpida.

Fechei o punho e dei-lhe um soco na boca. Os lábios de Oberon se abriram, seus dentes machucaram minha mão.

Ele chutou meu estômago. Caí dobrado no chão.

Então:

— Oberon!

O círculo se abriu.

Eu mal conseguia enxergar, mas os guerreiros de todos os escudos e todos os generais olhavam a cena. Atreu caminhou, marcando fundo a terra pisoteada. Parou, apontou um dedo para Oberon.

— O filho da puta me deu um soco! — com uma risada.

— Venha aqui, Oberon.

— Você é um santo, Atreu. Deve ser por isso que gostavam tanto de você na Igreja. Como deixou este merdinha viver? Ele nunca falou de mim e já o odeio.

— Venha aqui, Oberon.

Oberon foi, de braços abertos, para uma comemoração.

— Nada no céu, Atreu! Vamos tomar um porre!

— Você vai morrer amanhã de manhã.

O ruivo estacou. Franziu o cenho, abaixou os braços aos poucos.

— Ficou louco?

— Amanhã, ao nascer do sol, aqui mesmo. Nós dois, Oberon.

— O que está falando?

— Aqui, onde você chacinou inocentes.

Oberon não compreendia. Genuinamente não fazia ideia do que Atreu falava.

— Os soldados estavam fugindo — disse Atreu.

Enfim o outro entendeu. Deu uma risada.

— Eram soldados da Igreja!

— Estavam fugindo.

— Para lutar de novo outro dia. Eles ouvem a ladainha dos padres desde que nascem. Nunca vão mudar, são cães raivosos.

— Você é um cão raivoso, Oberon, e errou comigo pela última vez. Por isso vou matá-lo.

— Vou ignorar essa besteira porque você é meu amigo.

— Você é um covarde, um imbecil e um risco para todos nós. Estou desafiando-o para um duelo.

Oberon não sorria mais.

— Não diga nada que não possa retirar, Atreu.

— Está com medo? Pederasta maldito. Estou desafiando-o porque estamos numa guerra, e você é um criminoso de guerra. É um assassino. E quero me livrar de você, porque não suporto mais sua burrice.

Uma pausa.

— Você quer lutar — disse Oberon, balançando a cabeça. — Você quer lutar!

— Se tiver medo, entregue-se. Vai ser nosso prisioneiro, não vamos maltratá-lo. Entregue-se com todos os seus homens.

Oberon agarrou o cabo do machado.

— Vamos lutar agora!

— Eu disse amanhã. Não quero simplesmente matá-lo. Quero um duelo. Porque é o modo como se fazem as coisas. É civilizado.

Os homens de Oberon se moveram, ele os deteve com um gesto.

— Eu o considerava meu amigo, Atreu. Mas você é um traidor.

— Você não conhece amizade. Não conhece responsabilidade. Não conhece palavra.

— E você chupava o santo caralho da Igreja, até quando teve uma crise de consciência e decidiu ter escrúpulos. Eu devia saber. Uma vez traidor, sempre traidor.

— Cale a boca, Oberon. Você é burro, e por isso merece morrer, e é um selvagem, e por isso é um risco. Amanhã. Nascer do sol. Duelo.

Levantei-me e saí de perto dos guerreiros de Oberon, tentando não ser morto. Atreu caminhava para longe. O grandalhão ruivo parecia genuinamente triste.

Alcancei Atreu.

— O que está acontecendo? — eu disse.

— Não entendo você, Iago. Está seguindo o homem que ia matá-lo, que só não o matou por um capricho. Salvou um herege que nem conhecia. É algo que eu entenderia se a culpa por seus crimes fizesse-o ter vontade de morrer, mas não é o caso. Oberon é um idiota, mas tem razão em algo. Eu tenho motivo para odiar você, Iago. Você deu um soco em Oberon. Se quisesse se aliar ao lado que acha que vai vencer, trair por conveniência, deveria ser mais humilde.

Fiquei sem falar por um tempo. Minhas costelas doíam muito, havia alguma dificuldade em respirar.

— Por que não me matou?

— Por que salvou o herege?

— Já disse que não sei!

Atreu fez um gesto exasperado, mostrando algo no ar.

— Por isso.

Eu não entendia nada.

— Você salvou o herege sem saber por quê, Iago. Não tinha um bom motivo. Se fosse por culpa, por algum desejo de redenção, por vontade de morrer, você estaria morto. Eu teria cortado sua cabeça, jogado seu corpo numa vala. Mas você é um homem que tenta salvar um herege sem precisar de motivo. Era certo salvar o herege.

— Eu não sabia disso.

— Se soubesse, teria menos valor. Não conseguiu ficar parado, vendo alguém morrer na fogueira, e isso é muito mais do que se pode dizer da maioria das pessoas. Por isso não o matei.

Um sorriso teimava em puxar meus lábios. Não me parecia uma hora apropriada para sorrir.

— Todos fazemos coisas erradas — disse Atreu. — Hediondas, até. Hoje matei homens desarmados. Já ajudei a matar uma mulher inocente, e você sabe muito bem disso. Você ajudou a matar a mulher inocente. Mas, quando podia escolher qualquer atitude, quando não havia motivos, salvou uma vida.

— E dar um soco em Oberon?

— Você teve motivo para fazer isso. Foi orgulho.

Ele estava certo, é claro.

— Foi errado, e foi uma estupidez — disse Atreu. — Agora os homens de Oberon querem matá-lo, e você vai ter que ficar comigo, até a hora do duelo, para sua própria proteção. Ajoelhar-se e falar meia dúzia de palavras sem sentido não custaria nada. O soco, por orgulho, pode custar-lhe a vida. Você comete erros quando tem motivo, e acerta às cegas. Você é um homem bom, mas muito confuso.

Gelo na boca do estômago.

— Está escurecendo — disse Atreu. — Você vai ficar comigo, para não morrer. Então, vai me contar seus motivos para todas as atrocidades que cometeu.

Eu tivera motivos.

E cometera atrocidades.

9

GOSTO DE OBSERVAR AS PESSOAS, EMBORA NÃO SEJA TÃO BOM EM lidar com elas. Prefiro ver de longe, onde não possam me fazer mal, falar comigo, criar situações embaraçosas.

Observando as pessoas (entendendo-as, se me permito ser tão presunçoso), vejo que a maioria quer obedecer. Até mesmo eu. Foi bom ser livre, mas não relutei muito quando fui apresentado a um mestre. E ainda mais os aldeões querem obedecer, ficam desesperados sem alguém que lhes dê uma ordem. Acho que foi por isso que os fanáticos responderam tão prontamente aos comandos de Benedict. Com sua armadura, sua altura, sua beleza, exibia superioridade tanto quanto se portasse um cetro. Sua aparência encaixava-se com a de Jocasta, ambos separados dos demais por algo indefinível. Na verdade não, era algo muito definível, apenas é estranho imaginar que exista.

— Este é o seu povo? — disse Benedict, ainda ajoelhado, ainda com a mão de Jocasta entre seus dedos.

— Eu não era a Voz. Não sou a Voz. Ainda.

Jocasta tinha espuma no queixo.

— Este é o seu povo?

Os miseráveis olhavam os dois como crianças, sobrancelhas arqueadas, mãos se retorcendo.

— Gostaria que fosse — disse Jocasta.

— Eu sou seu cavaleiro?

Benedict sabia disparar frases, assim como Ganimedes disparava flechas. Naquele momento, Jocasta foi fulminada.

— Sim — ela disse. É claro que disse, não tinha opção.

— Sou — começou Benedict.

— O Cavaleiro Imaculado.

Um murmúrio de espanto circulou pelos miseráveis. Alguém achou-se ridículo e desajeitado ali de pé, observando os dois, e se ajoelhou. Foi um ajoelhar também desajeitado, tentando imitar Benedict, sobre um joelho só. Os outros fizeram o mesmo. Um perneta tentou, desequilibrou-se, meio caiu sobre os outros.

— Não sei se sou digno deste título, minha senhora, aqui em sua companhia. Sou apenas Benedict.

Não era o primeiro a chamar Jocasta de senhora. Ela fora senhora, quando casada com Raldo, e então o tratamento era uma farpa. Mas, nos lábios vermelhos de Benedict, no veludo que se derramava da sua garganta, era uma demonstração de respeito, até amor. Jocasta sentiu as faces ficarem rosadas.

— Meu nome é Jocasta.

— Jocasta. — Ele sorriu, travando seus olhos azuis, quase violetas, nos grandes olhos castanhos. — Senhora Jocasta. Minha senhora Jocasta.

— Eu...

— Seja minha senhora, por favor!

Jocasta mordeu o lábio. Sua mente, em geral correndo e construindo antecipações, ficara muda. Ela notou que estava há muito tempo sem falar nada, achou que deveria responder.

— Sim.

— Obrigado. — Benedict beijou-lhe de novo os dedos.

Ergueu-se. Virou para os miseráveis.

— Não vou mentir, meus irmãos. Vim até aqui para matá-los. Matei muitos de vocês. Sei que sou um pecador.

Eles não sabiam se deveriam levantar-se ou não. Mas Benedict sabia muito bem. Andou até eles, abaixou-se, deixando claro que não precisavam se erguer. Em poucos momentos, transformara uma turba armada em um grupo de humildes pessoas de joelhos.

— Mas não somos todos pecadores? — disse.

Cara a cara com um homem com lábio leporino, que desviou os olhos, incapaz de sustentar.

— Não somos todos pecadores? — ergueu a voz.

— Sou pecador! — disse o homem, mal compreensível.

— Somos pecadores. — Benedict endireitou o corpo e fez um gesto sereno com as duas mãos, aceitando o fato. — Vim até aqui para matá-los. Mas minha alma foi tocada por uma santa. A Voz de Urag.

Girou o rosto para Jocasta, os olhos estreitos de carinho.

— A Voz é outra! — Surgiu um grito anônimo.

Benedict fechou o rosto.

— Não acredito que haja alguém entre *nós* que ainda duvide. Irmão! — Escolheu um homem grisalho sem dois dedos. — Você duvida da Voz de Urag?

Mostre-me uma pessoa em nossa terra que tenha coragem de responder a essa pergunta com um sim, e terá encontrado um corajoso ou um louco. Ou um nefelibata, como eu, ou um revolucionário, como Atreu. O sujeito grisalho não era nada disso. Respondeu que não duvidava, é claro. Ninguém duvida da Voz de Urag.

— Vim até aqui com a alma suja, mas fui purificado. E por isso agradeço à senhora Jocasta. A Voz de Urag.

Jocasta ainda estava sentada no chão. O mundo ainda parecia-lhe um pouco submerso, o espírito santo deixara resíduos. Benedict de pé à sua frente — quase não se notava que, no meio do discurso, estivera desviando de cadáveres. Os fanáticos prostrados, aqueles que não conseguiam enxergar o interior acotovelando-se lá fora. Duas moscas andando pelo rosto de seu pai.

— A Voz de Urag está morta — disse Jocasta.

— Uma Voz falsa. — Benedict sabia pensar de improviso.

— Foi nossa líder. Precisa de um funeral.

— Sim, senhora.

Pausa.

— Meus pais estão mortos.

— Sinto muito.

— Eu não. — E era verdade. Tudo seco dentro dela. Não gelado, não queimando de raiva ou mesmo de triunfo. Uma caixa vazia.

— O que devemos fazer, senhora?

Cavem tumbas para eles, vamos rezar por suas almas.

Deixem-nos apodrecer, eram crias do diabo.

Rezem para seus nomes, são santos agora, eles que me deram a vida.

— Empilhem todos os cadáveres e queimem. Não gosto de moscas.

A pilha de corpos era enorme. Não restara nenhum cavaleiro, embora restassem dois ou três cavalos. Sobravam talvez cem peregrinos, a grande maioria caída no massacre. Benedict distribuíra as ordens, os fanáticos haviam se organizado em grupos para separar os inertes dos apenas moribundos, e carregar os fardos de carne e osso. Um trabalho de muitas horas, que viu o escuro chegar, ainda não terminado. Benedict circulava, escondendo seu nojo, dizendo a Voz abençoa vocês. Todos sabiam que ele era o Cavaleiro Imaculado, a boataria foi contagiosa. Certeza agora de que tinham o poderio da Igreja como apoio. A glória era questão de tempo.

Dois homens ergueram o corpo de um terceiro, segurando por antebraços e canelas, e Benedict viu a cor laranja brilhante destacando-se do marrom onipresente de terra, sangue coagulado e excremento. Mandou que parassem.

Os dois ficaram sustentando o peso. Benedict exigiu um alicate de ferreiro, e alguém se pôs à tarefa de conseguir um. Entregou o objeto a Benedict, que usou-o para apanhar a pedra laranja. Mandou que levassem o corpo. O peito inerte estava coberto de bolhas.

— O que é isso? — disse um maltrapilho.

— Uma relíquia. Algo sagrado. Fique longe.

Benedict atravessou a aldeia (agora uma ruína, a bem da verdade) carregando a pedra com o alicate, mantendo-a longe do corpo. Afastou-se de todos, escolheu um local que pudesse memorizar, perto de uma árvore retorcida. Cavou um buraco e jogou a coisa lá dentro. Partiu um galho e enfiou-o como marcação, tendo cuidado para não depender somente daquele marco provisório. Era algo perigoso, mas valia muito.

Jocasta estava sentada, tentando ordenar seus pensamentos e os eventos do último dia, numa colina baixa com vista para os casebres e o trabalho. Benedict designara quatro homens para protegê-la. A garota achara que nunca iriam obedecer, mas dedicaram-se à tarefa como se fosse seu dever de nascença. A confusão não fazia bem a Jocasta; ela lembrou a si mesma de que as pessoas tinham comportamentos cristalizados e previsíveis e a reviravolta que acabara de ocorrer não mudava isso.

Benedict chegou perto. Jocasta perdeu a linha de raciocínio e o fôlego.

O cavaleiro dispensou os guardas, pediu licença e sentou ao lado da nova representante de Deus.

— Gostaria de lhe fazer algumas perguntas, se me permite. Não quero ultrapassar meus privilégios.

Ela piscou.

— Não precisa me tratar assim — disse Jocasta. — Pergunte o que quiser.

Ele sorriu, seu rosto desabrochou com uma tal felicidade que era impossível não se emocionar.

— Como a senhora está?

— Não me chame de senhora.

— Como você está, Jocasta?

...

— Não sei. Estou muito confusa.

— É ótimo saber que a Voz de Urag fica tão confusa quanto nós, pecadores.

— Não sei se sou mesmo a Voz!

— Disse que era.

— Eu achava, eu...

— O que Deus lhe diz, Jocasta? O que sempre soube, em seu interior?

Pausa.

— Sempre achei que deveria ser a Voz.

— Você já fez outros milagres?

Era estranho pensar que os clarões quando sabia a língua dos anjos eram vistos por outros como milagres. Tanto tempo algo secreto e privado, quase uma imaginação.

— Só um. Tive uma visão, em sonho. Previ que vocês viriam nos matar.

Benedict abaixou a cabeça, afundou o rosto nos braços.

— Desculpe! — disse Jocasta. — Não quis acusá-lo de nada.

— Você está certa. Vim para cá com uma missão assassina. Tenho muito a fazer antes de expiar meus pecados.

— A antiga Voz dizia que o sofrimento e a expiação foram criados pelo diabo.

— Mas você é a Voz agora. — Súbito olhando seu rosto de novo. — O que diz?

Lá embaixo, os cadáveres formando um morro.

— Ainda não sei.

— O que sempre pensou?

— Deveria haver retribuição, não é? Punição pela maldade.

— Então essa é a lei de Deus.

A súbita percepção do poder gerou um calafrio no estômago.

— Fale-me sobre seus milagres, Jocasta.

— Só um.

— Fale, por favor.

Ela contou sobre a premonição. Sobre como sentira-se invadida por algo, muito mais que um sonho e, por certo, não criado dentro de si.

— Fale mais. Quero saber os detalhes, com seu perdão.

E Jocasta contou tudo de que lembrava: o sono, o lugar onde dormia, o que fizera antes. E Benedict pediu mais, apoiando o queixo na mão e inclinando-se para ela, embevecido. Jocasta falou sobre quem estava por perto, sobre a temperatura e o cheiro, até que descreveu o homem que vira ainda acordado, protegendo alguma coisa. Benedict reconheceu a descrição. Era o cadáver com a pedra laranja.

— Você foi mesmo escolhida por Deus, Jocasta.

Ela se calou.

— Você dormia perto de um fragmento do poder de Urag. Um pedaço de minério divino.

É claro que ela não ouvira falar. Mas, se conhecesse, Benedict também já teria uma lábia pronta. Quem conhecia achava que eram fragmentos de coisas santas, imbuídas com o poder de Deus. Chamavam de pedra-de-milagre, pedra do juízo ou do destino, logofania — a encarnação do Verbo divino.

— Então foi um milagre falso? — disse Jocasta.

— Não! *Você,* entre todos, foi escolhida. E este pedaço da divindade a encontrou, para que avisasse sobre nós, os pecadores, vindo em sua direção. Para que pudesse viver e guiar os fiéis.

— Onde está agora?

— Escondi. É muito perigoso para os mortais. O homem que guardava aquilo foi um tolo, teria morrido mesmo sem assassinos.

Jocasta sofrera um efeito benigno e moderado da exposição ao material. Era preciso isolá-lo, ou ao menos ficar longe.

— Acho que você pode usar a pedra para operar seus milagres, Jocasta.

— O que é?

Ninguém sabia ao certo, e isso foi bom para Benedict. O minério divino é um resíduo, um dos únicos resíduos do povo antigo que habitou nossa terra antes de qualquer lembrança. É, por falta de um termo melhor, realidade concentrada. Um pedaço de algo intrinsecamente *mais,* mais de qualquer qualidade que possua ou represente. Se frio, mais frio; se duro, mais duro, mais do que qualquer outra coisa. Emana essa propriedade ao redor, deforma a existência. Há pouquíssimos fragmentos reconhecíveis, e então não sabemos, em geral, o que cada pedaço deveria ser. Não podemos reconhecer suas propriedades.

Talvez a pedra laranja fosse o mais cobiçado, mais raro e perigoso de todos os artefatos: um pedaço de minério divino bruto, possibilidade sólida, pronta para ser canalizada em qualquer coisa. Ou talvez fosse o destroço de uma muralha ou um mirante e, por isso, tenha despertado um dom de proteção em Jocasta.

Mas Benedict falou:

— São relíquias, pedaços de coisas abençoadas por Deus, que exalam Seu poder. Nem mesmo a Igreja tem muitos.

— De onde vêm?

— Do passado. De uma época imemorial, quando Urag tocava o mundo.

Uma mistura de invenções súbitas e superstição. Mais tarde, aprendi sobre a ligação do minério divino com as Grandes Rainhas do passado, mas isso não importa agora. E não tenho todas as respostas a oferecer, mesmo hoje. Ninguém tem.

Jocasta era inteligente, mas mesmo as jovens inteligentes são jovens e são humanas, e têm a loucura da primavera dentro de si. E assim Jocasta queria acreditar em Benedict, e acreditou. Ele falou mais algumas mentiras, e mais algumas bobagens.

Ficaram em silêncio.

— Queria saber mais sobre você — disse Jocasta.

Ele sorriu.

— Enfrentou mesmo a Voz corrupta? E o Soldado do Diabo?

Fez que sim.

— Foram duas traições, Jocasta. Duas traições horríveis.

Ela tocou em seu ombro, logo se arrependeu.

— Minha soberana, que falava por Deus para mim. Fui privilegiado, pude ouvir várias missas ditas pela Voz. Quando ela começou com seus atos de maldade, não quis acreditar. Tentei justificar. Mas a verdade era uma só.

— O que ela fez?

— Jogou o povo contra si mesmo. Provocou revoltas. Fez os homens se matarem.

— E a profecia?

— Sempre achei que eu deveria defender a Igreja, assim como você sempre soube que deveria ser a Voz. E meu melhor amigo, meu irmão de outro sangue, Atreu, também sabia disso.

— O Soldado do Diabo.

— Quando a profecia foi descoberta, era o Guerreiro do Povo.

— E vocês eram mesmo amigos?

— Amei aquele homem como nenhum outro, Jocasta. Nossos caminhos não deveriam se cruzar. Eu nasci em um castelo e ele, num estábulo. Eu sempre cavalguei, ele sempre gastou botas. Mas nos encontramos numa batalha, lutamos juntos e, desde então, fomos irmãos. Até que me traiu.

Jocasta ficou ouvindo, sem falar nada.

— Tem ideia do que foi aquilo? — disse Benedict. — Era incompreensível que meu irmão tivesse aquela sede de sangue, gargalhasse ao matar a Voz, mesmo que fosse maligna, massacrasse com tanta alegria. Mais uma vez, quis negar o que era óbvio.

— E a segunda profecia...

— Tudo ficou claro. Claro e dolorido. *Haverá dois soldados. Um de Deus, e um do diabo.*

— E não havia salvação?

— Desde o começo, ele era um servo do demônio. Fora tudo um plano infernal, infiltrar uma Voz corrompida e matá-la, e então matar os cardeais, os líderes da fé. Estávamos divididos. Ele quase teve sucesso.

— Vocês lutaram?

— Enfrentei-o, mas o maldito fugiu.

— E agora?

— Juntou-se a um exército de blasfemadores. Eu estava em seu rastro, mas Deus me mandou até aqui, para conhecer a próxima Voz.

Sorriu, tocou a mão da garota. Os fanáticos tinham enfim completado a pilha de cadáveres.

— Parece que seus fiéis já terminaram o serviço — disse o cavaleiro.

— O que devo fazer agora, Benedict?

Olhou-a firme.

— Fale ao seu povo. Todos precisamos da palavra de Deus.

Benedict era um homem de ideias. Talvez nem sempre soubesse o que faria nos próximos meses, ou mesmo nas próximas horas, mas nunca lhe faltava inspiração. Ergueu-se, estendeu a mão a Jocasta e a ajudou a se levantar também. Incentivou-a com mais umas palavras doces, foi procurar a árvore e o galho.

Cavou, retirou o fragmento de minério divino usando o alicate. Fiquei tentado a suprimir tudo isso, dizer que Benedict mantivera o minério consigo, deixar a sequência de eventos mais simples. Mas ele não era assim. Não sabia o que faria, perdeu algum tempo enterrando e desenterrando. Apenas personagens fictícios fazem coisas totalmente premeditadas. Além disso, Benedict nunca manteria o fragmento tão perto de si, pois não era estúpido, e algum leitor perceberia a inconsistência. Quando voltou ao ajuntamento, ordenou que algum coitado lhe arranjasse chumbo, de preferência um baú ou caixa, mas também servia uma folha ou cano, qualquer coisa para armazenar o minério. Não era a forma mais segura — o ideal sempre seriam os padrões visuais que continham completamente a energia — mas retardava o envenenamento.

Quando o cavaleiro chegou, Jocasta estava andando pelos miseráveis exaustos, sorrindo forçado e tentando esconder o pavor. Noite, já. Ela era ótima em enganar uma pessoa, ou poucas, mas nunca tivera de liderar tantas. E, se achasse que as estava enganando, seria tudo mais fácil. Mas Jocasta estava convencida de que era a próxima Voz, de que Deus falava com ela. Os cínicos, como eu, ficam menos nervosos, porque não se importam tanto.

Jocasta desfilava no meio dos fanáticos, *seus* fanáticos agora, seu rebanho. Eles estavam mais ou menos reunidos em torno do gigantesco morro de cadáveres, que exalava um cheiro horrendo. Bom que já estivesse escuro. A pilha estava negra de moscas, e era melhor notá-las apenas pelo zumbido, não ver seus corpinhos nauseabundos. Jocasta dizia palavras de encorajamento, agradecia a um e outro. Os guardas designados por Benedict cuidavam para que ninguém se excedesse.

— Você tem talento. — O cavaleiro chegou de surpresa. — É mesmo a escolhida.

Jocasta deu um pequeno salto, olhou para trás e sorriu.

— Parece um sonho.

— É a vida que Urag lhe deu, Jocasta.

— Parece um sonho. Meus pais morreram.

— Eu sei.

Benedict carregava o minério no alicate. Era capaz de sorrir em qualquer situação, um fingidor magnífico. Teria sido um excelente ator. Portanto, conteve o vômito pelo fedor dos cadáveres, e a vontade de cobrir o rosto. Em vez disso, chegou ainda mais perto, onde ninguém mais ousava chegar, espremeu os olhos e a boca para evitar as moscas e enfiou o minério por entre os corpos.

— O que você fez? — disse Jocasta.

— É o poder de Deus que foi dado a você. Trouxe para o seu discurso.

Aquela palavra provocou um novo arrepio. Todos observavam Jocasta.

— Acho que deve mandar trazerem as tochas — disse Benedict.

Ela concordou, atabalhoada, deu a ordem. Trouxeram as tochas e trouxeram todo o óleo do vilarejo. O morro de corpos começou a arder. As moscas se incomodaram, puseram-se em fuga, o cheiro amainou aos poucos.

Todos olhando a garota.

— Meu nome é Jocasta — ela começou.

Benedict incentivou-a com um toque.

— Sou uma de vocês. Eu seguia a Voz de Urag. Estava com meus pais, mas eles morreram.

O fogo aumentou. Jocasta ergueu a voz, sem sentir, acima do crepitar.

— Olhem quantos morreram. Quantos de nossos pais, irmãos, amigos! Nossa Voz morreu!

Fogo.

— Estão tristes? Será que devemos lamentar tudo isso?

Os fanáticos se entreolharam. Desejavam um alvo para seu fanatismo, e rápido.

— Eu estou alegre! Estou rindo! Se a Voz que seguíamos morreu, esta foi a vontade de Deus, assim como foi Sua vontade que a antiga Voz, má e corrompida, também morresse. Deus matou, e Deus nos enviou Seu maior guerreiro, o Cavaleiro Imaculado. Pensem nisso! Muitos morreram, mas nós estamos aqui! Com um homem santo, e com a verdadeira Voz de Urag.

Fogo.

— Não vou mentir a vocês. *Eu* sou a Voz de Urag. Sempre soube! Deus fala comigo, pronuncio a língua de Seus anjos. Previ o ataque, e por isso alguns de nós ainda restam. Trocamos a vida de mentirosos pela fala de Deus, pelo maior cavaleiro do mundo!

A pira fúnebre criava uma moldura para a garota. Nenhum olho ousava se desviar dela.

— Comemorem a morte! — Jocasta ergueu os braços. — Recebam a verdadeira lei de Deus!

E então um brilho azulado nasceu do meio dos corpos. As chamas arderam, misturadas com a luz diáfana, logo foram eclipsadas. Uma espécie de névoa começou a fluir dos espaços entre braços e pernas mutilados, tomando forma, carregando a luz. E esculpindo-se em faces, em corpos. Os mortos. A imagem de cada um, feita de brilho translúcido, serpenteando rumo ao céu.

Jocasta ficou muda um instante. Não havia como duvidar: Deus não poupava confirmações.

— As almas estão libertas! Sacrifícios em nome da verdade!

— Qual é a vontade de Deus, senhora? — disse Benedict.

— Aí está! Sacrifício!

Os fiéis choravam, gritavam glórias, ajoelhavam-se em adoração.

— Haverá sacrifício. Haverá trabalho e haverá sofrimento, porque é necessário. A bênção de Urag não vem de graça! Vamos a Ruiturus, à capital, não para beber e empanturrar nossos estômagos, mas para purificar nossa alma. Seremos guiados por este homem, este Cavaleiro Imaculado, que veio nos mostrar o caminho.

As aparições se formavam, espiralavam pelo céu e desvaneciam-se acima. Benedict, e ninguém mais, notou que as faces se repetiam. Ele não pudera prever, é claro, o efeito exato do minério divino. Mas o fragmento não ficaria inerte numa pira funerária tão vasta, depois daqueles acontecimentos, isso era certo.

— Não haverá mais saque! Não vamos mais matar famílias, roubar sua comida, violar suas mulheres. Não ficaremos eufóricos com vinho, e não vamos chicotear nossas próprias costas. Deus não quer isso! Deus quer trabalho e caridade, e apenas o sangue necessário.

A pequena aldeia estava tomada das imagens dos mortos. Jocasta era dona das almas dos vivos.

— Benedict! — Jocasta chamou.

O cavaleiro curvou-se a ela.

— Haverá sangue quando chegarmos a Ruiturus?

— Não, minha senhora. Anunciarei sua chegada aos cardeais.

— Estamos livres! — Jocasta gritou num sorriso, jogando os braços abertos, vertendo lágrimas.

— Livres, senhora — repetiu Benedict.

10

Ficamos eu e ele numa casa, sozinhos. Não era justo, muitas pessoas poderiam dormir naquela casa. Eu estava sendo um privilegiado, porque fazia amizade com o general. Eu sempre fora um privilegiado. Agora estava me sentindo quase sozinho, sem encostar em ombros desconhecidos, no empilhamento da parede de escudos e da cidade superlotada. Só Atreu ali. Senti um desconforto, uma intimidade mal encaixada. Do lado de fora, vi pela única janela, dois homens de Oberon espreitavam, afetando casualidade. Saindo, eu morreria.

Estou tergiversando, para adiar ao máximo a história da minha torpeza.

— Conte seus motivos, Iago — ele disse, enchendo um caneco de vinho. Prosaicos e eternos rituais de criação de vínculos entre homens.

Bebi. Ele bebeu.

— Você está salvando minha vida pela segunda vez — eu disse.

— Tratei de sua costela e levei-o pelos ermos até aqui. Salvei sua vida várias vezes.

— Então estou em dívida?

— Conte seus motivos, Iago.

— Você disse que meus motivos são errados, e meu instinto é bom. O pensamento e a introspecção como deturpações dos valores puros, nascidos do comportamento animal e das proezas físicas.

Atreu soltou uma risada.

— Pense o que quiser. — Ele meneou a cabeça. — Sou um guerreiro, um soldado, bebendo e criticando a sofisticação de um homem de letras, como você. Mas bebo vinho porque não é seguro beber água aqui. E fui acostumado a ouvir tratados de filosofia, naturalismo, matemática, história, enquanto fazia meus exercícios.

Fiquei calado, olhando-o. Eu gostava de vinho.

— Conte seus motivos, Iago.

Depois de um início que não importa e não fez diferença, a prosperidade de minha família deu-me escolhas. Nunca precisei: queria ser apenas uma coisa. Alguém imaginava os personagens e as sequências de acontecimentos, alguém criava e registrava as histórias que não tinham sido forjadas por homens reais. Alguém passava o tempo dentro de si mesmo, sem pensar em mercadorias ou animais ou insinuações dos outros. Eu queria ser aquilo.

Nunca, pois isso era um bardo. Bardos eram servos humildes e reles, na corte de algum nobre, repetindo sagas antigas, treinando cachorros dançarinos, fazendo malabarismos, emitindo flatulência para o riso dos senhores. Eu não queria ser bardo. Só criar as histórias.

Mandaram-me para a escola. Estudar para ser padre, achar um rumo.

Dia e noite martelaram Deus na minha cabeça. Nunca acreditei tanto quanto queriam, também não consegui ficar imune. Adquiri uma série de superstições, Deus como um punhado de regras arbitrárias. Quando veio o tempo de seguir a um retiro, ordenar-me ou desistir, eu não queria o sacerdócio, e o sacerdócio não me queria. Tinha escrito uma história, riscado e mexido até considerá-la uma obra-prima. Achei-me um gênio e parti para impressionar o mundo.

Até hoje não acredito em como fui sortudo. Eu tinha o dinheiro que minha família me dera, e saí da escola de padres em direção a um castelo. Não fui morto, roubado ou escravizado. Sabia que no castelo existia um barão amante das letras, fascinado por sagas e heróis. Estava decidido a mostrar-lhe meu trabalho e adquirir fama e respeito instantâneos.

Acolheu-me, porque tenho sobrenome — um bom sobrenome, até. Leu uma página de meus escritos. Deu um sorriso de condescendência. Você é muito jovem, ele disse.

O barão explicou-me as regras — porque havia regras, sempre há regras, e isso é bom. Regras que governam o que é escrever bem, e que eu não conhecia. No início, fiquei revoltado, mas logo vi que a escrita era um ofício como outro qualquer, e eu fizera um ajuntamento de palavras sem parâmetro, sem eira nem beira. Por meses fui instruído e descobri que havia uma profissão de imaginadores, como eu desejava ser. Escritor.

— Mas ninguém é escritor, Iago — disse-me o barão. — Somente uns poucos a cada século. As histórias são escritas por padres, nobres, guerreiros.

Quando se é tão jovem, tem-se certeza de fazer parte de um punhado a cada século. Parti de novo, peito estufado, para escrever e arrebatar o mundo.

Em dois meses eu carregava feno em um estábulo. Desejava apenas ter aprendido algum ofício, qualquer ofício, e sonhava em ganhar dinheiro como escriba, copista de cartas ou documentos fiscais. Mas ninguém sabia ler, não havia por que escrever.

Uma companhia de teatro chegou à cidade. Fui assistir.

Os atores agradeceram, as pessoas em volta bateram palmas. Eu estava boquiaberto com a atriz que se curvava a alguns metros, agradecendo os aplausos, deixando ver uma parte dos seios. Um homem barbudo, que interpretara um duque, um cavalariço e um anjo passou com uma cesta, recolhendo as doações do público. Era uma audiência esparsa, composta de mães entre um dever e outro, bêbados desocupados, odiáveis crianças. Quando a cesta chegou perto de mim, agarrei moedas sem ver, joguei-as num ato de devoção. O ator arregalou os olhos, ignorou o resto das pessoas e bateu em retirada, antes que eu mudasse de ideia.

Meu mundo fora dominado, substituído pela atriz. Imaginei: minha bondade e generosidade arrebatariam aquela gente. O rapaz de cabelos encaracolados seria o assunto da companhia. A atriz passaria noites perguntando-se quem eu era. Quando, por fim, nos encontrássemos, ela estaria agradecida, eu revelaria ter gasto ali muito mais do que era prudente. Sem dinheiro para uma estalagem, ficaria em seu quarto, ficaríamos juntos, ela encenaria minhas maiores criações. Em minha fantasia, cheguei a criar-lhe um nome.

A resposta era aquela. Ninguém sabia ler, mas existia o teatro. Eu escreveria uma peça, para ser encenada pela atriz principal. Eu seria um escritor.

Gastei velas para iluminar o canto onde eu dormia no estábulo. Escrevi com fúria, à noite, depois dos deveres. No primeiro dia, calculei quantas páginas seriam necessárias, e quantas faria por noite, cheguei à conclusão de que dez noites eram suficientes. A companhia ainda estaria por lá em dez dias.

Na segunda noite, eu estava cansado, e não escrevi.

Na terceira noite, apenas a metade de minha meta.

Na quarta, reli o que escrevera, e achei pavoroso.

Na quinta, reescrevi o início.

Três meses depois, minha peça estava terminada. Fui procurar a companhia, mas é claro que já havia partido. Eu tinha um maço de papéis sem utilidade. Decidi ir atrás, descobrir onde estavam, achar minha musa, perguntar seu nome. Mas era difícil começar, eu precisava de dinheiro para a viagem, e logo chegou o inverno. Fiquei onde estava.

Seis meses depois ainda carregava feno. Havia me interessado por uma rapariga da taverna, com um pé torto que mal se notava, e estava entusiasmado porque haviam me prometido mais responsabilidade no estábulo, o que significava mais moedas.

E a companhia voltou. Lá estava a atriz, e uma trupe com alguns dos mesmos e alguns novos. Encenavam a mesma peça, para quase as mesmas pessoas. Quero dizer que não hesitei em abordá-la, mas hesitei muito. Fui olhar de novo e de novo, escondendo-me no público reduzido, nunca indo até lá. Justifiquei a mim mesmo, dizendo-me que ela afinal nem era tão bonita, que havia segurança no trabalho do estábulo, que minha escrita era falha e meus sonhos eram infantis. Depois de três dias, ela veio falar comigo.

— Não se cansa de ver a mesma coisa sempre? — disse a atriz.

Dei um pulo. Riso tropeçando. Eu comia no salão comunal de uma taverna, um luxo que concedia a mim mesmo poucos dias por mês. Ela estava de pé, ao lado da minha cadeira. Era uma mesa comprida, onde várias pessoas se sentavam, engolindo o mesmo cozido.

— Não me importo — eu disse. — Assisto a qualquer coisa.

— Ah.

Notei o que dissera.

— Todos gostam de vocês, ouço as pessoas falarem. — Tentei consertar.

— As pessoas?

— As pessoas...

Esbarrei em minha tigela.

— Quando vieram à cidade pela última vez, dei quase todas as minhas moedas.

— Por quê?

Senti uma onda amortecendo meu estômago, meu peito.

— Por você.

Ela me olhou por um instante.

— Desculpe, não sou prostituta.

— Não! Claro que não! Eu sei.

— Como sabe?

— Posso ver, você não é, logo notei.

Silêncio.

— Bom apetite — ela disse. — E continue assistindo a qualquer coisa e notando prostitutas.

Tocou-me o ombro e foi embora.

Um sujeito perto de mim balançou a cabeça. Minha rapariga do pé torto dirigiu-me um olhar feio.

Derrubei a cadeira na minha pressa, alcancei a atriz em menos de um minuto.

— Olá? — ela disse.

— Escrevi uma peça. Para vocês. — Engoli. — Para você.

— Mas todos gostam da peça que encenamos. Você mesmo disse.

— Escrevi uma peça para *você.*

Pausa.

— Sabe ler?

Ela sabia.

— A verdade é que sua peça é repetitiva, previsível e moralista — eu disse. — Escrevi uma muito melhor. Quero que você leia. O papel principal é seu.

— Você tem uma companhia de teatro?

— Não, mas você tem.

— Então *eu* não deveria decidir quem interpreta qual papel?

— Escrevi para você — eu disse, quase em desespero.

Ela começou a rir.

— Desculpe, isso foi cruel. — Tocou meu braço. — Estou brincando. É claro que gostaria de ler.

De noite, ela me achou no estábulo. Eu estava suado e fedorento, sujo de bosta. Fiquei olhando-a com a boca seca.

— O estalajadeiro é um personagem supérfluo — ela disse. — Não serve para nada na trama, e torna o terceiro ato longo demais.

— É baseado numa pessoa que conheço, e o que ele faz realmente aconteceu. Eu mesmo fui a vítima.

— Ótimo, mas quem se importa com isso é você. Não precisa *me* entediar.

— Mas...

— A morte do padre é uma saída fácil. Você deveria deixá-lo vivo, é muito mais interessante. E logo se vê que nunca trabalhou com teatro. Como pretende montar a tempestade no palco?

Meus joelhos estavam frouxos.

— Então?

— Fiquei escondida a tarde inteira para terminar de ler. Não conseguia parar. Você quase me fez chorar no final, seu sádico.

A esperança era tanta que tentei afastar, meio tonto, quis me preparar para uma decepção. Não demorou mais de um instante, mas minha mente trabalhou rápido, já tentando me convencer de que era bobagem de qualquer jeito, nunca tivera chance...

— A peça é *maravilhosa*. Venha conosco. Vamos consertar esses problemas, e vamos encená-la.

Cheguei perto, estendendo as mãos. Ela se afastou, porque eu estava muito sujo.

— Obrigado, Esmeralda — eu disse.

Desatou a rir.

— Como?

Fiquei vermelho, tapei meu rosto com a mão. Havia chamado-a pelo nome que inventara, tanto tempo atrás.

— Desculpe...

— Meu nome é Lubna — disse minha atriz principal. — E você realmente precisa criar nomes melhores.

A primeira peça me tirou daquela cidade, e me fez conhecer incontáveis aldeias. Fui ator, porque não havia atores suficientes. Eu era ruim, mas todos desculpavam, porque era o autor. As pessoas reuniam-se em torno, riam nos momentos certos, choravam nos momentos certos. Em alguns meses, passamos das tardes mambembes entretendo os à toa para palcos montados à noite, em praças, sob supervisão e autorização de um lorde ou padre.

Minha segunda peça levou-nos à corte de um marquês. Encenamos para sua família, e pediram que ficássemos mais tempo, para que amigos viessem de carruagem assistir. As aldeias não mais tinham o nosso público, apenas cidades e castelos podiam nos abrigar. Chegaram dois atores pedindo para trabalhar na peça, e depois mais três. Todos os papéis preenchidos e eu podendo escolher os melhores. Não precisava mais atuar. E vieram costureiras e carpinteiros oferecer seus serviços, nem precisávamos ir atrás. Para eles era dinheiro seguro e trabalho invejado. Enquanto viajávamos com a segunda peça, ouvi um bardo cantar uma história familiar: era minha primeira peça, mutilada por aquele relato, com um ou dois nomes trocados.

— Você deveria ficar feliz — disse Lubna.

— É a minha história!

— E ele roubou porque é uma boa história. Acha que as pessoas reunidas em volta dele iriam assistir à nossa montagem? É só um bardo. Queria estar você lá, tocando alaúde e fazendo voz de mulher?

— Odeio bardos.

— Eu não odeio ninguém.

A companhia tornou-se minha família. Oito pessoas e mais os variáveis, trocando de face de acordo com o que eu escrevia. Tornei-me o líder involuntário, porque acabava decidindo nossas vidas. Viajávamos aonde nos quisessem, e éramos solicitados de acordo com minhas histórias. Eles falavam o que eu lhes colocava na boca, costuravam e depois vestiam o que eu decidia necessário. Era estranho, mas eu estava feliz.

Minha terceira peça foi aguardada, o que me parecia extravagante. Não só queriam que encenássemos — um conde convidou a mim e a Lubna para um banquete, e perguntou qual seria o tema, qual seria a história. Havíamos nos tornado fofoca entre certos nobres. E tínhamos ouro, ouro mais do que suficiente, além de favores. Decidi não mais viajar, não mais encenar, até que a terceira peça estivesse escrita. Ficamos hospedados em uma grande estalagem, vivendo do dinheiro acumulado, enquanto eu me debatia com palavras e viradas na trama.

Tarde da noite, eu sozinho num quarto, batidas na porta. Lubna.

— É tarde — ela disse. — Seu lampião ainda está aceso.

Papel espalhado no chão. Eu sentia os olhos arderem e uma dor de cabeça que tentava ignorar.

— Não sei o que fazer com o ladrão — eu disse.

— Deixa eu ler.

— Ainda não está pronto!

— Por isso mesmo. Posso dar alguma sugestão.

Neguei. Não queria que ninguém, e em especial Lubna, lesse a peça, até que estivesse pronta.

Atirei-me numa cadeira. Ela entrou, fechou a porta atrás de si, recolheu alguns papéis.

— Não se preocupe, não estou lendo.

— Se continuar assim, não vou conseguir terminar antes do inverno. E vamos ter que ficar parados.

— Tudo bem. Temos dinheiro.

— É um absurdo não conseguir escrever — eu disse. — Quando eu carregava feno, carregava feno todos os dias.

— Se está querendo ouvir elogios ou reconforto, procure em outro lugar, Iago. Eu também gostaria que você escrevesse todos os dias.

— Você é uma mulher pérfida.

A risada de Lubna era solta, lembrava um tilintar de cálices. Ela tapou a boca com a mão, porque era muito tarde e as paredes eram finas.

Ficamos em silêncio por alguns minutos. Eu repassava na mente os mesmos bloqueios, os mesmos becos sem saída. A história se mostrava impenetrável, obscura.

— Qual vai ser meu papel?

— Nada é definitivo ainda.

— Você sempre define o meu papel antes de qualquer coisa.

Quando comecei a falar, achei-me ridículo. Protegi-me com justificativas.

— Você é uma aldeã.

— É isso? Uma aldeã?

— Não é o papel principal, desta vez. Se quiser, pode interpretar outros, posso transformar o curandeiro em mulher...

Pausa.

— Se você não consegue escrever, precisa resolver o problema, Iago. Pode desperdiçar quantas folhas de papel caro quiser, ficar acordado, e não vai conseguir nada, enquanto não consertar o que está errado.

— Talvez tudo esteja acabado. Talvez eu tivesse potencial para apenas duas peças.

— Acredita mesmo nisso?

Não respondi.

— Resolva o problema — disse Lubna. — Ninguém vai resolver por você.

Cobri os olhos com as mãos. Fiquei um longo tempo assim, apoiado com os cotovelos na mesa, imóvel.

Lubna caminhou pé ante pé até a porta, abriu-a em silêncio. De repente, ergui-me, fui até ela, peguei sua mão. Lubna se virou e eu a beijei.

Fechamos a porta, abraçados. Como seguindo um roteiro, deitamos, cada um sabendo o que fazer.

Acordei sozinho, a mente limpa. Meu primeiro pensamento foi a peça, e o segundo foi Lubna — não é cavalheiresco, mas é a verdade. O terceiro me apresentou a saída para o dilema do ladrão, que agora era uma ladra, escondendo sua identidade, interpretada por Lubna.

Desci para o salão comunal em silêncio, montando frases na cabeça, fazendo as expressões dos personagens, como um louco. Ninguém me cumprimentou, como faziam quando sabiam que eu estava naquele estado de concentração febril. Lubna preparara o terreno. Comi sem saborear, sem falar com ninguém e voltei ao quarto, onde as ações da ladra vieram num jorro, mais rápido do que minha pena conseguia acompanhar.

Em alguns dias, terminei a peça.

Quando estava escrevendo, não queria saber de ninguém. Não quis saber de Lubna. Fiquei só escrevendo. Emergi da peça como de uma embriaguez, e o que acontecera aquela noite no meu quarto esfriara. Eu deveria ter perseguido logo em seguida, já era tarde demais.

Fomos convidados para o castelo de um duque, deste até o nome eu lembro, chamava-se Gaspar, Duque de Aerantus. Nossa companhia tinha duas carruagens, era quase uma caravana e, daquela vez, contratamos uma escolta armada. Eu sentia muito mais valor na minha vida, agora que escrevera a terceira peça, não queria desperdiçá-la com um ataque de salteadores. Chegamos ao castelo, fomos recebidos com trombetas, abriram-nos o portão. Era a entrada principal. Não estávamos nos esgueirando como servos, surgindo quando nossos serviços fossem necessários. Nossa chegada era um acontecimento por si só, havia lordes e condessinhas e agregados parasitas assistindo. Fui o segundo a deixar a carruagem. O primeiro foi Éstio, que costumava interpretar ferreiros e capitães da guarda, pois era alto e forte. Quando surgi, bateram palmas, e eu não soube como reagir. Lubna desceu em seguida, e dei-lhe a mão para ajudar. As palmas redobraram. Pessoas cochichavam. Éramos assunto.

Nossos guardas e nossos cavalos foram levados para longe das vistas, receber comida de servo e ouvir conversa de servo. Eu demorava a compreender que me viam acima daquelas pessoas. Por mais desprezível que isso seja, senti-me bem. Desfilamos pelo pátio central do castelo, fomos cumprimentados por uma multidão de nobres menores, que nos deram as boas-vindas. Lubna tinha seu braço enganchado no meu, era uma sensação eufórica. Meu cotovelo tocava o lado de seu seio, mas o encostar dos seus dedos parecia mais íntimo.

Um castelão comandava os empregados, que carregavam nossos baús. Apresentou-se, desejou-nos boa estada e perguntou de quantos quartos precisaríamos. Lubna disse que nós dois iríamos dividir o mesmo.

E então fechados no quarto enorme, o teto muito acima e a cama decorada com colunas e uma cobertura, quase uma cabana de aldeão. Tapeçarias na parede, uma janela alta e estreita deixando entrar luz picotada. Uma grande tina de água fumegante, deixada lá para nossa conveniência. Pediram que nos aprontássemos e fôssemos ter com o duque.

— Eu não sabia se... — Deixei a frase morrer. Acho que pessoas que escrevem tanto têm dificuldade para falar direito.

— Não sabia? — disse Lubna. — Então já esqueceu a noite na estalagem?

— Não ficamos mais juntos. Eu não sabia.

— Ora, você não me deu atenção nenhuma. Bem feito.

Sorri. Fui até ela e a beijei. No último instante, pavor, achei que ela fosse virar o rosto. Mas não virou, toquei meus lábios nos dela, era bizarro estar tão perto, era mais íntimo que o sexo.

— Achei que você só tivesse feito aquilo porque eu não conseguia escrever.

— Você tem dificuldade de entender isso desde que nos conhecemos, não é, Iago? Eu *não sou* prostituta.

— *Não quis...*

Desatou a rir. Eu era incapaz de não levar a sério qualquer coisa que Lubna falava.

— Eu te amo — eu disse.

— É bom mesmo.

— Você...

— Deixe eu ver. Esperei mais de um ano até que você tomasse alguma atitude. Então me ignorou, e só quis saber de escrever sua peça. Mesmo assim, aqui estou eu. Se não for amor, então sou idiota.

Abracei-a de novo, cobri seu seio com a mão.

— Não podemos deixar o duque esperando — disse Lubna.

— Vamos, só uma vez.

— Você poderia ter passado todos esses dias na cama comigo, mas não quis. Agora tem deveres. Vamos, troque de roupa.

Fiquei muito envergonhado por trocar de roupa perto dela. Meu pênis furioso parecia-me um pouco indigno, assim, sem uso. Depois de vestidos, descemos as escadas, esperamos dois minutos até que todos chegassem, e então fomos anunciados ao duque.

Eu sabia as mesuras a fazer, e os outros haviam aprendido. Gaspar era um homem magriço e esticado, cuja pele parecia insuficiente para cobrir-lhe os ossos. Mas recebeu-nos com mais calor do que se poderia esperar de um nobre, fez perguntas educadas. Um gesto para a direita: lá estava um homenzinho baixo, enrugado, recurvado e gorducho. Como uma estátua caricatural de um abade bondoso, mas sua batina denotava muito mais poder.

— Sua Eminência, o Cardeal Derionde — apresentou Gaspar.

Formigamento nas tripas. Estávamos diante de um príncipe, o líder do Conselho dos Cardeais, abaixo apenas da Voz de Urag em nossa terra. Não sabíamos que o cardeal estaria em visita ao duque. Era quase a visita de Deus. Curvamo-nos, suplicamos bênção. O cardeal estendeu a mão composta de gomos inchados, com um enorme anel de rubi, para que beijássemos.

— O senhor é Iago? — disse o cardeal.

— Seu servo, Eminência.

— Senhor Iago, preciso pedir-lhe perdão por um crime que cometi.

Esquecendo de mim mesmo, ergui o rosto para olhar Derionde nos olhos. Lembrei de minha posição e abaixei a cabeça de novo.

— Não fique assim recurvado, senhor Iago, vai estragar suas costas. E Deus já viu que pequei contra o senhor uma vez. Não quero ferir sua saúde.

— Desculpe, Eminência, mas não entendo.

— É que li uma cópia de sua peça, *Os cavalos enterrados.* Meus deveres para com Deus não permitem que vá assistir ao teatro, senhor Iago, então tive de obter uma cópia, e ler como um ladrão.

— Muito me honra, Eminência!

— Ah, mas sei que não viu nenhuma moeda dessas cópias que os aproveitadores vendem, senhor Iago. Perdoe-me, foi minha curiosidade que me fez pecar. Fui fraco para resistir à tentação.

— É uma honra, Eminência.

— Diga que me perdoa, senhor Iago.

Eu tentava evitar as palavras, mas ele insistia. Senti-me desconfortável, e não consegui pensar em outra coisa para dizer.

— Eu perdoo Vossa Eminência.

— Então posso fazer as pazes com Deus.

Sorriso, seus olhos quase fechados.

— O que Vossa Eminência achou da peça? — ousei.

— Muito boa, senhor Iago. Muito triste. É o trabalho de um jovem.

De volta ao quarto, deitamos. Foi ainda melhor que a primeira vez. Lubna era desprovida de inibições, mas não era vulgar. Confiava em mim como se fôssemos amantes há anos, aceitava todas as ideias e sugeria outras novas. Amor.

— O cardeal gostou da minha peça — eu disse, depois.

— Garotos educados pela Igreja. Todos iguais. Esbravejam contra os padres, mas no fundo querem sua aprovação.

— Pode ser bom para a companhia. Imagine se o Cardeal Derionde elogiar nosso trabalho na capital!

— Parabéns, meu querido — ela disse, com seu sorriso faiscante, mostrando os dentes. Ainda estava corada e um pouco ofegante.

— Obrigado, Lubna, obrigado. É tudo por sua causa.

— Mentiroso. Você já escrevia antes.

— Escrevia *mal.*

— E agora escreve bem? Onde está o artista angustiado que não sabia se poderia escrever outra peça?

Ataquei-a num bote carinhoso. Ela soltou um gritinho e riu sem controle. Fiz-lhe cócegas, ela se debateu, e já estávamos prontos de novo. Fez um movimento como uma esgrimista, a sensação me jogou para trás. Estirado na cama, com meu pênis na boca da mulher mais bonita do mundo, a mesma boca que declamava minhas palavras com maestria, no castelo de um duque e elogiado por um cardeal, eu era um titã.

Um banquete, é claro. Com nobres, sempre há banquetes. O Cardeal Derionde arranjara para se sentar ao meu lado.

— Sua esposa é encantadora — disse ele.

Tossi.

— Não é minha esposa, Eminência.

— Ah, desculpe. Pensei que dormiam no mesmo quarto.

— Bem, sim.

— Estou velho, senhor Iago. — Ele sorriu, tocando meu pulso. — Não se importe comigo. Este senhor lhe trata bem, minha dama?

— Como um anjo, Eminência — disse Lubna.

— Trate-o bem também. É um artista, um verdadeiro criador. Foi abençoado por Deus.

Bebi um gole de vinho. Olhei de relance ao redor. O duque parecia aliviado, como se um perigo tivesse sido evitado.

— Quando vai encenar sua nova peça para o duque, senhor Iago? — disse o cardeal.

Em três dias, respondi. Precisávamos montar um palco, verificar as condições, terminar algumas roupas.

— Ora, que pena. Depois de amanhã devo partir, meus deveres me impelem. Gostaria de assistir à peça.

— Talvez em outra oportunidade, Eminência? Não faltarão chances, se assim Deus quiser. — Forcei o comentário religioso.

— Sim, sim. Outra oportunidade. É uma pena.

Pareceu genuinamente triste, um ar desabado e murcho.

— Perdoe-me, senhor Iago, farei um pedido de muita ousadia. Estou ansioso, Deus me perdoe, para conhecer sua nova história. Poderia permitir que eu lesse a peça?

Fiquei mudo por um instante.

— Apenas se isso não lhe desagradar de forma alguma, é claro — disse Derionde. — Sei que é muita ousadia de minha parte. Por favor, não faça nada que lhe cause desconforto.

— Na verdade...

— Entendo. Foi um pedido extravagante. Não diga mais nada, senhor Iago, foi um exagero.

— Perdão, Eminência. É que não gosto que outros leiam a peça antes da primeira apresentação. — Busquei um atenuante. — Dizem que dá azar.

— Ah, o senhor acredita em azar? Para mim, pessoalmente, só há a vontade de Deus.

— Sim, é claro, só a vontade de Deus, é apenas um modo de dizer.

— Então acha que Deus desaprovaria que eu lesse sua peça, senhor Iago?

Gelo.

— Não, não, Eminência, por favor...

— Perdoe-me. Não falemos mais neste assunto. Foi muita ousadia.

— Desculpe, Vossa Eminência.

— Não! Eu peço perdão.

— É apenas...

— Diga que me perdoa, senhor Iago.

— Eu, hã, eu perdoo Vossa Eminência.

— Ah, que bom. Então está tudo bem.

Espetou um pedaço de carne, colocou na boca, mastigou sorridente.

O Cardeal Derionde foi embora. Eu e Lubna fizemos sexo com mais tranquilidade. Preparamos o figurino, a montagem, e encenamos a peça. Os nobres se ergueram no final, bateram palmas até que suas mãos ardessem. As senhoras tinham os olhos inchados pelo final trágico, os cavalheiros fingiam alguma alergia para justificar as lágrimas. Não deixaram que fôssemos embora, exigiram de novo e de novo, enquanto batiam palmas. O duque chamou meu nome, desci do palco, ele apertou minha mão e me agradeceu. Sua esposa, a duquesa, não se controlou, chorou na minha frente. De todo lado, mãos batendo nas minhas costas, parabéns, pedidos de novas apresentações, em novas cortes.

— Por favor, encene a peça de novo, mestre Iago — disse-me Gaspar.

Concordei.

— Vou ficar aqui, só para assistir mais uma vez! — proclamava um nobre cujo nome eu esquecera. — Vou ficar aqui, e assistir quantas vezes puder!

As filhas da nobreza me olhavam com as mãos sobre o esterno, sem disfarçar. Fizeram-me perguntas: de onde vinham as ideias, aquele personagem era eu mesmo? Olhei para trás, para Lubna, e ela sorria, balançando a cabeça. Dizendo eu sabia, eu nunca duvidei.

— Preciso falar com você — disse o duque, puxando-me para um lado.

— Estou muito honrado, Vossa Alteza. Não tenho palavras para agradecer.

— Mas tem palavras para encantar minha esposa e metade dos nobres da região. Já não acha suficiente?

Não soube o que fazer; ri como uma besta.

— Precisamos conversar sobre algo, mestre Iago.

Fiquei sério, tanto quanto podia. Prestei atenção.

— O Cardeal Derionde me incumbiu de julgar a qualidade de sua peça. E eu estaria mentindo, e seria linchado, se dissesse que não é magnífica. Sua Eminência me pediu para lhe estender um convite, caso eu gostasse do espetáculo. Você está convidado a se apresentar em Ruiturus, mestre Iago, para o Conselho dos Cardeais e a nata de nossa nobreza.

Senti o chão faltar. Ruiturus, a capital. Eu havia triunfado.

A felicidade foi demasiada, e eu abracei o corpo magro e seco do duque. Nem fui executado por isso. Ele riu, e me deu tapinhas no ombro. Estavam todos alegres.

Em Ruiturus havia um palácio. Outras construções são chamadas de palácios em nossa terra, mas isso é fruto de nobres exaltando a si mesmos. O único digno do termo é o Palácio Eterno da Voz, na capital. Suas torres se elevam acima de qualquer coisa, na cidade e em toda parte, suas janelas são mais largas do que quaisquer outras. A Igreja tem os melhores arquitetos, capazes de inovações que permitem muita luz no interior de sua sede. Em uma ala do palácio, residia a Voz de Urag. Os cardeais também — diziam que suas habitações eram pobres e monásticas, em contraste com a opulência do resto. A Igreja tinha sua própria corte. Não apenas o clero, mas nobres diversos, orbitando nas inúmeras capelas, e toda a variedade de castelães, chefes de cozinha, guardas, menestréis, cortesãs, pintores, filhos mais novos, médicos, escribas e desocupados que brotam em qualquer local da aristocracia. Fomos acolhidos no palácio. Já sabiam que eu e Lubna ficaríamos no mesmo quarto. Imaginei que, naquele ambiente santo, não poderíamos dividir a mesma cama sem casamento, mas estava errado.

— O que houve? — disse Lubna.

Eu arrancara as pontas das minhas unhas com os dentes. Avançava para a pele ao redor.

— E se não gostarem da peça? — eu disse.

— Não venha com isso de novo!

— Os cardeais vão assistir. Será que é boa o suficiente para os cardeais?

— O duque nos recomendou, Iago. Tudo vai ficar bem.

Mesmo assim, chamei um jovem serviçal, na verdade um coroinha, e pedi que entregasse uma mensagem ao Cardeal Derionde. Oferecia-lhe uma cópia da peça, para que lesse de antemão.

— Que bobagem, Iago — disse Lubna.

Horas depois, a resposta. O cardeal agradecia, mas dizia não ser necessário. Afinal, dali a poucos dias aconteceria o espetáculo.

Não fomos chamados para nenhum banquete. Eu odiava os banquetes, e tremia ao pensar no Cardeal Derionde, mas tinha pavor de que aquilo fosse indício de algum desprazer. Ficamos entre nós enquanto montávamos a peça, meus dedos sofrendo com o ataque das mordidas.

Em dois dias, tudo pronto. Um enxame colorido, a elite da nobreza e o poderio da Igreja reuniram-se naquilo que era único, que só havia em Ruiturus: um teatro. Pela primeira vez encenamos no teatro, feito para aquilo, onde todos podiam se sentar com conforto e onde a voz dos atores era amplificada pela arquitetura.

O pano se abriu.

A peça transcorreu. A ladra fez seu primeiro roubo. O público conheceu sua identidade. A trama foi tecida em inúmeras linhas, que se amarraram e exibiram um todo no final apoteótico e inevitável que eu criara. Os nobres se ergueram, bateram palmas com o entusiasmo que eu já vira antes. Parecia-me que os mesmos rostos choravam, os mesmos olhos ficavam inchados, como fora na corte de Gaspar. Voltamos ao palco de novo e de novo, agradecer, aristocratas nos banhando com pétalas.

Mas os quatro cardeais sentados. Cochicharam entre si, e foram embora.

— Não disse que era bobagem? — Lubna desvencilhava-se do figurino. — Tanto nervosismo por nada. Suas unhas não têm culpa!

— Os cardeais não aplaudiram.

— Você não pode desejar que os príncipes da Igreja chorem como menininhas, Iago. Fique contente. Nós conquistamos a capital.

Veio até mim e me beijou. Primeiro não tive vontade de beijá-la, todo contato era desconfortável. Mas então senti uma ânsia de demonstrar, apertei-a contra mim, cheirei seu pescoço.

— Uma mensagem — disse um rapazote envergonhado.

Entregou a Lubna. Ela desenrolou e leu.

— Vejam só, nem sempre você é o astro, senhor escritor. — Abanou o pergaminho e zombou com voz de música. — O Cardeal Derionde quer ver sua atriz principal.

Beijei-a de novo.

— Tome cuidado — falei, por alguma razão.

— Sua Eminência pediu que fosse agora — disse o coroinha.

Acordei quando percebi a falta de Lubna. O sol já alto.

Mandei chamar um serviçal. Atenderam a todas as minhas necessidades, mas não sabiam dela. Procurei o resto da companhia, mas nem sombra. Almocei sozinho, no quarto. Perguntei muitas vezes, ninguém sabia. No meio da tarde, mandaram me chamar.

Cheguei a uma capela. Era uma coisa simplória, uns bancos duros à frente de um pequeno altar. Na parede, as três trombetas, e algumas tapeçarias com frases bordadas, incentivando o amor e a devoção. A única janela ficava bem no alto e, naquela hora, deixava entrar bastante sol. Toda a salinha era em tons de bege e amarelo, um ambiente de calmaria.

Curvei-me: lá estavam os quatro cardeais.

Barsoom mais parecia um guerreiro. Muito mais alto que eu, a batina emoldurava ombros enormes, músculos como tijolos. Também um tijolo era seu rosto: não tinha expressão, boca reta, nariz quadrado, olhinhos mortiços. Melquíades era jovem e rechonchudo. Baixo e corado, a batina fazendo parecer mais gordo do que realmente era. Sua voz era suave e gentil, seus cabelos tinham cachos quase loiros. Simas era magro e duro, com poucas rugas fundas vincando seu rosto. Parecia alguém prestes a uma dança ou uma cavalgada. Seus dedos eram muito compridos, e seu queixo era proeminente. Dispunham-se ao redor de Derionde, que estendeu uma mão trêmula para que eu beijasse.

— Senhor Iago — ele disse. — Muito obrigado por ter vindo.

Gaguejei as honrarias.

— E muito obrigado por ter encenado sua obra ontem à noite.

— Espero que tenha agradado a Vossas Eminências.

— Nossa corte adorou.

Murmuraram concordância.

— Vossas Eminências gostaram da peça? — insisti.

— De onde vêm suas ideias, senhor Iago?

Engoli.

— Observo as pessoas, Eminência. Leio o que escreveram antes de mim.

— Ah, sua criação vem das pessoas. Não é extraordinário?

Os outros fizeram que sim.

— Pensei que toda criação viesse de Deus — disse o cardeal.

Comecei a justificar.

— Como criou esta peça, senhor Iago?

— Não sei. Escrevi, como sempre. Tranquei-me num quarto. Não sei.

— Foi fácil?

— Não, Eminência, na verdade foi difícil.

Silêncio. Olhavam para mim como se esperassem um complemento.

— Não sabia como resolver a trama da ladra — eu disse.

— Ah. E como lhe veio essa inspiração?

Quis mentir, mas todos os olhos estavam em mim. Derionde e Melquíades sorrindo, Barsoom com seu rosto de muro, Simas com o queixo apoiado na mão, muito interessado.

— Tive a ideia quando beijei Lubna pela primeira vez.

Simas se ergueu, fez uma mesura e saiu da capela.

— O amor entre dois jovens é mesmo muito poderoso, senhor Iago.

— Sim, Eminência.

— Diga-me, e perdoe-me por não entender de teatro, não acha que a peça ficaria melhor se a ladra fosse punida no final?

Eu continuava curvado. Derionde não parecia tão preocupado com as minhas costas dessa vez.

— Claro, Eminência, vou fazer a mudança agora mesmo.

— Não, não! — ele riu. — Por favor, o senhor é o artista. Eu estava apenas perguntando. Não acharia melhor?

Engoli.

— Bem, não, Eminência. Desculpe. A morte ou prisão da personagem seria uma forma barata de resolver a trama. Com a morte ou ruína de todos à sua volta, sua verdadeira tragédia se completa. Ela é incapaz de ser tocada pela justiça, mesmo quando deseja isso, e de conseguir qualquer mudança em sua vida.

— Mas não foram os outros que roubaram, mentiram ou fingiram ter outro sexo, senhor Iago. Não seria mais justo se *ela* fosse punida?

— Sim, Eminência. Mais justo. Mas, desculpe, não melhor.

— E o senhor teve essa ideia graças ao amor?

— Sim, Eminência. Acho que sim.

Silêncio.

— Não gostaria de saber onde estão a senhorita Lubna e seus colegas? — disse Derionde.

Respondi que sim.

— Por que não perguntou, senhor Iago?

— Não quis ofender Vossas Eminências.

— Ora! Essa é boa! Não iria nos ofender, de forma alguma.

Pausa.

— Onde estão Lubna e meus colegas, Vossa Eminência?

— Bem, Simas já partiu há alguns minutos. Calculo que já estejam mortos.

Senti uma gosma gelada pelo peito acima, ergui-me de um pulo, mas os joelhos fraquejaram.

— Calma, senhor Iago. Não há nada que o senhor possa fazer. Eles já morreram.

— *Por quê?*

— O senhor concordou que sua peça era imoral e suja. E o senhor conhecia o desfecho certo, mas optou pelo pecado. E tudo por quê? Por causa da vadia que dormia com o senhor fora do casamento.

Caí. Era estranho, mas não achei lágrimas. Em vez disso, não conseguia fechar a boca, e um grosso fio de baba escapou por meus lábios.

— Fui eu! Não foi Lubna, fui eu!

— O senhor é abençoado, senhor Iago. Abençoado por Deus com o dom da criação. Agora, longe das más influências, poderá se dedicar ao que é bom e puro. Nunca faríamos mal ao senhor.

Nunca disse adeus a Lubna. Mesmo hoje é estranho pensar que esteja morta. Tive a curiosidade masoquista de saber como fora, o que havia sofrido, mas nunca me contaram. Fiquei meses trancado em meu quarto, no Palácio Eterno da Voz, sem tomar banho ou escanhoar o rosto, urinando e defecando onde queria, chorando e tentando me ferir. Muito quis morrer, mas era vigiado o tempo todo.

Não consegui manter-me daquele jeito. Um dia estava fraco demais para jogar nos servos a comida que me traziam, e acabei obedecendo e comendo. Ficando dócil. Não descrevi o rosto de Lubna, e tive motivo. Não lembro direito. Naqueles meses escuros eu esqueci da face do meu amor. Lubna virou um pedaço de agonia, e nunca mais consegui lembrar da felicidade que me trouxera.

Mês e pouco de mansidão, e o Cardeal Derionde veio me visitar.

— Soube que está melhor, senhor Iago. Fico muito feliz. Deus não nos pôs neste mundo para a tristeza.

Não consegui dizer nada.

— Gosto muito de médicos, sabia? Gosto de como eles expulsam as doenças do nosso corpo, e permitem que vivamos como Deus quer. Vou lhe fazer uma confissão, senhor Iago. Acho que o diabo é uma doença. E nós precisamos expulsar o diabo deste mundo, assim como expulsamos a doença do corpo. Acho que finalmente consegui expulsar o diabo do senhor, e estou muito feliz. Gosto muito do senhor.

Quero dizer aqui que cuspi em sua cara, tentei matá-lo. Mas eu só estava muito cansado, vazio por dentro. Não sentia nada.

— Permite que me sente?

Fiz que sim.

— Podemos conversar?

Sim.

— É difícil achar um apreciador das letras, senhor Iago. Gostaria de conversar sobre uma esplêndida história de cavalaria que estou lendo. O senhor conhece?

Por dois meses o cardeal me visitou todos os dias, e conversamos sobre histórias, poemas, sagas. Eu tentava odiá-lo, mas era difícil sentir qualquer coisa. Aquela era a minha vida. Tudo antes parecia distante, improvável.

— Está feliz, senhor Iago?

— Não.

Ele pôs a mão sobre a minha, compreensivo.

— Eu sei que não. E sabe por que não está feliz? Porque está incompleto. Deus abençoou-o com algo muito raro, e o senhor não está utilizando esse dom.

— Não quero escrever.

— O senhor não sabe, e nem tem como saber, mas nossa terra passa por um momento muito difícil. A Voz de Urag está ameaçando guerra contra nós, seus próprios cardeais. Ela pede para visitar o povo, olhar suas aldeias, saber como vivem. E acusa-nos de injustiça!

Silêncio.

— O diabo é uma doença, senhor Iago. E o senhor pode ser nosso curandeiro. Acredito que Deus tenha trazido-o até aqui por essa razão. Precisamos provar que a Voz de Urag é corrupta, uma serva do demônio. E para isso precisamos de seu dom.

— Não quero escrever.

— Temos uma grande biblioteca. Lá o senhor pode ler histórias religiosas, as palavras dos grandes homens santos, das Vozes anteriores. Depois da pesquisa, o senhor deve escrever uma profecia. Deve soar autêntica, como se há muitos séculos alguém houvesse previsto que uma Voz de Urag iria se tornar maligna.

— Não quero escrever.

— Sua pena pode salvar nossa terra, senhor Iago! Não sente falta de usar seu dom?

— Vocês mataram Lubna — gani, sem forças.

— A dor é boa para a arte.

— Está amanhecendo — disse Atreu.

Minha voz estava áspera.

— Você não chegou à segunda profecia, ou à razão de ter fugido.

— Você não tem um duelo agora? — eu disse.

Ele concordou. Ergueu-se. Minha atriz principal não sobrevivera à minha peça, mas eu sobrevivera à noite. Os homens de Oberon não estavam mais espreitando.

Atreu abriu a porta, e Penélope já vinha lhe contar. Oberon fugira, junto com sua elite.

Nada se resolvia, não havia finais. O mundo não era uma peça, eu não tinha atriz principal.

Cortinas.

Retrato do guerreiro quando jovem

1

Então conheci Atreu.

Depois do cerco a Sudário do Louco, do ataque e fuga de Oberon, de meu tempo como soldado e prisioneiro, conheci-o, de verdade. Eu havia aprendido sobre Atreu, como pesquisa para escrever as profecias, antes. Mas isso não era conhecer.

E eu havia criado-lhe uma vida. Havia decidido que ele nascera na pobreza, o Guerreiro do Povo, que fora tão enlameado e ignorante quanto os plebeus que enganávamos, que cultivara uma amizade com Benedict. Mas isso, principalmente isso, não era conhecer.

Eu havia dividido com ele momentos de batalha, de risco, e ele salvara minha vida. Talvez isso fosse conhecer. Mais ainda, talvez a tentativa de me matar fosse conhecer. Mas conheci Atreu de verdade, o que ele era e fora, quando perguntei. Quando viajamos, depois de Sudário do Louco, para a guerra. Quando ele me falou, e eu ouvi.

E agora contarei sua história.

Não era justo, eu acho, mas não era mais injusto que o resto. Eles tinham servos, que nunca seriam iguais a eles próprios. Mas mesmo os servos aprendiam que era preciso tomar banho, mesmo os servos recebiam remédios e sutura e sapatos e alfabeto. Mesmo os servos ouviam música e disputavam jogos.

Era uma ilha. Uma pedra, a bem da verdade, à vista da grande ilha que é nossa terra, parte dos farelos geográficos que circundam o que chamamos de lar. Existem inúmeras como aquela — algumas estéreis, outras férteis;

algumas sem dono, outras com estandarte. E aquela ilha pertencia a um senhor. Não conheço seu título, mas era alto o bastante para ser deixado em paz. Um conde ou duque, e seu feudo era cercado por água, isolado numa clausura a céu aberto. Não incomodava ninguém. Não tinha mulher ou filhos, e nem era descendente do antigo senhor. Naquela ilha, quem herdava o direito e o nome era sempre um aluno. Sempre o aluno mais brilhante, e assim perpetuava-se o que eles chamavam de Academia.

A Academia funcionava com um misto de esperteza e subserviência. O senhor comprava órfãos, sempre na primeira infância, do tráfico de escravizados que de outra maneira abasteceria fazendas, moinhos e galés. Criava-os e educava-os. Os alunos da Academia, já adultos, pagavam seu tributo, enviando parte de seu ouro para manter a ilha viva. Eram os melhores arquitetos, engenheiros, músicos, médicos. Quase sempre trabalhavam para a Igreja, que afinal possuía todo o dinheiro, e isso não deixava de ser irônico.

Atreu fora um órfão, e fora comprado. Não lembrava. Sua primeira lembrança era um livro de fábulas.

Algum copista antigo havia se esmerado naquele volume, uma capa de couro duro, costurada de forma resistente e discreta. A capa tinha cor magenta, e uma aspereza deliciosa ao toque. O interior era de papel — algo luxuoso, extravagante, pois o comum era o pergaminho. O cheiro era denso e marrom, casca de árvore e algo adocicado, como fumaça de cachimbo. O copista criara iluminuras no topo de cada página, e desenhara cada letra com tinta precisa, bonita, que incitava. O livro de fábulas tinha muitas ilustrações. Eram gravuras, entalhadas na madeira, depois lambuzadas de tinta e pressionadas contra o papel. E eram lindas, mostrando pastores olhando seres sobrenaturais com desconfiança, animais antropomorfizados enganando uns aos outros. Atreu passava horas olhando as gravuras. Pedia que seu tutor lesse de novo e de novo as fábulas. Mas aquela dependência, aquela barreira, incomodava-o. Ter de extrair as histórias através de outra voz. Ele suspeitava de que houvesse alguma nuance, algum detalhe que escapasse à vocalização. Atreu queria intimidade com o livro de fábulas, assim como um amante com o foco de seu desejo. Decifrou as letras aos quatro anos. Aprendeu a ler como rebeldia, antes de todos, e roubou o livro para si, a ser desfrutado sempre que lhe agradasse.

Atreu era um rebelde, sempre fora e sempre seria. Aos sete anos, escondeu-se no bosque, encarapitado nos galhos de uma árvore alta, em plena manhã. Deveria estar com os outros, amassando argila e aprendendo a tirar as bolhas de ar, para que a cerâmica não quebrasse no forno.

Mas estava sozinho entre as folhas, com um instrumento de cordas. Parecido com um alaúde, mas mais raro e exótico. Chamava-se saz.

Dedilhou. Nota, nota, e *desafinado*. Aquilo feriu seus ouvidos. Ouviu o canto de um pássaro, que também devia ter se sentido incomodado com o erro.

De novo: nota, nota, *errado*.

— Então você está aí.

Atreu deu um salto, desequilibrou-se com a surpresa, deixou cair o instrumento e ia despencar. Sentiu a mão forte de seu tutor segurando sua túnica, e a outra foi rápida, salvando o objeto.

— Precisa aprender a ouvir, Atreu! Se não reconheceu o canto de pássaro que imitei e não me ouviu escalar a árvore, como pretende distinguir notas musicais?

Sentindo o amortecimento depois do susto, Atreu olhou para baixo. Bochechas queimando.

— Venha, vamos descer. Posso soltá-lo?

O garoto fez que sim. Os dois desceram pelos galhos.

— Por que não está na aula de cerâmica?

— Desculpe, mestre.

— Não quero desculpas. Vamos, fiz uma pergunta.

Chamava-se Aquelau. Era o senhor da ilha, da Academia, naquela época. Atreu calculava que tivesse seus quarenta anos, mas a percepção das crianças é selvagem e absurda nesse aspecto. Talvez fosse muito mais jovem, ou muito mais velho. Atreu lembrava-se dele como um homem alto, de braços e pernas musculosos, pés gigantescos. Mas imagino que, pela perspectiva de um adulto, fosse mediano. Aquelau tinha cabelos cor de rato, mantidos muito curtos, e rosto sempre bem escanhoado. Seus olhos eram verdes, disso Atreu lembrava bem, e tinha sobrancelhas muito expressivas. Aquelau não estava sempre sorrindo, mas seu sorriso era pleno, sem hesitações. Vestia uma túnica, assim como os alunos. Eram roupas brancas, práticas, confortáveis. O tecido não machucava a pele.

Como costumava fazer, abaixou-se e olhou a criança nos olhos. Falou não com um menino, ou com um aluno. Com uma pessoa.

— Por que não está na aula de cerâmica?

— Não consigo tocar o saz!

— Mas você é muito bom com a cerâmica.

Atreu fez um muxoxo.

— De que adianta praticar com o barro? — ele disse. — Já sei fazer isso. Sou péssimo em música.

— Você não precisa ser o melhor em tudo, Atreu.

O garoto olhou para baixo. Aquelau deu uma risada.

— Falei um absurdo, não?

— Por que não consigo tocar?

— Vamos ver.

Tomou o saz, sentou-se recostado na árvore, gesticulou para o menino se acomodar.

— Também não sou bom com música — disse Aquelau. — Meu tutor, ah, ele era um músico fantástico! Sabia reconhecer um tom num instante. Podia-se afinar os instrumentos por sua voz.

— Mas você sabe tocar.

— Verdade. O que é música, Atreu?

Silêncio.

— Vamos. O que é música?

— Sons em sequência?

— Estamos no caminho certo. O que define a sequência?

— A melodia.

— Caminho errado. Isso é lógica circular, não?

Atreu olhou para baixo.

— Calma, já vou salvá-lo. Música é uma abstração com o tempo.

Aquilo passou bem acima da cabeça de sete anos.

— Explico. Você é bom com pintura, com cerâmica, certo?

Fez que sim.

— São abstrações com o espaço. Na pintura, criamos coisas que não existem usando o espaço. A música é a mesma coisa, mas com o tempo.

— E o som?

— O som é o meio que usamos para expressar a música.

— E a sequência?

— Chegamos ao ponto fundamental. Se a música é uma abstração com o tempo, então precisamos dividir o tempo para expressá-la. Assim como dividimos o espaço na pintura. Como podemos fazer isso?

Nada.

— Matemática, Atreu! Música é matemática. Você é muito bom em matemática. Mesmo que não tenha o ouvido prodigioso de meu tutor, não há razão para que não entenda a música.

Aquelau botou o saz nos braços do garoto. Posicionou suas mãos ao longo do braço do instrumento, explicou as divisões que formavam cada nota. Os sons eram produzidos por uma operação matemática. E a melodia era expressa também por operações, pela segmentação do tempo e aplicação dos resultados das operações anteriores.

Atreu dedilhou. Certo, dessa vez.

Era um punhado de alunos e, no máximo, três ou quatro professores. Existiam períodos em que havia apenas o tutor, que naquela época era Aquelau, e tempos em que ex-alunos voltavam para transmitir seu conhecimento. Novas crianças chegavam à medida que os mais velhos completavam os estudos, tinham vontade de sair ao mundo, eram mordidos pelos insetos da curiosidade. Mas nunca passavam de dez ou quinze. E havia os servos, famílias dedicadas às necessidades do senhor e seus protegidos, que aravam os campos minúsculos e cozinhavam, construíam móveis e costuravam roupas. Os servos deviam aprender a ler, a contar, a compreender a base daquele conhecimento. E os alunos ajudavam nas lides, suavam no campo, castravam animais, serravam tábuas, remendavam túnicas, pregavam solas em botas.

Erguiam-se antes do sol. Corriam, liderados pelo tutor, em uma estrada feita especialmente para aquilo. Liam sobre a história de nossa terra, aprendiam os fragmentos de informação que existem sobre a civilização antiga e as Grandes Rainhas do passado. Voltavam para o castelo e revezavam-se na cozinha. Alguns preparavam o desjejum enquanto outros liam, e a cada dia as equipes trocavam.

De manhã também havia tempo para brincar. Os mais novos perseguiam-se, construíam fortins de lama, assumiam papéis de heróis e pícaros em pequenas peças teatrais improvisadas, que os adultos chamam de brincadeiras. Os meninos e meninas mais novos separavam-se, com curiosidade e asco uns dos outros. Os mais velhos escondiam-se para se juntar, assumindo papéis de amantes em relacionamentos com a rapidez da juventude. Há muito os tutores ensinavam seus pupilos a usar tripas de ovelha para envolver o pênis, prevenindo gravidez e doença. Também ensinavam o uso de ervas que dificultavam a concepção de uma criança. É algo extraordinário, mas na Academia criou-se um espaço entre a infância e a vida adulta, e os jovens experimentavam todo tipo de limites antes de viver o mundo real.

Os alunos liam uns para os outros, enquanto seus colegas suavam em exercícios físicos. Nunca se deixava a mente vazia: mesmo que os dedos não pudessem manipular as páginas, os ouvidos escutavam o conteúdo. E os alunos treinavam com armas e nadavam, faziam operações em ábacos e em pergaminhos, observavam animais por fora e por dentro. Com dez anos, Atreu conhecia os órgãos de uma cabra, vira um coração batendo e sabia mapear algumas veias. Naquele mesmo ano viu sua primeira dissecação humana. Como era hábito, um servo doara seu corpo, depois de morto, para o aprendizado. Atreu e seus colegas assistiram, aterrorizados e fascinados, enquanto Aquelau cortava a pele e serrava os ossos, e mostrava as diferentes partes de uma pessoa.

— Isto somos nós — disse Aquelau para as carinhas vidradas. — Parecidos com as ovelhas e os cachorros, não? Isto somos nós. Máquinas perfeitas, como todos os animais.

— Por que então somos diferentes dos animais? — perguntou uma garota de cabelo negro.

— Por que acha que somos diferentes?

— Conseguimos pensar.

— Ah! — sorriu Aquelau. — Verdade. Conseguimos pensar, e assim somos diferentes. Mas podemos *ver* que somos a mesma coisa. Não conhecemos a mente de um cão, e ele não conhece a nossa. Não podemos comparar as duas.

— Um cachorro não sabe falar.

— E eu não consigo coçar minha orelha com o pé.

Os alunos riram.

— Se podemos pensar, talvez isso seja mesmo especial e fantástico — disse Aquelau. — Ou talvez seja algo tão rotineiro quanto seguir um rastro pelo odor ou ter mais de um estômago. Não podemos *presumir* que é algo tão superior.

— E por que nós pensamos?

Aquelau olhou-a com satisfação genuína.

— Essa é uma das principais questões. Todos temos o dever de descobrir.

— É porque temos alma? — disse alguém.

— Não sei — disse Aquelau. — Pode ser que tenhamos. Pode ser que Urag tenha nos criado com esse dom especial. Ou pode ser que sejamos apenas mais um tipo de fera. Talvez Urag seja o criador, ou talvez não exista.

Fiquei surpreso, mas os alunos aprendiam Deus, porque aprendiam a pensar. A Academia não apresentava Deus como uma certeza. Cada aluno era incentivado a decidir o que lhe fazia mais sentido. Aquelau nunca revelou suas próprias crenças, pois sabia que seria imitado.

Havia água doce na ilha, córregos fartos que abasteciam todas as necessidades. E há muitas gerações um aqueduto fora construído, redirecionando a água para onde fosse necessária. Atreu criou-se bebendo água pura, algo raro em nossa terra. Não bebemos água, porque em geral não é segura, traz doenças. Deixamos nossa água segura transformando-a em vinho, cerveja ou chá. Nada disso é necessário com conhecimento.

E Atreu tinha um amigo. Todos conviviam, eram uma espécie de irmãos, mas ele fazia parte de uma dupla. Abranto chegara no mesmo ano que ele, e deveria ter a mesma idade. Os dois estudavam, treinavam, brincavam, lutavam juntos. Abranto tirava música de qualquer instrumento, com poucos minutos de aclimatação, e era capaz de imitar qualquer voz ou som. Compreendia a história como ninguém, e recitava poesias de memória. Atreu, habilidoso na pintura e na cerâmica, aguçado na matemática e na medicina, formava com ele uma equipe imbatível.

Tinham onze anos, e haviam obtido uma lasca envidraçada de um azul muito brilhante — especulavam se era minério divino. Haviam estudado sobre o fenômeno, e descoberto o fragmento numa das incontáveis expedições pelos bosques. O tesouro ficou escondido por dois dias, até que pudessem examiná-lo em segurança, numa praia rochosa. Atreu sustentava a lasca com as duas mãos, sobre um pedaço de pano, tentando extrair seus segredos com olhar fixo. Abranto experimentou tocar a superfície azul, mas não sentiu nada.

— Será mesmo o minério? — disse Abranto.

Atreu ficou calado.

— Se for, de que tipo?

— Parece um pedaço de vidro — disse Atreu.

— Um cristal? Uma janela? Será que pode nos fazer enxergar longe, ou ver o futuro?

Uma aura de assombro pairava sobre os dois, quando ouviram:

— É nosso.

Atreu e Abranto se viraram. Lá estavam quatro garotos, uma cabeça e pouco mais altos, dos treze aos quinze anos. Pernas afastadas, queixos para cima, postura de agressão.

— Nós achamos, Gavero — disse Atreu. — É nosso.

— Acharam no bosque, pirralho. O bosque é nosso.

— Esta praia é nossa — disse outro rapaz.

— Você vai me entregar essa coisa, ou vai me entregar alguns dentes.

Atreu e Abranto se olharam. Deixaram o fragmento no chão e ergueram os punhos em uníssono.

O líder dos inimigos riu. Atreu e Abranto pularam sobre ele, agarraram seus joelhos, derrubaram-no. Atreu saltou para o pescoço do adversário, tentou prendê-lo com as pernas, enquanto Abranto fazia o mesmo com um de seus braços.

Mas, é claro, havia os outros, e não bastava ter coragem para vencer tiranos juvenis. Atreu e Abranto fugiram, com narizes sangrando e lábios inchados. Mas não choraram. Refugiaram-se numa clareira oculta, recuperaram o fôlego e recompuseram-se.

— Não vamos contar nada — disse Atreu.

O outro concordou, fungando.

— E vamos revidar.

— Vamos revidar — sorriu Abranto.

Voltaram ao castelo sob o olhar severo de Aquelau.

— O que aconteceu? — disse o tutor.

— Brigamos — disse Abranto.

— Um com o outro?

Fizeram que sim.

E como punição limparam os alojamentos dos alunos por dois dias. Mas não importava. Quando o castigo terminou, começou a vingança.

Os inimigos foram pegos, um a um, sozinhos. Passando sob um paredão, um deles sofreu uma chuva de pedradas. Outro foi amarrado à cama enquanto dormia, e seus cabelos esfregados com uma erva que provocava coceira insuportável. O terceiro sofreu de disenteria por três dias, após ingerir um preparado especial, misturado na comida. E Gavero, o líder, caiu em um buraco disfarçado com habilidade, ficando lá preso por uma tarde inteira.

— Deixem-me sair! — implorou o rapaz.

No início da tarde, Atreu e Abranto desferiram um ataque de bombas de esterco sobre seu alvo indefeso. Quando o sol já se punha, jogaram-lhe uma corda (aproveitando para correr enquanto ele escalava).

A guerra acabou por ali. E a lasca nunca fora minério divino — mas um pedaço de algum vitral antigo.

A Academia era deixada em paz. Seus ensinamentos eram heréticos, por certo, e careciam da pregação que mantinha nobres e plebeus na docilidade. Mas a Academia era pequena e afastada. Houvesse muitos tutores, houvesse alguma ambição de mudar o mundo, não seria tolerada. Mas era só um tutor e um punhado de crianças. As crianças cresciam para, de uma forma ou de outra, servir à Igreja. Não havia nenhuma relação íntima, mas os cardeais sempre souberam da existência daquela ilha excêntrica, e nunca houvera preocupação.

Quando Atreu tinha doze anos, um navio aportou. Sua bandeira exibia as três trombetas. Homens armados desembarcaram, junto a muitos outros metidos em batinas, corneteiros e toda uma fanfarra de acompanhantes. Vieram pedir entrada no castelo. Um aluno avisou Aquelau, e viu-o ficar branco.

— O Cardeal Derionde está na ilha, mestre. Pede para entrar.

Em minutos, o batalhão de crianças fora avisado e posto em movimento. Atreu e mais dois foram escolhidos para transmitir a ordem a todos. Havia poucas ordens na Academia, mas esta era uma delas, um comando que não podia ser desobedecido.

— Não falem das dissecações! — instruiu Atreu, repetindo as palavras de Aquelau. — Não falem de muita leitura. Não falem das aulas. Digam que aprendemos a amar Urag, e que Urag criou tudo.

As cabecinhas pueris ou já quase barbadas concordaram em silêncio.

Derionde entrou no castelo sorrindo, andando com o apoio de uma bengala. Era baixo, já andava recurvado. Tenho certeza de que afetava a dificuldade de caminhar e também as costas tortas, simulando fragilidade. Cerca de vinte anos antes que eu o conhecesse, não poderia ser tão velho.

— O senhor é Aquelau? — disse Derionde. — É um prazer conhecê-lo.

— É uma honra, Eminência — disse Aquelau, curvando-se e beijando a mão do cardeal.

Aquelau não conhecia muito sobre Derionde, mas ouvira boatos. Já não era novo no Conselho dos Cardeais, tinha talvez quinze anos de serviço no círculo interno. Aos poucos tomara a liderança, e atacara com severidade focos de heresia, paganismo e descontentamento. Era um cardeal ativo, dado a viajar, conhecer seu rebanho. Aquelau não esperava que, depois de tanto tempo, a Academia lhe chamasse a atenção. Precisava apenas ser cuidadoso.

— Por favor, perdoe-me por chegar assim de surpresa, senhor Aquelau. Sou um simples padre, e não estou acostumado a tanta erudição, e nem aos refinamentos dos nobres. Sei que devo estar sendo um incômodo.

— Não há incômodo. A presença de Vossa Eminência me traz muita alegria.

— Diga que me perdoa, senhor Aquelau.

— Não posso, Eminência. Acredito que apenas Urag tem a autoridade para perdoar os mortais, e que apenas a Voz fala por Ele.

Derionde sorriu.

Foi guiado em visita pelo castelo, pelos bosques, pelos campos de exercício.

— Mas tudo tão vazio! — disse o cardeal. — Onde estão as criancinhas?

— Meus pupilos estão trabalhando para o conforto de Vossa Eminência.

— Não, não! Não quero ser um fardo para os jovens estudantes. Por favor, mande que retomem suas atividades normais.

— As lides fazem parte...

— *Quero vê-los estudando, senhor Aquelau* — sorriu Derionde. — Por favor.

E assim Aquelau reuniu os pupilos para uma aula. Sob as vistas de Derionde, quatro padres e um punhado de guardas, falou sobre uma Voz de Urag do passado, seus feitos e seus milagres. Derionde sorria.

— Tão simples assim? — disse o cardeal. — Essas crianças não fazem exercícios físicos?

— Sim, Eminência.

— Por favor, quero ver tudo.

Aquelau botou-os para se exercitar em turnos, enquanto os colegas que descansavam liam em voz alta o Discurso Santo. Todos os olhos em Derionde, furtivamente. Abranto puxava o corpo repetidas vezes numa barra de ferro, fazendo brotar gotas de suor no rosto, quando o cardeal chegou perto.

— Qual foi o principal milagre da Voz Galateia Segunda? — testou Derionde.

— Domar a serpente marinha — bufou o menino.

— Oh, desculpe, posso fazer perguntas a seus pupilos, senhor Aquelau?

— É uma honra, Eminência.

— E como essa Voz de Urag faleceu?

— Sacrificou-se para deter o ataque dos piratas — grunhiu Abranto.

— Que rapaz maravilhoso! Quem sucedeu a Voz Galateia?

— A Voz Mirna — com esforço titânico.

— Muito bem! Você ama Urag, menino?

— Mais do que tudo.

— E reza?

— Sempre.

— Onde?

— Onde quer que eu esteja, Eminência.

— E Urag lhe responde?

— Sempre, Eminência.

— Mas que milagre! Eu achei que apenas a Voz de Urag ouvisse Suas palavras.

Gelo.

— Pode descansar, jovem — disse Derionde.

Abranto desabou no chão.

— Ele não quis dizer — começou Aquelau.

— Deus ama as crianças! Um inocente como este não é capaz de mentir. Se ele diz que ouve a fala de Urag, só pode ser verdade. — Voltou-se para Abranto. — Gostaria de conhecer sua capela.

O garoto estacou um momento, roubou um olhar para Aquelau.

— Vou levar Vossa Eminência — disse o tutor.

— Não, não. Faço questão de que este jovem tão especial e miraculoso me conduza.

Abranto teve de liderar o caminho. Perdeu-se, é claro. O castelo tinha uma capela (seria arriscado demais não ter), mas nunca era utilizada. Entre as inúmeras passagens, salas, corredores, aposentos, a capela era apenas mais um, e sem uso. Depois de muitas tentativas, Abranto chegou ao lugar, na frente da procissão de alunos, padres e guardas.

— O senhor está de parabéns, mestre Aquelau — disse Derionde.

— Muito obrigado, Eminência.

— Está claro que este garoto não costuma vir à capela. Mas conhece tão bem a religião! E, veja só, Urag fala com ele! Vim a sua ilha para designar um padre para guiá-los, mas vejo que não é necessário.

Aquelau ficou quieto.

— Talvez eu devesse estudar aqui, tão santo é este lugar. Dispensa capelas, abriga profetas juvenis!

— Nunca dispensaríamos capelas, Eminência.

— Mas este jovem certamente dispensa. A não ser que não ouça as palavras de Deus, e estivesse mentindo.

Os olhos de Abranto se arregalaram e ameaçaram transbordar. Mesmo com doze anos, sabia o que significava admitir ter mentido para um cardeal.

— Tenho certeza de que ele fala a verdade, Eminência — disse Aquelau.

— Que bom. Venha, então, meu jovem. Quero que você me conte tudo que acontece aqui nesta maravilhosa Academia, para que eu possa relatar a meus irmãos. Vamos, não seja tímido, você deve se orgulhar.

Derionde levou Abranto para dentro da capela, só os dois. Fechou a porta.

Atreu não conseguia parar de tremer.

Depois que a Igreja foi embora em seu navio, Abranto ficou mudo, estranho, relutante. Ninguém ouvira sua conversa com o cardeal, e ele não revelava. Passou-se um mês, até que cedeu. Estavam ele e Atreu escondidos numa torre, um espaço sem uso, quase secreto, que escolhiam para as conspirações da infância. Estava muito frio, era a última hora da noite, logo antes do sol.

— Por que não quer dizer?

Abranto ficou quieto. Olhou para baixo e abraçou os joelhos.

— Vamos! O que falou com o cardeal? — disse Atreu.

— Eu jurei não contar.

— Mas antes jurou ser meu irmão, cortou seu dedo e tudo o mais, misturamos nosso sangue. Lembra?

— Isso era juramento de criança.

Atreu entortou a boca, numa reação involuntária. Tentou parecer indiferente, mas surgiu-lhe uma náusea. Além de ofendido, foi tomado por ciúme.

— E agora fez juramento de adulto, é? — com a voz pedante das crianças zombeteiras.

— Jurei por Deus.

Atreu começou a rir, mas então viu que não era piada.

— Deus?

— Você não entenderia.

— Já ouvi dizer que padres gostam de fornicar com garotos. Foi isso que o Cardeal Derionde fez com você?

Abranto arqueou as sobrancelhas.

— Claro que não! Pare de blasfemar, Atreu!

— Você está sendo uma mulherzinha.

— Como você tem ódio no coração. Sabia que Urag ama você, Atreu?

O outro bufou.

— Você ficou louco — disse Atreu. — Está certo, fique com o seu cardeal, case com ele. Venha, está quase na hora das aulas.

Levantou-se, mas Abranto permaneceu sentado, evitando encará-lo.

— O que foi?

— Hoje não vamos ter aula, Atreu.

Ele começou a dizer algo, mas ouviu uma trombeta ao longe.

— O que é isso?

— É o começo.

Atreu desceu as escadarias correndo, tropeçou nos últimos degraus, deixou a torre aos trambolhões, viu a luz das tochas. Longe, depois da praia, conseguia enxergar a silhueta de velas, mastros, bandeiras. Eram quatro navios, ancorados, serenos. E a luz das tochas se aproximando a galope. O som dos cascos ficou mais próximo, mais próximo, martelando a terra, e um grito:

— Deus!

Os cavaleiros se dividiram. Uma dezena e pouco desviou-se para as cabanas dos servos, munidos de suas tochas, bestas, espadas, bandeiras. Começaram a gritar, os servos saíam de suas casas. Já estavam acordados àquela hora, preparando-se para os primeiros deveres. Os cavaleiros jogaram tochas nos telhados de sapé, que começaram a arder de pronto. Gritaram o nome de Deus, avançaram para os homens e mulheres que deixavam as casas, no susto e fumaceira. A primeira espada reluziu no fogo, o cavaleiro descreveu um arco, cortou o pescoço de um cozinheiro. Passaram a toda velocidade, os enormes corcéis relinchando, por entre as cabanas, deixaram um rastro flamejante. Agora todos os servos já haviam saído das casas, e a matança começou.

Atreu viu-os gritar, tentar em vão proteger as cabeças, enquanto espadas e machados desciam, partindo crânios. Uma costureira saiu em disparada, berrando, carregando um bebê nu. A criança também gritava. Atrás vinha um cavaleiro, lança em punho. A mulher ouviu os cascos mas não olhou, correu ainda mais, olhos fechados de pavor, tropeçou. Seu corpo magro estava no ar, prestes a cair na terra, e ela segurava o bebê, os braços vermelhos de esforço — a lança atravessou os dois. Os cadáveres rolaram no chão, ficaram estirados com a enorme haste projetando-se das costas. O cavaleiro passou a galope, pisoteou o corpo, fez um som de quebra e gosma.

— Deus! Deus!

E os outros cavaleiros rumavam ao castelo. Atreu disparou portas adentro, berrando para avisar, mas todos já estavam de pé. Os alunos confusos, esfregando remelas dos olhos. Um dos mais novos começou a chorar. Aquelau surgiu por uma escada, amarrando a túnica no corpo.

— Fiquem aqui! — gritou o tutor. — Fiquem dentro do castelo!

Virou-se para um dos mais velhos, rapaz de quatorze ou quinze.

— Éruto, você é responsável pelos alunos. Reúna todos, escondam-se num porão.

Aquelau começou rumo às portas. Atreu foi até ele e puxou sua túnica.

— Abranto... Abranto disse...

— Eu sei. — Aquelau pousou a mão em sua cabeça por um instante. Então correu.

Atreu o seguiu.

Aquelau abriu as portas, disse chega, eu sou o culpado, os cavaleiros estavam desmontando. Atreu pôde ver os estandartes, as três trombetas da

Igreja. Um cavaleiro foi até Aquelau e deu-lhe um soco no rosto. O tutor voou para trás. Três cavaleiros se acercaram, e começaram a chutá-lo.

— Comigo! — chiou Éruto. As crianças obedeceram, mas Atreu estava paralisado. Éruto o agarrou pela túnica e o puxou, Atreu fez força para se desvencilhar.

— Fiquem, pagãos! — rugiu um cavaleiro.

Quatro deles arrastaram Aquelau para dentro do castelo, seu rosto pingando. Éruto correu, gritando para os outros seguirem-no, mas os cavaleiros entraram no castelo em uma onda, uns vinte, o metal ressoando no chão de pedra. De repente, pararam. Sacaram as bestas. O que parecia ser o líder disse:

— Não fuja, pagão!

Éruto continuou correndo.

— O covarde morre pelas costas — disse o cavaleiro.

E então eles atiraram.

Éruto foi pego por uma seta na nuca, teve um espasmo e rolou. As crianças foram atingidas na espinha, nas coxas, na cabeça. Por sorte, muitas setas passaram acima, e erraram — os alvos eram baixos demais. Então os cavaleiros avançaram.

Éruto e os outros cadáveres derramavam poças de sangue. As crianças tentaram correr, mas duas escorregaram. Uma menina de cabelos muito crespos caiu sentada no líquido vermelho. O cheiro fez brotar uma golfada de vômito, que sujou seu queixo e a frente de sua túnica. Ela deu um berro agudo, então uma manopla agarrou seu cabelo e puxou sua cabeça, expondo o pescoço. O fio da espada dividiu a garganta sem resistência, o corpinho foi deixado ali.

Os cavaleiros contornaram o sangue empoçado e chegaram às crianças antes que sumissem da vista. Cheiro de urina. Um menino, de cinco ou seis anos, decidira sentar num canto e olhar atônito, pois o mundo não fazia sentido. Um cavaleiro chegou perto, fez chiados tranquilizadores. O garoto ergueu a cabeça para ele, mal respirando. Viu a bota subindo, protegeu o rostinho, mas o pé recoberto de metal veio como um martelo na sua cabeça, e de novo e de novo, até que a criança ficou inerte e o cavaleiro continuou pisoteando, só para ter certeza.

Atreu berrou e pulou sobre um deles, qualquer um. O cavaleiro moveu-se rápido, pegou o garoto pelo pescoço, no ar. Ergueu-o, Atreu chutou seu peito, mas só machucou o pé, porque o homem usava armadura.

— Esse deve ser poupado — disse uma voz conhecida.

O cavaleiro assentiu. Atreu retorceu-se para ver o Cardeal Derionde, e Abranto do lado, agarrado à sua batina. Derionde tinha a mão no cabelo do garoto, afagando-o.

— Este é o seu amiguinho? — disse Derionde.

Abranto fez que sim.

— Ah, as criancinhas! Criaturas cheias de amor.

Aquelau estava vivo. Quatro cavaleiros segurando seus braços e pernas. Seu rosto era uma ruína: branco de osso, vermelho de sangue e um brilho meio prateado, dos humores que escorriam de um olho estourado como uma bolha.

— Eu sou o culpado — disse Aquelau. — Só eu. Por que isso?

Derionde chegou perto.

— O senhor devia ter vergonha. Corrompeu todos esses inocentes. Agora veja o que me obrigou a fazer!

— Nunca quisemos problemas — choramingou Aquelau.

Fiquei tentado a apresentá-lo em uma atitude mais digna aqui, mas Atreu contou-me isso como verdade. É muito difícil ser estoico em meio ao horror.

— Não se trata do que o senhor quis, mestre Aquelau. Acha então que seus desejos decidem o julgamento de Urag? Ora, essa é boa!

— São crianças.

— Crianças que o senhor estragou, com todo esse veneno que forçou-os a engolir. Diga-me, para que precisam de tantos livros, tanto pensamento? O trabalho não é bom o bastante para o senhor? Mesmo nossos maiores nobres rezam e cavalgam, protegem nossa terra e criam suas famílias. Mas isso não lhe é suficiente. O senhor se acha superior a todos?

— Você matou crianças.

— O senhor trouxe o diabo para esta ilha. As alminhas já estavam condenadas. Talvez tenhamos conseguido salvar algumas, que agora são anjos com o bom Deus. As demais estão no inferno, culpa do senhor.

Aquelau ficou mudo.

— Tudo vai ficar bem, senhor Aquelau. Já consertei seus erros.

Ele fechou os olhos, preparou-se para a lâmina.

Mas a lâmina não veio.

— Traga o amiguinho de Abranto — disse Derionde. — Você tem um ótimo amigo, jovem Atreu. Abranto quer sua salvação.

Arrastaram Atreu e Aquelau. Deixaram as tochas para trás. O que era de madeira queimou, junto as cabanas dos servos. O último que Atreu viu da Academia foram os corpos. O último que ouviu foram os berros dos animais deixados para morrer nos incêndios.

Aquelau debateu-se, tentou agarrar a espada de um cavaleiro. Os outros seguraram-no com mais firmeza.

— Não o matem! — disse o cardeal. — Temos que tirar esse demônio de seu corpo. Mestre Aquelau vai confessar seus pecados.

Sorriu.

— Fique feliz, senhor Aquelau. O senhor vai para o céu.

2

Foi como trancar um bicho selvagem. Naquela época, Atreu era um selvagem, muito mais do que fora na Academia. Porque precisava.

Sua primeira visão da capital foi o porto, uma coisa enorme, cheia de mastros, atravancada de navios. Docas de pedra cinza, homens indo de lá para cá e gritando uns com os outros, carregando e descarregando mercadorias. Levaram Atreu numa cangalha, pés descalços e a mesma túnica puída, suja de sangue e as escatologias da viagem, porto adentro. Os mesmos cavaleiros que haviam destruído seu mundo cercavam os padres que o conduziam, um de corrente na mão, levando-o como um cachorro na guia. As pessoas dobravam os joelhos ao estandarte das três trombetas. Atreu nunca vira tanta gente. Não sabia que havia tamanha variedade nos corpos e nos rostos. Desfilaram o prisioneiro juvenil pela cidade, os pés de Atreu queimando pela primeira vez nas ruas calçadas, sujando-se com merda de cavalos e vacas e porcos e gente. E sempre todos se curvando à passagem. Atreu retorcia-se, debatia-se, mas não tinha efeito. Nem mesmo um tapa. De relance, viu Abranto, sem cangalha, andando abismado, junto ao Cardeal Derionde. A guarda triplicada em torno do homem santo, e também uns guerreiros altos, com escudos que exibiam simbologia própria. Eram generais da época. Atreu não lembrava de seus nomes, e hoje já não fazem diferença.

Ruiturus, a capital de nossa terra, atacou Atreu com cheiros. Aquele povo não tomava banho, não tinha medicina. Ele ficou assombrado com o número de aleijados, que perdiam membros porque não sabia se limpar ou costurar um corte. Passaram perto de um mercado, e as verduras fediam como um estábulo. Todos falavam, um dialeto rude, um vocabulário limitado, aliado a grunhidos e gestos. Aquilo para Atreu era uma aldeia de bárbaros. Descobriu ser mais protegido das realidades do que qualquer filho de nobre.

Passaram pelo Palácio Eterno da Voz, e todos se ajoelharam. Fizeram-no cair de joelhos também. A procissão acabou na Catedral de Ruiturus. Uma coisa imensa, muito maior que o castelo da Academia. Tinha uma abóbada magnífica, esculpida com trombetas, anjos e Vozes já mortas. Um portão alto, que fazia os mortais notarem sua própria insignificância. Os pés de Atreu estavam cheios de bolhas, as solas queimadas de tal modo que ficar de pé era agonizante.

A catedral estava vazia. Empurraram-no pela nave, o largo corredor entre as fileiras de bancos coberto de um tapete áspero. As bolhas dos pés estouraram. No fundo do corredor havia um altar, à frente de uma enorme escultura, retratando as três trombetas. A nave se enchia de luz amarela, vermelha, verde, azul, filtrada pelos vitrais. Estátuas de Vozes do passado observavam os cavaleiros, os padres e o recém-chegado.

Puseram Atreu à frente de um pedestal com um pequeno baú.

Dois cavaleiros agarraram forte seus braços, de forma que ele não podia se mexer. Outro segurou sua cabeça, mantendo uma mão firme em sua mandíbula. Um dos padres tirou uma chave da batina, abriu o baú e revelou três frascos e três tigelas. Fez o sinal da voz elevada, erguendo as mãos espalmadas da altura da garganta até pouco acima da testa.

— Urag, nosso senhor, aqui viemos para fazer silêncio. Calai nossa voz impura, silenciai as blasfêmias à nossa volta. Deixai-nos cegos para as ilusões do mundo.

Derramou o conteúdo de cada frasco em uma tigela diferente.

— Aqui Vos apresento um perdido, que fala mentiras, ouve maldições e enxerga falsidade. Aqui Vos apresento alguém que não conhece a Vossa verdade.

O cavaleiro forçou a mandíbula de Atreu, abrindo sua boca. O garoto soltou um grito abafado, distorcido.

— Calai a voz ímpia, para que não se sobreponha a Vossas palavras.

O padre derramou o conteúdo da primeira tigela na boca de Atreu. Ele tentou cuspir, mas os cavaleiros fecharam sua boca, taparam seu nariz e esfregaram sua garganta, até que ele engoliu. Então o soltaram. Atreu gritou, um momento, e então sua voz sumiu. Abriu a boca o máximo que pôde, forçou o ar para fora, sentiu as cordas vocais vibrarem, mas som algum saiu.

— Fechai os ouvidos que não têm sabedoria, para que ouçam apenas o que Vós dizeis.

Forçado a engolir o líquido da segunda tigela, Atreu ouviu o padre guardá-la, e o clangor das armaduras, e então não ouviu mais nada. O mundo ficou silencioso. Viu a terceira tigela ser apanhada, e viu os lábios do padre se moverem, mas não ouviu as palavras.

— Cegai os olhos iludidos, para que só o Vosso mundo possa ser visto.

E o terceiro líquido goela abaixo. Esfregaram-lhe a garganta, Atreu engoliu, um instante depois, e tudo ficou preto.

— Acolhei este perdido, que agora é cego, surdo e mudo para a mentira. Preenchei-o com a verdade. Eu te batizo, Atreu, com a única visão, a única Voz e o único som, sobre tudo e sobre todos.

Sentiu mãos em si, sentiu-se carregado. Sentiu a túnica arrancada, jogado em água fria. Cabelo cortado, enfiaram comida em sua boca, cheiros diferentes, sol na pele, sombra, frio, sentado em algo de madeira, mãos e pés amarrados. Sensação de rodas numa estrada de cascalho.

Uma semana depois, Atreu piscou e viu luz novamente. Ouviu o som de chuva e notou que estava gemendo em voz alta. Deitado numa cama.

Estava na Escola Marcial.

O bicho selvagem estava abatido, desgastado. Por uma semana adivinhara o mundo através do tato, dos cheiros e gostos. Sentira mãos estranhas limparem-no e alimentarem-no. Passara muito tempo amarrado, perdera a capacidade de ferir.

Estava sobre um colchão fofo. Bons lençóis. Olhou para o lado, havia um garoto ruivo, mais ou menos da sua idade. Ao enxergar Atreu, fixando-o com um olhar, pulou da cama e correu. Outro lado, outro menino dormia. E por toda a volta. Era um alojamento, camas iguais com um baú em cada pé. O teto alto, arqueado. Uma janela minúscula, deixando entrar luz exígua, castigada por pingos de chuva.

O garoto ruivo entrou mais uma vez no alojamento, através de uma grossa porta de carvalho. Veio junto a um padre.

— Muito obrigado, Arvano. Agora volte a dormir.

Atreu sentou-se na cama. Estava vestido com uma espécie de camisa folgada e calças. O padre olhou-o com um sorriso e se sentou em sua cama também. Era alto e magriço, com ombros estreitos e quadris largos. O nariz era grande e pesado, como uma gota, puxando o rosto macilento para baixo. Seus cabelos finos e ralos não escondiam um par de orelhas compridas, como as de um cão tristonho.

— Olá, Atreu. Seja bem-vindo.

Atreu desconfiado. Vasculhou os arredores, procurando a melhor rota de fuga.

— Você ainda não conhece o meu nome, mas já somos amigos. Sou o padre Aegio. Cuidei de você enquanto estava se purificando.

O menino ficou calado.

— Não há motivo para timidez, Atreu. Você não tem segredos para mim. Já lhe dei banho, limpei suas fezes, pus comida em sua boca. Somos amigos.

Atreu foi tomado de uma vergonha acachapante. Não conseguiu olhar o padre no rosto. Sua prontidão de fugir, atacar, ferir aquele homem de alguma forma foi amolecida pela humilhação súbita.

— Sabe onde está?

Fez que não.

— Está na Escola de Guerra e Devoção da Voz Alecta. Mas todos chamam de Escola Marcial. — Sorriu, deu de ombros. — Aqui, vai aprender a lutar, comandar homens e ser um bom filho de Urag.

Nada.

— Está com fome?

— Não. — A primeira palavra em uma semana. Saiu estranha, desafinada.

— Eu estou. Importa-se de vir comigo e me acompanhar enquanto como um pouco?

Atreu o acompanhou. Estava com fome, é claro, porque não havia se alimentado direito durante os sete dias. Seguiu o padre Aegio até um refeitório, onde uma mesa coberta de pães, queijos, mel e geleias estava lhes aguardando. Também leite bem quente em talhas fumegantes, vinho aquecido com mel e especiarias, chá e frutas. O padre espalhou doce em um pedaço de pão e pôs na tigela à frente de Atreu. Fez o mesmo para si. Atreu hesitou, deu uma mordida. Era delicioso.

O padre observou satisfeito enquanto o garoto se empanturrava. Depois que Atreu empurrou a tigela, ele disse:

— Agora tente dormir. Amanhã acordamos bem cedo para os estudos. Será seu primeiro dia. Está entusiasmado?

Atreu, condicionado desde sempre a levantar antes do sol, abriu os olhos e achou estar cego de novo. Tudo escuro. Mas as pupilas se acostumaram, e pôde discernir as formas empelotadas dos colegas de alojamento, ressonando em paz. A chuva continuava a martelar na janelinha.

Atreu ergueu-se em silêncio, foi até a porta, testou, estava trancada. Tateou, deixou os olhos se adaptarem ainda mais. Viu que, entalhada na porta, havia a imagem de um padre cercado por garotos que corriam e saltitavam. Alguma figura histórica.

Tempo, e ninguém fazia menção de acordar, ninguém entrava para despertá-los. Mais ou menos quatro horas depois, uma chave girou do outro lado, o padre Aegio adentrou o alojamento e chamou os alunos, com voz cantarolante.

— Bom dia, pupilos de Deus! Mais uma vez, é hora de despertar! É mais um dia alegre para os bondosos.

Em todo o alojamento, os meninos remexeram-se nas camas, gemendo e reclamando. O padre foi até cada um, falando com paciência, incentivando-os a encarar o dia e seus desafios emocionantes. Aos poucos foram levantando. O processo todo demorou cerca de meia hora. Atreu já se vestira com as roupas que achara no baú e arrumara sua própria cama. Viu que os outros olhavam-no como se fosse um animal raro.

— Ora, muito obrigado, Atreu! — disse o padre. — Mas não precisa arrumar sua cama. Temos servos para isso.

O padre liderou o cortejo de garotos remelentos e reclamões porta afora, mantendo seu sorriso. Puxou uma cantoria, à qual se juntaram as vozes dos alunos.

O mundo não precisa de canção
Fico quieto e não falo
O silêncio preenche o coração
Deus é bom, eu me calo

Versos rudes e simples. Atreu reconhecia a melodia, e os versos de onde a letra fora corrompida. A canção fazia parte de uma peça teatral antiga, que relatava a vida trágica de uma prostituta que acabava por matar o próprio filho. Era o final do segundo ato, quando a protagonista optava por ficar calada enquanto assistia a dois irmãos igualmente apaixonados por ela tramarem a morte um do outro. Tudo isso convertido em hino religioso infantil.

Todos são alegres
Neste mundo não se chora
A Voz do meu Senhor
Manda o sofrer embora!

Sentaram-se às mesas compridas do refeitório e foram apresentados ao mesmo banquete que Atreu tivera durante a noite. O desjejum durou muito tempo. Já passava do meio da manhã quando enfim levantaram--se, impelidos pelo padre, para orações matinais e confissão. Então, a primeira aula.

Aegio levou-os para um salão onde outro padre esperava-os com um grande mapa em uma tapeçaria e alguns livros. Havia almofadas no chão para que todos sentassem. Os garotos se acomodaram em meio a reclamações, bufando pelos deveres. Depois de vários minutos, o professor conseguiu que se calassem. Começou a discorrer sobre uma campanha antiga, quando um conde dizimara várias nações de bárbaros no sul. Atreu conhecia aquela história. Notou que era bastante simplificada.

— Quem pode me dizer o que aconteceu então? — O professor dirigiu-se aos pupilos, em certo momento.

Atreu sabia. O conde convidara os chefes bárbaros para um festejo, de acordo com as tradições pagãs das nações, e envenenara seu vinho. Exigira a rendição em troca do antídoto. Segundo os registros, o conde trocara um punhado de grama por todas as planícies do sul.

— Quem pode me dizer? Ozano?

Um garoto se ergueu.

— O conde fez um acordo com os chefes.

O professor fez um gesto conciliador.

— Sim, pode-se dizer isso, em termos. Para ser mais específico, todos os chefes adoeceram ao mesmo tempo, porque eram inimigos de Urag. Mas sim, vou considerar sua resposta como certa. Parabéns.

O rapaz sentou-se com as pálpebras meio fechadas. Atreu olhava tudo com um ar atônito.

Houve então o almoço. Atreu não sentia fome alguma. Carne, sopa, queijos, pão, frutas, em uma sucessão infinita. As crianças mordiscavam, deixavam restos nos pratos. Levantavam-se e corriam pelo refeitório. Os padres tentavam contê-las.

Um garoto sentado ao lado de Atreu ergueu a voz, engrolada pela boca cheia de comida.

— Ei, Andara!

Uma serva se aproximou. Tinha seus vinte anos. Era bonita, apesar das orelhas de abano. Abaixou-se para falar com o menino, enquanto ele estufava ainda mais comida na boca, distendendo as bochechas.

— Quer um pedaço de queijo?

— Claro, por favor — disse Andara.

O garoto bateu nas duas bochechas ao mesmo tempo, enviando um jato de comida semimastigada e cuspe no rosto da serva. Então explodiu em uma gargalhada que fez seu corpo dobrar. O refeitório se uniu no humor.

A criada lutava para conter o lábio que tremia e manter as lágrimas para dentro. Um padre interveio.

— Peça desculpas! — disse ao garoto.

Ele disse um desculpe, no meio dos risos.

— Muito bem, muito bem — disse o padre. — Ele sabe que não deve mais fazer isso. Vá se limpar, Andara.

Depois do almoço, hora do descanso. E, depois de uma hora, exercícios. Todos voltaram ao alojamento, vestiram roupas específicas para aquilo. Atreu sentia os músculos reclamarem, exigirem esforço. Como se estivesse sem comer ou dormir há uma semana, sentia falta de corridas, treinos.

Seguiram a um pátio interno, sempre conduzidos por Aegio. Não havia uma espada de madeira ou escudo, apenas colchões de palha e bastões acolchoados. Chovia. Um padre barrigudo e alto os recebeu.

— Como Urag nos abençoou com a chuva hoje, faremos algo diferente — disse o padre instrutor.

Era um jogo. Um garoto era escolhido como o perseguidor, e então deveria correr atrás dos colegas, cujo dever era fugir. Assim que alcançasse algum, deveria gritar, avisando. Todos então paravam onde estavam, e o perseguidor deveria falar a todos uma qualidade do colega capturado, que era o novo perseguidor. E assim por diante.

— Eldane sabe contar piadas muito engraçadas!

Atreu sentiu-se num circo. Estava correndo, quando sentiu a mão do perseguidor em seu braço.

— O garoto novo corre muito rápido — disse o menino de cabelos loiros, quase brancos, e olhos cinzentos.

O padre falou algo sobre sempre haver algo bom a ser dito, mesmo a respeito dos novos amigos. Todos eram amigos, era apenas questão de tempo até que se conhecessem.

— É sempre assim — sussurrou o garoto loiro, enquanto o padre discursava.

— O que eles estão fazendo? — disse Atreu.

— Querem que todos fiquem moles.

Então era a vez de Atreu perseguir. Não teve dificuldade de, em três passadas, alcançar um dos rapazes lentos e macios.

Depois, voltaram ao alojamento.

— Não reclame — disse o garoto de olhos cinzentos. — Vão notá-lo.

— Não consigo entender — disse Atreu. — Ninguém aprende nada. Não nos ensinam a lutar?

— É claro que não. Esta escola serve para criar fracos.

Atreu abriu as mãos, seu queixo pendeu.

— Por quê?

— Todos aqui são filhos de nobres. Aquele? Duque. Aquele? Barão. Querem que os nobres sejam burros e molengas, para não causarem problemas. E os pais também gostam. Acham que é crueldade obrigar seus filhos a estudar ou treinar.

— Por que a Igreja quer gente fraca?

O garoto suspirou.

— Existe outra escola. É o Instituto do Brado de Urag. Lá se formam os guerreiros da Igreja. Quem está aqui deve ser domado, e não treinado.

Silêncio.

— Por que você está aqui? — disse Atreu.

— Meu sonho é ser um guerreiro de Urag. Queria estudar no Instituto. Meu pai tem medo de mim, porque não tem fé suficiente. Estou aqui para enfraquecer. Ficar como ele.

A ferocidade nos olhos do rapaz traía um ressentimento impregnado.

— E você?

— Fui discípulo de um herege.

A conversa foi interrompida, porque chegavam a uma nova sala de aula. Era uma instrução de leitura e escrita. Os alunos deveriam ler meia página, e depois escrever uma frase sobre os sentimentos que o texto provocara.

De novo, Atreu olhou incrédulo. Palavras curtas, encadeamento simples. Com cinco anos, ele fora capaz de ler aquilo. Talvez com seis, de escrever o que era exigido. Observou os colegas franzindo o cenho para a página, desenhando cada letra com grande esforço.

E depois, ainda horas antes do escuro, o dia acabara.

— Se quiser, pode treinar comigo, mais tarde — disse o rapaz de olhos cinzas.

Atreu concordou com entusiasmo.

— Mas temos que sair escondidos. Eles têm espadas, arcos, todos guardados. Enferrujando, apodrecendo. E têm livros. Ficam todos trancados.

Atreu de repente olhou-o de lado.

— Você acredita em Deus?

— É claro — disse o outro. — Sobre tudo e sobre todos.

— Gente religiosa é traiçoeira. O último carola que foi gentil comigo matou todo mundo que eu conhecia.

Silêncio.

— Você deve estar enganado. Não pode ser um homem religioso de verdade.

— Por que está me falando tudo isso? — disse Atreu.

O outro deu um meio riso.

— Acha que eu consigo conversar com algum desses idiotas? Alguém que queira correr, lutar ou ler é uma bênção de Deus.

— Deus não existe.

— É claro que existe. Você apenas não O conhece.

Ficaram se medindo.

— Meu nome é Atreu. — Estendeu a mão.

— Sou Ganimedes.

Ganimedes o levou até o depósito onde havia dezenas de armas sem uso. Escolheram as que queriam, foram a um pátio afastado e testaram-se no primeiro treino oculto. Atreu viu que o outro era bom — não tão forte quanto ele, mas muito rápido. Tinham pouco tempo quando passaram aos arcos, e Ganimedes demonstrou sua superioridade total. De madrugada, voltaram ao depósito, suados e contendo o riso, para guardar as espadas que haviam tomado. Atreu sentia uma dor boa em todos os músculos.

— Você conhece bem a escola?

Ganimedes fez que sim.

— Preciso achar alguém. Saber se está aqui.

— Quem?

— Um coleguinha. Chama-se Abranto.

— Por quê?

— Vou matá-lo.

Era muito fácil para Atreu manter o ritmo dos treinos noturnos. A semana de cegueira e surdez, acompanhadas de imobilidade, e os dias preso no navio não haviam apagado o costume da vida toda, acordar antes do sol e extenuar o corpo e a mente. Os garotos do alojamento deitavam-se e ficavam rindo, trocando comentários, reclamando. Atreu pousava a cabeça no travesseiro e logo dormia, mergulhava num sono profundo, e despertava descansado, alerta. Era massacrado apenas pelo tédio dos dias, as aulas cheias de tergiversações, preocupações com o modo como o conhecimento fazia os alunos se sentirem. Todos os padres gastavam muito tempo garantindo que ninguém fosse taxado de estúpido, e raramente diziam que algo estava errado, por maior que fosse o disparate. Era difícil lembrar de todas as informações corretas, pois as aulas repetiam fatos inventados ou resumidos a ponto de perder o sentido. As leituras da noite tornaram-se tão importantes quanto o treinamento físico. Logo Atreu e Ganimedes capturaram um ábaco, e passaram a estudar também a matemática. Ganimedes não sabia quase nada sobre o assunto e teve de ser ensinado pelo outro. Atreu descobriu que era uma ótima maneira de manter seus próprios conhecimentos afiados, e aprender ainda mais. Havia alfarrábios cheios de números, escondidos nas mesmas bibliotecas esquecidas que abrigavam história, literatura, geografia. Atreu demonstrou sua habilidade no desenho, em especial através de cenas pornográficas envolvendo caricaturas dos padres. Ganimedes insistiu para que desenhasse seu retrato. Fazia falta a medicina. Um ou dois livros, cheios de erros. E era impossível fazer um estudo apropriado sem dissecações, prática. Atreu e Ganimedes viraram-se como puderam, montaram a própria educação.

E, ao longo dos meses, Ganimedes vasculhou o prédio da escola. Era um enorme bloco de pedra, poucas janelas e paredes escuras. Vários andares, e sempre o teto muito alto, cheio de teias de aranha inalcançáveis. Um labirinto, com alas para grupos etários diferentes que mal se encontravam. As parcas decorações eram tapeçarias puídas ou mosaicos com ladrilhos faltando, sempre exibindo cenas edificantes: pássaros alimentando seus filhotes, irmãos andando de mãos dadas, trombetas soando para crianças e padres dançando em júbilo. Capitaneada por um batalhão de eclesiásticos e mantida por um exército de servos, a escola girava em torno das necessidades e caprichos dos alunos. Os servos moravam nos porões, enquanto os padres tinham sua própria ala, atrás de portas trancadas e para sempre inacessível.

Ganimedes conseguiu entrar. Viu os corredores muito bem iluminados, limpos. Viu a cozinha própria, de onde saíam aromas apetitosos. Viu os claustros dos padres, quartos luxuosos que acomodariam um nobre. Viu a adega particular, de onde roubou algumas ânforas, os jardins internos e a plantação de folhas vermelhas exóticas, que ele não conhecia. Esgueirou-se pela parte residencial e chegou aos quartos de hóspedes. Um deles estava ocupado por um garoto.

— Ele está aqui — disse para Atreu, depois.

Escondidos no depósito, em meio às espadas, lanças, escudos, arcos. Atreu aceitou a ânfora, tomou um gole, fez uma careta. Logo sentiu um zumbido atrás dos olhos. Fora acostumado a tomar água, e sabia que o vinho chamava fúria em alguns homens. Mas, de alguma forma, sentia-se tomado por uma necessidade de transgredir, mesmo que isso lhe prejudicasse.

— Pois quero matar o desgraçado.

Ganimedes ficou olhando-o.

— Matar não leva a nada, Atreu.

— Você quer ser um guerreiro da Igreja. Vai matar.

— Vou matar os inimigos da Igreja.

— Abranto é meu inimigo.

Ganimedes suspirou. Atreu contara-lhe o que acontecera na Academia. Aquelau e os pupilos, os servos e as pegadas sangrentas dos cavaleiros.

— Como você pode defender a Igreja, Ganimedes? A Igreja matou crianças ainda mais novas que Abranto.

— Existem monstros, é claro. Mas a ideia por trás da Igreja é boa.

— A Igreja mata crianças e tenta nos transformar em imbecis.

— No Instituto de Urag eles treinam os alunos para serem fortes e sagazes. Os nobres são os culpados por esta escola.

— Os padres são assassinos.

— Duvido que a Voz de Urag saiba desses crimes. Se soubesse, tomaria providências. E você conhece alguma forma melhor de chegar a Deus? Temos a Igreja, por mais que seja falha.

— Deus não existe, Ganimedes.

— Um dia você vai crescer e parar com essas bobagens.

Atreu queria sacudi-lo, dar-lhe um tabefe. Já gaguejava um pouco por causa do vinho.

— Mas você vai me dizer onde está Abranto. Ele não é da Igreja. É só um filho da puta.

Silêncio. Ânfora, ânfora, secaram-na.

— Certo — disse Ganimedes. — Mas não quero que você seja pego.

— Acha que vão me matar? Não me importo.

O outro riu, imitando a risada condescendente dos adultos ao lidar com crianças.

— É isso mesmo que você quer? Matar Abranto, que era seu melhor amigo, e então morrer neste buraco, vítima dos padres que tanto odeia? E, se não existe Deus, então ser enterrado, e fim?

Atreu ficou quieto, prestando atenção às pedras da parede. Nunca tinha percebido como eram interessantes. O vinho fazia efeito.

— Tudo bem, não quero morrer — admitiu.

Claro que não, disse Ganimedes, enrolando a língua. Porque a vida era ótima, e era pecado desperdiçar o presente de Deus. Ganimedes tinha maturidade, para alguém tão jovem e, mesmo sob o cobertor de vinho, sabia que ganhar educação e força era mais heroico do que morrer aos doze anos.

— Vou ensinar você a se esgueirar — disse o garoto. — Vai passar despercebido. Então vamos achar Abranto.

— E matá-lo.

— E deixar que Deus mostre o caminho certo.

3

Foram meses até que Atreu aprendesse a se esgueirar. Nesse tempo abandonaram a espada, o arco e os livros, só faziam engatinhar para cima e para baixo na escola. Ganimedes conseguiu um mapa, que confirmava os esquemas que Atreu andara esboçando. Atreu preocupava-se que seu alvo abandonasse o prédio. Que, como querido dos padres, Abranto fosse para alguma escola de maior naipe. Mas Ganimedes garantia a tranquilidade — ele estava ali, e não iria embora.

— Como tem tanta certeza?

Ganimedes deu de ombros.

— É um indesejável, como nós. Se quisessem que aprendesse algo e ficasse forte, estaria em outro lugar.

— Mas então por que não está conosco?

— Bem, talvez ele esteja aprendendo algo. Mas não querem que seja esperto demais.

— Talvez os padres estejam usando-o como mulher.

Ganimedes ergueu uma sobrancelha.

— São padres!

— Por isso mesmo — disse Atreu. — Não podem deitar com mulheres, então usam meninos.

— Isso é boato.

— Acho que é verdade.

Mas Ganimedes não gostava daqueles assuntos, e vivia com arrependimentos sobre treinar o amigo para um assassinato, então Atreu não insistia.

Parte da rotina da escola era a confissão. Cada aluno, trancado na caixa com uma venda nos olhos e os ouvidos tapados, relatava seus pecados (lutas, furtos, masturbações, pederastias) ao padre oculto que ouvia e decretava penitência. E a dupla de conspiradores tramava um crime de adulto. Atreu mentia ao confessor sem problemas, mas Ganimedes sempre deixava o confessionário com ar abatido. Certa noite, os dois numa reentrância sob uma escada, esperando que um empregado insone passasse, Ganimedes não conteve um soluço.

— O que foi?

— Deus me perdoe. Deus me perdoe. Deus me perdoe.

O peso das mentiras, dos crimes do presente e do futuro, desabou sobre o menino. Ganimedes sentiu, de repente e por razão alguma, a desaprovação de Urag, e não havia onde se esconder. As costas de Atreu ficaram duras como uma tábua, todos os músculos retesados. Um tremor, chegava a bater os dentes.

— O que foi, Ganimedes?

— Deus me perdoe. Por favor, Urag, me perdoe.

Mesmo do alto de sua onipotência juvenil, sua invencibilidade de doze anos, Atreu temia algo: o fanatismo. Era incompreensível que pessoas acreditassem numa criatura onisciente, num juiz que avaliasse todos os seus atos, e que temessem um tal ser estapafúrdio. Alguém como Ganimedes — racional, inteligente e prestativo — perdido em um pensamento irracional o fazia sentir-se sozinho, incapaz de confiar em ninguém.

— Não posso mais. Você é um pecador, Atreu. Não sabe ser cego e nem calar a boca, e eu não sei parar de ouvir. Não posso mais fazer isso.

Fez menção de se erguer, Atreu lhe agarrou o braço.

— Não!

Ficaram se olhando. O rosto de Ganimedes riscado de lágrimas. O insulto de ser agarrado pelo outro, como se fosse autoridade.

— Por favor, não — sussurrou Atreu. Decidiu ser humilde. Largou-o.

— Estou mentindo no confessionário, todos os dias. Vou para o inferno.

— Não vai, não se preocupe.

— Como você sabe? Você não acredita.

Silêncio.

— Não posso mais mentir — disse Ganimedes. — Não posso mais fazer isso.

— Tudo bem, você já me ajudou o bastante. Não precisa se envolver com a morte de Abranto.

— Não. Não, não. Eu não posso mais fazer nada disso. Chega de ler escondido, treinar escondido. Chega de mentir.

Uma fisgada nos olhos de Atreu, também sentiu que ia chorar, na ameaça de abandono. Mas, naquela idade, seria uma demonstração de fraqueza imperdoável. Engoliu.

— Não acredito mesmo — disse Atreu. — Não acredito que exista inferno. Mas, se existir, duvido que você acabe lá.

— Eu estou mentindo no confessionário.

— É a única forma de se tornar um guerreiro de Deus, não é?

Nada.

— Está mentindo para os padres — disse Atreu. — Os padres não são ninguém.

— A Igreja representa Deus!

— Mas só a Voz fala com Ele, certo?

Era verdade. Ganimedes relaxou, fungou.

— Preciso do julgamento da Voz — disse Ganimedes, depois de um tempo.

E foi então que uma semente de dúvida se plantou em Atreu. Foi uma semente poderosa, uma coincidência extraordinária — ou mesmo intervenção divina. Uma semente forte o bastante para rachar a certeza de um garoto. De manhã, o padre Aegio levou todos a um pátio central, onde também estavam os outros grupos, todas as idades reunidas, rostos que nunca se cruzavam na escola. Os reitores fizeram um anúncio e disseram que haveria preparativos nas três semanas seguintes, para uma visita importante. Ganimedes arregalou os olhos. Quisera o julgamento da Voz. E agora a Voz de Urag iria visitá-los.

Todas as horas do dia se transformaram em educação religiosa. E, para a surpresa de Atreu, algo semelhante a disciplina e rigor foi enxertado à força no cotidiano dos alunos. Repassaram as mais diversas orações, o modo de se portar frente à representante de Deus. História da religião. Um coral infantil foi treinado às pressas. Os estudantes gemiam, reclamavam, mas eram silenciados por olhares duros. Desacostumados à mais leve repreensão, alguns ficavam apavorados. Outros, condicionados a descartar qualquer contradição a seus desejos, revoltaram-se. E sumiram. Os padres diziam que estavam em aulas especiais, retiros onde aprendiam a ter calma. Atreu e Ganimedes sabiam que havia lugares na escola cuja função eles ainda desconheciam, e que podiam muito bem estar abrigando esses desordeiros.

Aegio anunciou que alguns discípulos receberiam a grande honra de falar pessoalmente com a Voz. Ganimedes perdeu o fôlego. Todos deveriam escrever sobre o que gostariam de falar para Deus — os três melhores de cada grupo seriam selecionados. Os dois amigos não tiveram dificuldades, já que os colegas lutavam com a pena e tinta como se fossem serpentes. Atreu, Ganimedes e o menos terrível dos outros foram chamados em particular, cumprimentados e questionados sobre seus lindos sentimentos. Atreu mentiu com desenvoltura e alegria. Ganimedes falou com um fervor capaz de assustar os religiosos.

— Deixe eu ler o que você escreveu — disse Ganimedes, depois.

— Não. — Atreu segurou o pergaminho atrás do corpo. — É bobagem.

Ganimedes fez uma careta de imbecil, imitando as palavras do outro. Atacou-o, conseguiu roubar o objeto.

— Isto é muito bonito, Atreu. Você é uma boa pessoa, no fundo.

— Tudo mentira. Não acredito em Deus.

— Não é preciso viver metido em igrejas para ter Deus no coração.

— Eu vivo metido numa igreja.

Ganimedes sorriu.

E os dias passaram num borrão, até que a Voz chegou.

Os alunos foram alinhados no pátio de entrada da Escola Marcial, com seus uniformes mais bonitos, supervisionados por padres e cavaleiros da Igreja. Era manhã, um sol tímido espiando de trás das nuvens. As paredes haviam sido esfregadas com fúria pelos servos, e quase todo o limo fora eliminado. Esperaram. Um sino começou a badalar, os padres ficaram em polvorosa. De dentro, vieram os de mais alto escalão, metidos em batinas de gala. Um deles levava Abranto pela mão. Atreu o viu e sentiu os joelhos amolecerem. Era a primeira vez que lhe punha os olhos desde a Academia.

O portão externo se abriu. Cavalos e mais cavalos, andando com as patas muito erguidas, numa postura elegante. Cobertos por tecidos decorativos, exibindo as três trombetas. Seus cavaleiros portando estandartes e lanças. Logo atrás, meia dúzia de padres a pé, balançando incensários que expeliam fumaça branca de cheiro doce e enjoativo. Mais oito padres — homens jovens e robustos — carregavam a liteira, quase uma carruagem, que possuía seu próprio teto e suas cortinas vermelhas e douradas, pesadas como paredes. Lá dentro estava a Voz. Ao lado, um general. O líder da escolta, mas ia a pé. Atreu não sabia, mas não havia cavalo que conseguisse sustentar seu peso. Alto, magro, ombros largos. Pescoço taurino e queixo imponente, cabelos negros curtos, oleados à perfeição. Um bigode fino sobre o lábio superior. Parecia mais civilizado do que qualquer um fora da Academia. O uniforme era estranho, uma casaca azul com dragonas, e uma série de medalhas de origem incerta. Carregava uma enorme espada às costas. Era Pugna Marco Segundo, e Atreu já ouvira a boataria sobre o homem que diziam ser imortal, e que vivia para proteger as Vozes. Naquela época, já aparentava a idade que tinha quando eu mesmo o conheci, e vestia a mesma roupa.

Do outro lado da liteira, ia um cardeal. Por um instante, Atreu sentiu o terror de que fosse Derionde, mas a figura não poderia ser mais diferente. Era alto, bem magro, com queixo pontudo. Muito jovem, pois ascendera rápido na hierarquia da Igreja. O Cardeal Simas era o intermediário espiritual entre a Voz de Urag e o mundo durante aquela viagem. Não deixava de surpreender que Derionde delegasse a tarefa. Mas, no final, Simas foi uma ótima escolha. Derionde nunca tomou decisões sem pesar suas consequências.

Seguia-se à liteira mais um contingente de cavaleiros, e então o portão foi fechado, admitindo todo o séquito da Voz de Deus na Escola Marcial.

Todos se ajoelharam.

Os oito padres carregadores desceram a um joelho, sem largar a liteira. Simas chegou perto, fez o sinal da voz elevada e puxou uma cortina, revelando a líder da Igreja.

Era uma menina. Talvez dois anos mais velha que Atreu e Ganimedes. Ou talvez causasse essa impressão pela maquiagem pesada, que tornava sua face branca, e pelos robes elaborados, cheios de camadas, que escondiam seu corpo e lhe emprestavam majestade. Seu rosto era oval, com olhos verdes amendoados, parecendo amortecidos. As sobrancelhas haviam sido arrancadas fio a fio, para formar um desenho preciso. Os cabelos haviam sido descoloridos e então tingidos de lilás. Amarrados em um padrão escultural, que exigia uma armação de madeira. A Voz carregava uma trombeta de ouro e um cetro, seus símbolos de poder. Os mantos tinham a mesma tonalidade das cortinas da liteira, escarlate e dourado, em padrões abstratos e complexos. A Voz de Urag ficou parada. Simas fez um gesto solene.

Os reitores da Escola Marcial se aproximaram, com as cabeças baixas. Abranto ia junto. O rapaz chegou perto da Voz, enquanto os sacerdotes pararam a alguns metros de distância e voltaram a se ajoelhar. Abranto estendeu as mãos, segurando uma almofada sobre a qual repousava um pequeno osso. Diziam ser parte do dedo de uma Voz da antiguidade, a relíquia maior de posse da escola. A Voz largou seus objetos dos dois lados de seu corpo. Tomou o osso, beijou-o e depositou-o de volta sobre a almofada. Fez o sinal da voz elevada sobre Abranto, que não conteve lágrimas serenas. Curvou-se e se retirou, caminhando para trás, sem nunca dar as costas à santa.

A Voz de Urag falou, mal abrindo os lábios. Ninguém ouviu o murmúrio. O Cardeal Simas fez uma mesura e dirigiu-se à congregação:

— Sua Santidade, a Voz Desdêmona, abençoa este lugar.

Todos fizeram o sinal da voz elevada. Simas fechou a cortina. Os oito carregadores se ergueram, a procissão continuou para dentro da escola. Alunos, padres e servos ficaram ali fora, aguardando, enquanto a Voz era retirada da liteira e os cavaleiros desmontavam. Até que Desdêmona estivesse acomodada em seu aposento, ninguém mais pôde entrar.

Atreu conseguiu capturar o olhar de Abranto. Correu o dedo indicador pela garganta. O jovem traidor abaixou a cabeça, enterrou a cara em uma batina.

Ganimedes tremia. Esticava o corpo para olhar a fila, quantos faltavam até que chegasse a sua vez na porta, e então atrás da porta. Batia o pé, impaciente, mordia uma unha, reclamava da demora em sussurros. Mas, a cada um que entrava, aproximando-o do objetivo, sentia uma náusea, uma súbita leveza de desmaiar. Atreu estava cutucando uma casca de ferida.

— Acha que ela vai me perdoar? — disse Ganimedes, mais uma vez. — Acha que ela já sabe de tudo? Acho que vou contar mesmo assim. Para não parecer que estou tentando mentir. Como será que é ouvir Urag? Ela é bonita, não é? O que será que ela fala? Acha que, se eu pedir, ela me deixa ir para o Instituto de Urag?

— Ela é muito nariguda. Realmente, Deus deve ter amaldiçoado a coitada.

Ganimedes abriu a boca.

— Nariguda? — Quase esqueceu de sussurrar. — É perfeita! Uma criatura divina!

— E é fanhosa. Meu ouvido chegou a doer.

— Você conseguiu ouvir quando ela falou?

Atreu abocanhou os próprios lábios para não rir.

— Você vai para o inferno — disse Ganimedes.

— Vou dizer para a Voz mandar você também!

Era divertido provocar o amigo, mas Atreu temia pela decepção de Ganimedes. Não lhe escapara que o tempo entre cada abrir de porta era exatamente o mesmo, como se fosse calculado, um roteiro pré-estabelecido. O que quer que ocorresse ali, naquela sala fechada, não era uma conversa.

A fila foi se esvaindo. Os já agraciados saíam sem ser vistos, por alguma porta dos fundos. Ganimedes começou a suar. Enfim era o próximo, e Atreu achou que ele fosse cair duro. Um ou dois minutos e a porta se abriu, um padre fez sinal para que entrasse. Ganimedes dirigiu um último olhar para o amigo e avançou, contendo-se para não correr, quase tropeçando.

A porta fechou.

O que mais feria o espírito de Atreu, se é que tal entidade existe e ele o possui, era o tédio. E aquilo era só mais tédio. Ficar de pé, esperando, para ouvir qualquer coisa de uma garota maluca.

Dois minutos e a porta se abriu. Fizeram sinal para que ele entrasse.

Caminhou, o padre fechou a porta atrás dele, e Atreu estava na sala muito iluminada. Centenas de velas, e espelhos que refletiam a luz, dando ao lugar uma aparência de mais espaço, e ainda mais claridade. Três incensários derramando a fumaça branca de cheiro doce criavam uma atmosfera intoxicante. Uns dez homens de armadura estavam de prontidão, liderados pelo General Pugna. Também quatro padres, apenas um pertencente à escola. No outro extremo da sala havia mais uma porta, por onde se saía. No centro de tudo, uma espécie de grande caixote, uma estrutura cúbica de madeira ornamentada, entalhada com anjinhos e trombetas, de onde pendiam cortinas pesadas, como as da liteira. Vermelho e ouro, como sempre.

Atreu não enxergou a Voz, devia estar dentro da caixa. Ao lado, estava o Cardeal Simas.

Fez sinal para que Atreu se aproximasse. Ele obedeceu, o cardeal fez-lhe a bênção com o sinal da voz elevada e ergueu uma cortina. Com um gesto, convidou Atreu a entrar na caixa. Ele obedeceu, teve de se ajoelhar para caber. Estava sobre uma espécie de acolchoado. A cortina foi fechada atrás dele, o interior da caixa era abafado e tomado por uma luz carmesim, filtrada pelo tecido pesado. Atreu sentiu um cheiro floral de perfume, atrás de outra cortina, e uma tênue respiração. O espaço era dividido por aquele tecido escarlate, e havia alguém do outro lado. Era a Voz, ele deduziu. Óbvio. Não podia enxergá-la. Fez menção de dizer alguma coisa, mas foi interrompido.

— Meu filho, Urag ama você — disse a Voz Desdêmona. Sem qualquer entonação, mal pronunciando as palavras, como quem não abre a boca direito. Atreu teve de fazer força para ouvi-la. — Deus quer que fique em silêncio e tape os ouvidos. Deus quer que feche os olhos.

Atreu ouviu um barulho de papel, como se a Voz virasse uma página.

— Meu filho, todos os homens pecam. Conte os seus pecados.

— Eu...

— Todos os pecados são iguais. Os mortais são pecadores porque veem o que é ilusório e ouvem...

Mas também é interrompida.

Um estouro, uma porta batendo com toda a força, e uma correria.

— Voz Desdêmona! — um grito. — Voz Desdêmona! Fale comigo mais um pouco!

Era Ganimedes.

Atreu puxou a cortina atrás de si, inclinou o corpo e viu: o amigo, de alguma forma, voltara pela porta de saída, estava correndo em direção à caixa que continha a Voz, e agora estava cercado. Abaixou-se, rolou no chão e esquivou-se de três soldados. Os padres também correram para ele, e Simas voltou-se. Pugna Marco Segundo encurralou-o com dois passos. Num instante, ninguém olhava a caixa, todos concentrados em Ganimedes e sua loucura.

Atreu endireitou o corpo, de novo dentro da caixa. Era só um momento, mas estava sozinho com ela. Puxou a cortina que o separava da Voz de Urag.

E viu a garota.

Uns dois anos mais velha, se tanto. Com os papéis no colo. A expressão de tédio quebrada pelo ato súbito, e agora estava de olhos arregalados, lábios meio divididos, olhando para ele como se fosse um ser de outro mundo.

Gritaria lá fora. Só tinha um momento. Viu aquela garota, e queria muito fazer alguma coisa, qualquer coisa.

Atreu aproximou bem seu rosto da Voz de Urag. Abriu a boca.

E arrotou.

Desdêmona riu. Um pequeno grunhido, como o de um porco, deixou seu nariz com o riso, ela tapou a boca e mordeu a bochecha.

— Santidade! — disse Simas.

Atreu fechou a cortina que o separava da líder da Igreja.

— Deixem-me falar com ela! — berrava Ganimedes. — Deixem-me ouvi-la, só mais um pouco! — Então seus gritos ficaram abafados, não se ouviu mais seus passos, a porta foi fechada de novo, e qualquer barulho vindo do jovem em frenesi silenciou.

Simas murmurou qualquer coisa com a Voz. Desdêmona disse sim, sim, sim, em sussurros, e voltou a ler.

— Urag abençoa você. Vá em paz, meu filho.

O cardeal puxou a cortina atrás de Atreu, apressou-o para fora da sala, fechou a porta.

A imagem da garota ficou com ele por um longo tempo. Ganimedes não estava em parte alguma, e Atreu imaginou que seu próprio destino também fosse o sumiço, como pecador que arrota na cara de uma santa. Mas não. Talvez seu crime não tivesse sido descoberto.

A imagem ficou com ele por um longo tempo. A Voz de Urag sabia rir. E, ao que parecia, sabia ficar calada.

Ganimedes não apareceu à noite, e nem na manhã seguinte. Atreu sentiu o estômago corroído, em partes iguais pela ausência do amigo e a Voz de Urag cochinando pelo nariz com a risada súbita. O Cardeal Simas celebrou uma missa. Os alunos conduziram suas atividades. Tiveram aula de caligrafia e treinamento com bastões. Foram observados por Simas, enquanto o professor suava a olhos vistos.

Noite, e nada de Ganimedes. Atreu achou que não conseguiria dormir, mas sempre se dorme aos doze anos.

Acordou com uma mão enluvada sobre a boca. Seu instinto disse para atacar, mas num instante outra mão segurou-lhe os dois pulsos. Um corpo rígido de adulto, um cotovelo, e estava imobilizado, sem um som. Piscou, as pupilas se dilataram, e viu o rosto magro, o queixo pontudo do Cardeal Simas.

— Silêncio, Atreu — disse o cardeal.

Coração de martelo. Todos dormiam.

— Silêncio — repetiu Simas.

Atreu relaxou. O cardeal o soltou, tirou a mão de sua boca, e o garoto não fez menção de gritar.

— Venha comigo. Quieto.

O cardeal cruzou o alojamento como uma sombra. Ninguém se mexeu na cama, e nem mesmo Atreu ouviu seus passos. Após os meses de prática em se esgueirar, ele também sabia fugir sem criar alerta. Simas puxou algo da manga, destrancou a porta em silêncio, deixou Atreu passar, saiu, trancou de novo. Levou o garoto por um caminho conhecido. Atreu sentiu o gelo no estômago — iam para o depósito.

Inspirou para dizer algo. Mas, como se pressentisse, Simas o olhou e pousou um dedo sobre os lábios.

Entraram no depósito sem dizer nada. Simas examinou as espadas. Apanhou uma e jogou-a para Atreu. Imóvel. Pegou uma para si, testou seu fio.

Então deu um bote, atacou o garoto. Atreu, o instinto de treinamento explodindo, ergueu a lâmina e aparou.

— Eu tinha certeza — sorriu o cardeal. — Nunca me engano, sabia?

Simas se endireitou, virou as costas, foi guardar a espada. Atreu considerou por um momento atacá-lo. Mais uma vez como se ouvisse o pensamento, Simas olhou-o com severidade.

— Guarde sua espada.

Atreu guardou.

— Você sabe lutar — disse Simas. — É silencioso e esperto. Mas sabe qual é a sua maior qualidade?

Não sabia.

— Não tem preguiça.

Atreu ficou calado.

— A escola é enfadonha, não é mesmo, Atreu? Ouvir todas essas coisas que você já sabe. Tolerar a estupidez dos outros. Participar dos jogos. Tudo um tédio. E chamam isto de Escola Marcial!

Simas deu uma risada e balançou a cabeça.

— Mas o pior é a lentidão, não é? Tudo é tão vagaroso. As pessoas aprendem devagar, andam devagar, acordam devagar, comem devagar. Estou certo?

Atreu engoliu. Relutante, fez que sim. Era exatamente aquilo.

— E você não é vagaroso, Atreu. Você é rápido.

— Onde está Ganimedes? — de repente.

— Vivo, não se preocupe. Ah, e não faça essa cara. Os outros podem tratá-lo como criança, mas era disso que você tinha medo, não? Que seu amigo estivesse morto.

Mais uma vez, Atreu foi obrigado a concordar.

— Ganimedes está vivo. E amanhã deve estar de volta.

Pausa.

— Ele não foi feito para isso, você sabe.

— O quê? — Afetando a estupidez que as crianças acham tão infalível.

— Ora, eu não tratei-o como idiota, então respeite minha inteligência, Atreu. Você sabe. Ganimedes não foi feito para se esgueirar por aí e planejar a morte de um colega.

Mandíbula travada.

— Treinar escondido? Claro, isso é diferente. Vocês dois precisam disso, ou enlouqueceriam. Mas assassinato é algo que não faz parte de seu amigo.

— Você sabe de tudo?

— Talvez. — Simas fechou os olhos de modo pedante. — Mas você não vai saber o que eu sei.

— Pode mandar Ganimedes para o Instituto de Urag?

— Posso, claro. O pai de seu amigo é um conde importante, mas é tão covarde que nunca vai questionar a decisão de um cardeal. Se você quiser, posso fazer isso.

Andou de um lado para outro por um tempo.

— Ou posso oferecer algo a você, Atreu. Porque assassinato não faz parte da alma de seu amigo.

Abaixou-se para olhar o rapaz nos olhos.

— Mas faz parte da sua, não é?

— Sim — disse Atreu, rápido.

— Sim — repetiu Simas.

Endireitou-se.

— Posso arranjar para que você mate Abranto. Ninguém ficará sabendo. E, se um dia tiver uma crise de consciência, posso até mesmo jurar que vou absolvê-lo de qualquer pecado.

— Não existe pecado.

— Por favor, pirralho. Eu estudei mais teologia em um ano do que seu tutor Aquelau durante a vida toda. Não venha querer me dar lições. Estou tratando-o como um homem. Posso arranjar para que mate Abranto.

Atreu fechou os punhos. Sentiu as unhas morderem as palmas das mãos.

— E em troca? — disse o garoto.

— Você é mesmo inteligente. Por isso não vou mentir, e nem usar meias palavras. Em troca, você é meu.

— Nunca.

— "Nunca" é uma palavra típica dos doze anos, Atreu. Você sabe que vai matar seu inimigo. Pode envolver Ganimedes nisso, e perder sua amizade, e talvez ser apanhado por esses padres frouxos. Ou pode aceitar a minha proposta. Você já pertence à Igreja. Pode pertencer aos fracos e estúpidos, ou pode pertencer a mim.

...

Atreu estendeu a mão.

Simas tirou a luva e a apertou.

Homem para homem.

4

SEM DORMIR. CORAÇÃO NA GARGANTA, ESTÔMAGO EMBRULHADO, como na noite antes de um aniversário. Mas a festa seria hoje. Bem parado na cama, sentiu a caixinha de madeira escondida sob as cobertas, as quinas duras contra as pontas de seus dedos. Presente do Cardeal Simas. Passara o dia inteiro aguardando, contando as horas para a noite, e então ansioso para que todos dormissem. Agora arranjava desculpas para adiar, só por uns minutos. O dormitório estava em silêncio, exceto por um ou outro ressonar leve, um choramingo adormecido.

Atreu sentou-se na cama. Esperou, garantindo que ninguém tivesse notado. Tirou a caixa do esconderijo, observou-a por um momento.

Pequena, e seu conteúdo era frágil. Tinha uma tranca simples, e devia ser manuseada com cuidado. Mais que isso, lá dentro havia algo santo.

Atreu saiu da cama, levando a caixa, no silêncio de sempre. Confiou no que o cardeal lhe dissera. Foi até a porta, destrancou-a, ganhou os corredores.

Esgueirou-se pelos cantos. Ouviu os passos de algum perambulador noturno, escondeu-se numa esquina. Era um padre magro e recurvado, carregando uma vela e um maço de bolachas. Mas era o único. A escola estava vazia. Nenhum inspetor de corredores, nenhum servo fazendo limpeza. O cardeal cumpria a promessa: o caminho estava livre.

Correu para o alojamento dos padres.

A porta estava trancada, é claro. Atreu puxou a chave-mestra, o terceiro presente de Simas. Girou-a na fechadura. Viu suas mãos pularem com cada batida do coração. A porta rangeu ao ser fechada de novo, ele aguardou congelado por um instante. O caminho estava livre, mas era preciso ser furtivo. Ordenar uma noite de clausura facilitava a missão do garoto, mas garantir que ninguém investigasse os ruídos de um invasor seria o mesmo que entregar-lhe o cadáver. Atreu estava acima disso, afirmara o cardeal. Apenas abrira o caminho. Cabia a Atreu trilhá-lo, se fosse mesmo tão habilidoso.

Andou pelos corredores, deteve-se antes de cruzar com mais um religioso insone. Ignorou algumas portas, num caminho direto à que Simas indicara. Onde estava seu inimigo. Parou em frente. Abriu-a com a chave-mestra.

E por fim viu a cama enorme, de adulto, sozinha num quarto, abrigando um corpinho de criança.

Abranto.

Atreu cruzou o batente. Todo o nervosismo foi embora, ele não se sentia na realidade. Fechou a porta e trancou-a de novo.

Abranto ressonava. Caminhou até ele. Viu-o remexer-se no sono. Então, abriu a caixinha. Lá estavam três minúsculos frascos de cerâmica, cada um com uma função. Todos abençoados. Era o material do batismo.

O toque de Deus em forma química, dissera o cardeal. Atreu não se importava. Uma pasta para tapar os ouvidos da vítima e esconder a aproximação do algoz. Outra para calar seus protestos. A terceira para deixá-la cega e indefesa. Simas apontava o caminho, e cabia ao garoto trilhá-lo. Aquele era o caminho, aquela era a receita de um verdadeiro e bom assassinato.

Atreu apanhou o primeiro frasco, retirou a rolha. O cheiro pungente criou uma espécie de arrepio em suas narinas. Abranto ressonava com a boca meio aberta. Atreu aproximou o objeto de seus lábios. Tremendo, achou que ia derramar o produto. Deteve-se. Guardou o frasco.

— Acorde — disse.

Nada.

— Acorde!

Abranto virou para o outro lado, murmurou algo ininteligível, chutou as cobertas para descobrir um pé.

Estava tão tranquilo. Cabelos desgrenhados, um canto da boca melado de saliva. Respirava em intervalos regulares, encolhia-se como um animalzinho.

— Acorde! — Atreu deu-lhe um tapa na cabeça, puxou as cobertas com violência.

Abranto ergueu o tronco, jogou os braços para todos os lados, piscou.

— O que...

— Fique acordado para morrer, verme.

Deu-lhe um soco no nariz.

Abranto pulou da cama, apoiou-se na mão, descreveu um arco com o corpo, deixando o móvel entre os dois. Meio agachado, os braços à frente, de prontidão. O nariz sangrando, limpou-o rápido, sem tirar os olhos de Atreu. A caixa com os três frascos estava caída, as substâncias numa poça com cacos de cerâmica.

— O que você está fazendo aqui? — disse Abranto.

Atreu arreganhou os dentes. Sentiu os músculos das pernas como molas, prontos para um bote.

— Você vai pagar. Você matou Aquelau, matou todo mundo. E agora vai morrer.

— Atreu, você está cego pelas ilusões do mundo. Deixe-me falar sobre Deus.

Com um rugido, Atreu atacou. Pulou, atravessou a cama com uma pisada, desceu com um cotovelo sobre o rosto do outro. Eles rolaram no chão, Atreu ficou por cima, segurou o pescoço do inimigo com a mão esquerda, esmurrou com a direita. Os olhos de Abranto lacrimejaram.

Abranto girou o corpo, usando as técnicas aprendidas de Aquelau. Abraçou o tronco do adversário com as pernas, tentou se erguer para montar sobre ele. Atreu rolou para trás, desvencilhou-se, saltou de pé.

— Você não entende — disse Abranto. — Eu não entendia antes, e você ainda não entende. Estávamos vivendo em pecado.

— Assassino. Traidor.

— Só aprendíamos o pecado, Atreu. Aquele monte de livros e ideias blasfemas. Dizíamos coisas horríveis. Matávamos animais.

Atreu atacou de novo. Deu um chute alto, Abranto levantou o antebraço para bloquear, os movimentos treinados durante anos na Academia. Mas foi lento, o pé de Atreu resvalou em seu pulso e então atingiu-lhe o queixo em cheio. Abranto caiu para trás, teve o reflexo de encolher o pescoço — mas tarde demais. Bateu a cabeça no chão.

— Urag nos salvou! Não vê isso? Aquelau e os outros foram tirados do mundo, para receber o castigo merecido. E nós estamos aprendendo a verdade de Deus.

— O que fizeram com você?

— Existe uma *razão* pela qual os homens não enxergam certas coisas, Atreu. Por que acha que não podemos ver dentro de nossos corpos? Por que não conseguimos olhar para o sol? Porque certas coisas são para os olhos de Deus.

— O que esses padres fizeram com você?

— Aquelau nos ensinava a desafiar Deus! A tentar descobrir a origem das coisas. Achava que podia aprender tudo isso por si mesmo. Achava-se melhor professor do que Urag!

Atreu pulou, tentou agarrar seu braço, Abranto desviou-se. Golpeou com as pontas dos dedos contra a garganta do inimigo, na última hora conteve a mão. Atreu segurou seu pulso e o torceu. Abranto gemeu, retorceu o corpo, tentando diminuir a torção e a dor. Lágrimas começaram a brotar de seus olhos.

— O que houve com você? — gritou Atreu.

Abranto tentava lutar. Usava as técnicas, os movimentos. Mas faltava-lhe algo.

Ferocidade. Gana. Fogo.

Abranto estava apagado.

— Veja como somos podres, Atreu! Para cortar animais, falar blasfêmias, aprender a machucar os outros, não nos faltava energia. E agora, para ser bom, fazer o trabalho de Deus, ficamos moles!

— *O que fizeram com você?*

— O cardeal me batizou, Atreu! — chorando.

Atreu largou seu pulso, levantou-se. Abranto ficou segurando a mão ferida, deitado no chão, soluçando.

— Eu estava com medo — disse. — Estava apavorado. Achei que ia ser castigado, que ia morrer. Mas o Cardeal Derionde me explicou que Deus me ama. As coisas eram difíceis porque Aquelau não nos ensinava a amar Urag. Eu sentia medo, sofria, porque não aceitava nosso Senhor.

— Você era meu amigo — disse Atreu. — Você tocava o saz e a harpa, você imitava o canto dos pássaros. Você decorava poemas.

— E nada disso me trouxe felicidade.

— Você sabia lutar.

— Lutar é errado.

Silêncio. Atreu deu dois passos, ajoelhou-se frente ao outro. Pôs as duas mãos em torno de seu pescoço. Começou a apertar.

— Eu não me arrependo — disse Abranto.

Os dedos mais fundo.

— Eu *nunca* vou voltar àquela ilha. — Sorriu. — Nunca mais vou estudar aquelas mentiras. Quem tem Deus ao seu lado não precisa de falatório.

— O que Derionde fez com você?

Abranto estava ficando roxo. Sua voz saía num coaxar.

— Já disse. O Cardeal Derionde me batizou. Meu batismo foi muito longo. Fiquei quase uma hora sem ver, ouvir ou falar.

Atreu apertou mais forte. Viu Abranto piscar diversas vezes, as pálpebras batendo como asas de borboleta. Sorrindo.

Largou.

Abranto tossiu, massageando a garganta.

Gritaria lá fora. Padres atônitos, perguntando o que ocorria. Batidas na porta.

Atreu andou pelo quarto, mordendo os lábios contra o choro. De repente, correu de volta ao inimigo, voltou a esganá-lo. Apertou as mãos, fechando sua traqueia.

E de novo largou. Abranto continuou tossindo.

Os padres chamando servos, logo havia ombros fortes colidindo com a madeira. Chutes. O batente cedeu um pouco.

— Estou feliz — disse Abranto, a voz áspera e machucada. — Estou feliz com Deus.

Atreu lembrou de seu próprio batizado. Uma semana. Mãos estranhas limpando suas fezes, vestindo-o, enfiando comida em sua boca. Lembrou de Aquelau e da Academia, da ilha e dos colegas, dos irmãos.

Abranto estava indefeso. Matá-lo ou não era uma decisão só sua.

Mas Abranto não precisava mais tomar decisões. Abranto estava feliz.

Atreu deu-lhe as costas, abriu a porta, revelando o batalhão de religiosos e empregados. Agarrado, amarrado. Ainda ouviu as preocupações lá dentro, o que fizeram com você meu filho, e o inimigo chorando, suplicando em tatibitate. Abranto recebeu abraço e colo. Atreu foi castigado.

Meia dúzia de padres e servos segurou Atreu. Agarraram-lhe as pernas e braços, prenderam sua cabeça. Forçaram-no a abrir a boca, e os frasquinhos com líquidos conhecidos se apresentaram. Derramaram o conteúdo goela abaixo, fecharam sua mandíbula, taparam seu nariz até que engolisse. Atreu não conseguia mais emitir som, e então ouvir, e então enxergar.

E houve ainda mais frasquinhos. Atreu não viu, e nem ouviu-os tilintando, mas sentiu um novo gosto amarguento, e então gosto nenhum. E por último, novas mãos abrindo-lhe a boca, derramando uma textura oleosa e fria, e fechando de novo, e então um formigamento. Sentiu a língua enorme, um calor se alastrando pelo palato, e os braços pesados, e não sentiu mais nada.

O segundo batismo roubou-lhe também o tato, o paladar e o olfato, e Atreu não soube quando trancaram-no num quartinho sem janelas.

É claro, ele não pôde me contar o que houve em seguida. Mas, tendo sido íntimo da Igreja, posso especular. Atreu falou-me de visões, de criaturas cintilantes e multicoloridas apresentando-se a seus olhos. Sentiu uma euforia, uma certeza de que era capaz de fazer tudo, de que tudo era bom. A lembrança da luta com Abranto surgiu-lhe como uma vitória, muito maior que simplesmente matá-lo. A euforia fez com que acreditasse num triunfo incontestável, tornado ainda mais grandioso por ter-lhe poupado a vida.

E, após um tempo incalculável sem sensação alguma, cada músculo foi tomado de um prazer absoluto. Era puro, sensual, borbulhante. Se o descrevo de forma vaga é porque desafia a descrição. Atreu sentiu vontade de rir, a sensação de êxtase e a alegria onipotente tornando o mundo um paraíso.

Então, terror.

Atreu sentiu medo do que fizera. Como podia ter atacado alguém daquela maneira? E como podia ter envolvido Ganimedes? Achou que chorava, que gritava, e a falta dos sentidos foi um desespero. Tentava se arranhar, se morder, qualquer coisa para obter uma sensação, mas o corpo recusava-se, obstinado. Chutou a si mesmo, apertou os testículos em busca de qualquer resquício de dor. Nada.

E então um estouro de cores. Alegria! E as ondas de paraíso, a sensação muito melhor do que qualquer coisa que seu corpo de doze anos já experimentara. Muito melhor que o sexo que viria a experimentar.

Atreu não sabia, mas é fácil deduzir. Enquanto privado de seus sentidos, estava sendo drogado. Tentavam fazer com que seu corpo cedesse às substâncias. Era um grilhão, e também uma maneira de enfraquecer. Quando acabava o efeito narcótico, vinha a queda terrível. O alívio surgia com uma nova dose.

Quando emergiu do segundo batismo, Atreu sentiu frio. Mais de um mês se passara. O inverno estava chegando. Ele tinha agora treze anos.

Ajudaram-no a caminhar. Cheio de dores, de tudo que havia se ferido. Banharam-no, vestiram-no. Conduziram-no a uma salinha com comida, água, vinho. E uma tigela cheia de um creme verde escuro.

Atreu comeu, bebeu água, bebeu vinho. Cheirou o creme, o corpo lembrou-se. Ali estava a delícia e as alucinações. Ali estava o prazer e a fuga, ao alcance dos dedos. Memórias de êxtase, saudade da euforia.

Jogou a tigela no chão, quebrando-a e espalhando a substância.

Chegou ao dormitório. Encontrou Ganimedes.

— Quanto tempo para você? — disse Atreu, sentando na cama.

— Uma semana.

— Merda.

Ficaram em silêncio.

— A Voz é bonita — disse Atreu. — Acho que gostei dela.

— Eu sabia. — Sorriu o outro.

— Está pronto para voltar a treinar?

— Claro. Estou treinando sozinho, mas não é a mesma coisa.

— Saudades de mim? Maricas.

— Reclamando por passar um mês de folga? Frouxo.

Sorriso.

— Eu não matei Abranto.

— Você é uma boa pessoa, Atreu.

Atreu mordeu os lábios, agarrou forte o lençol, mas não conseguiu se conter. Veio um soluço enorme, e ele desabou num choro convulsivo.

5

Em dois anos, as lágrimas viraram fúria, e as crianças viraram bárbaros. Abranto virou uma memória. Se foi retirado com discrição da escola, ou apenas enclausurado longe das vistas, Atreu nunca descobriu. Dois anos eram uma vida naquela época, e o embate com o inimigo ficou enterrado.

Em dois anos, Atreu e Ganimedes descobriram os mistérios que a escola ainda guardava. Vasculharam as entranhas do prédio, tornaram-se íntimos de cada metro. Enquanto continuavam a educação secreta que impunham a si mesmos, sentiam uma preocupação cada vez maior com obter bebida e fazer o que era proibido. Os padres, mais do que padres, tornaram-se autoridade, e por isso odiados. Ganimedes rezava com fervor cada vez maior, mas chiava de raiva dos que se diziam representantes de Urag.

A selvageria tomara também seus colegas, a idade atingindo-os como um maremoto. Todos queriam escapar para ver meninas e fornicar com elas, todos queriam intoxicar-se e enganar seus superiores. Atreu e Ganimedes viam os outros como parvos irrecuperáveis, tateando no mundo, mas uma estranha mentalidade tribal fazia com que convivessem, nada mais que os anos unindo-os contra aqueles que eram mais velhos. Os dois eram os únicos capazes de obter vinho ou conduzir pelas passagens ocultas, e tornaram-se reis. Podiam fazer o que quisessem, protegidos pelos demais, e nenhuma lição ou teste apresentava desafio.

Num verão, uma ideia começou a germinar na mente de Atreu, e Ganimedes encampou-a sem hesitação, porque era errado. Voltaram os estudos para a química, as misturas de diferentes substâncias e seus efeitos. Gastaram a estação em preparações teóricas, e então começaram a contrabandear os livros para um velho paiol adjacente à escola. Num instante, passaram a ser discretos e respeitar o clero docente. Numa cegueira típica de adulto, isso foi visto como sinal de amadurecimento.

Já esfriava quando pediram para ter com Aegio, o padre responsável por seu grupo. Receberam a bênção e aguardaram com as cabeças baixas, em humildade canina.

— Já houve tempo em que esta visita muito me teria preocupado — sorriu Aegio.

Atreu e Ganimedes enrubesceram. Eram larápios contumazes.

— Queremos fazer um pedido — disse Atreu.

O padre gesticulou para prosseguirem.

— Queremos apresentar uma peça de teatro.

Ganimedes estendeu um rolo de pergaminhos. Lá estava o texto, a relação de papéis, as necessidades da produção, os custos envolvidos. Era *As alegrias de um cego*, uma antiga alegoria moral de autor desconhecido, bem ao gosto da Igreja.

— É uma boa peça — disse Aegio. — De onde vem essa súbita vocação artística?

Fixaram o chão, moveram os pés.

— Bem... É uma aposta — disse Ganimedes.

O padre grunhiu. Desagradou-se, mas nem lhe ocorreu duvidar. Mentirosos de menor talento teriam inventado alguma inspiração divina ou revelação altruísta.

— Eu não gosto da peça — disse Atreu.

— E eu digo que isso é porque ele nunca a viu encenada, apenas leu para si. Apostei que Atreu choraria de emoção se assistisse.

Calados.

— Fico decepcionado com você, Ganimedes — disse Aegio. — É um rapaz religioso. Não deveria apostar.

— Perdão, padre.

— Não me surpreendo tanto com você, Atreu. Sempre foi problemático.

— Perdão, padre.

Suspiro.

— Mas não deixa de ser uma boa ideia. Como pensam em encenar *As alegrias*?

— Para toda a escola — disse Ganimedes. — Todos os alunos, todos os servos, todo o clero.

— É uma responsabilidade grande. Mas, se existem dois que estão à altura, creio que sejam vocês.

Sorriu.

— Vou apresentar a ideia aos reitores. Honrem seu compromisso, senhores.

Disseram que sim, disseram obrigado.

— Atreu? — disse Aegio.

Cabeça baixa.

— Fico feliz que tenha abandonado a violência. Talvez finalmente esteja deixando de ser criança.

— Sim, padre.

Nos dias seguintes, receberam a autorização. Incumbência de selecionar os atores entre os alunos, formar uma equipe para organizar a produção, calcular gastos, prestar contas. Sob a supervisão aguçada dos padres, montariam *As alegrias de um cego*. Tudo ia de acordo com o plano.

Mas:

— Atreu, Ganimedes — disse Aegio, quando os dois apareceram em seu gabinete, chamados às pressas.

Cumprimentaram, receberam a bênção.

— Vamos atrasar a apresentação em um mês — disse o padre.

— Por quê? — Atreu não se conteve.

— Receberemos uma visita, senhores. Vocês encenarão para a Voz de Urag.

Atreu surgiu no porão, saltou com um uivo baixo e fez a serva dar um gritinho, deixando cair um balde e uma enorme barra de sabão.

— Você vai limpar isso! — disse a garota, com o dedo apontado para ele.

Atreu ainda estava rindo. Começou a secar o chão com um pedaço de pano e endireitou o balde.

— Você devia ter visto a sua cara.

— Como eu nunca vejo você chegando?

— Sou um fantasma que vem puxar o seu pé, Greta.

Ela lhe mostrou a língua.

— Veio me ver? — disse a serva.

— Já conseguiu o óleo de lanterna que eu pedi?

O rosto da garota murchou num instante. Como serva na Escola Marcial, na mesma faixa de idade dos alunos, Greta era alvo de atenção constante e indesejada. Deveria defender sua virtude, ou poderia ser acusada de sedução, expulsa ou mesmo taxada de bruxa. Seu rosto era assimétrico, um pouco torto, como duas metades mal encaixadas, mas era mulher e jovem — e, para desespero de Atreu, doce, espirituosa e prestativa. Poderia escolher qualquer rapaz, se quisesse arriscar a ira dos padres. Mas suspirava só por Atreu. Para ele, roubava óleo de lanterna e cola feita de casco de cavalo, sal da cozinha e minerais de cheiro pungente usados nos incensários, lenha e extrato de plantas usado para perfumar a ala dos padres.

— Você só me quer por causa dessas coisas — fez um muxoxo.

— Sabe que isso não é verdade. Gosto de você.

— Mesmo?

— Conseguiu o óleo?

Ela deu um suspiro fundo.

— Consegui.

— Puxa, obrigado! — Abraçou-a, beijou-a, ela derreteu.

— O que você faz com essas coisas todas?

— É melhor você não saber.

— Não vai queimar nada com esse óleo, vai?

— Acha que eu faria isso?

Ela não respondeu. Ele a abraçou de novo, tirou o balde de suas mãos, beijou seus lábios, seu rosto, seu pescoço.

— Vão dar pela minha falta — disse Greta.

— Não se preocupe.

Num instante estavam deitados numa pilha de trapos de limpeza, o avental desamarrado, o vestido aberto, os seios à mostra. Mãos e boca, e Atreu levantou-lhe a saia. Ela estava entregue, ruborizada, quase ofegando. Disse que viesse, alcançou-o com a mão. Mas Atreu recuou, levantou-se.

— É melhor você se vestir.

— O que foi?

— Vão notar a sua falta. É melhor você se vestir.

Ela tapou a nudez, meio a contragosto, meio injuriada.

Atreu estava embriagado na névoa da juventude, mas a falta de sentimento por ela era mais forte, e não quis usá-la ainda mais. Seu caráter não fora corroído por completo. Pensou no óleo e na lenha, pensou em Greta. Mais tarde seu corpo se arrependeria — mas só o corpo.

Escolheram os atores e a equipe, fizeram ensaios e costuraram figurinos, montaram cenários e submeteram tudo ao crivo dos padres. Os dois eram alvo de escrutínio, e a súbita vocação recebia desconfiança. O peso da presença da Voz tornava tudo ainda maior, mais importante. Atreu e Ganimedes não faziam nada sem que um verdadeiro conselho eclesiástico tomasse nota, mas não havia qualquer objeção. A peça não fora subvertida, como temiam alguns, e nem era aquilo um pretexto para fugas, como suspeitavam outros. À medida que as semanas progrediam, Atreu e Ganimedes conquistaram confiança, e não raro sentavam-se com padres para discutir detalhes da produção. Eram retirados das aulas por chamados urgentes, deveriam vistoriar remessas de tecidos ou aprovar objetos cênicos. A supervisão nos ensaios deixou de ser um olhar crítico, à procura de heresias, e adquiriu tons apreciativos, por fim acabando em palmas. Quando os dois almoçaram com Aegio e outros padres, conversando sobre a duração do segundo ato, souberam que tudo estava garantido.

E, enquanto isso, roubavam as substâncias. Em seus diversos esconderijos espalhados na escola havia depósitos secretos. A virtude de Greta permanecia intacta enquanto ela era cúmplice, mesmo que não se pudesse dizer isso de seu coração.

Também, ao mesmo tempo, roubavam e escondiam os livros, que haviam lhes educado durante aqueles anos, indo estocá-los no velho paiol. Ainda estudavam, quando podiam, sempre concentrados na magia da mistura de elementos.

E tudo ficou pronto quase simultaneamente. Os últimos ensaios corriam sem percalços, as últimas substâncias estavam escondidas, os últimos livros estavam guardados.

— Você entende sua responsabilidade, Atreu? — disse Aegio. — A Voz de Urag estará assistindo.

Atreu fez que sim.

— Não queremos outro fiasco, como da última vez.

— Eu era uma criança, padre — disse Ganimedes.

— Você pecou por fervor, mas pecou — disse Aegio. — Desta vez, tudo deve ser perfeito.

Os dois concordaram.

Aegio deteve os olhos em Atreu.

— Existem pessoas que não acreditam em mudança — falou. — Muitos, mesmo entre meus irmãos da Igreja, acham que o diabo só pode ser retirado de uma alma através do fogo. Dizem isso de você, Atreu.

O rapaz engoliu.

— Eu discordo. Acho que você mudou de verdade. Sua infância foi difícil, aprendendo heresias naquela ilha maldita, e depois vendo tudo ir pelos ares. Mas acho que o diabo deixou sua alma quando você deixou de ser criança. Estou errado?

— Não, padre. Não vou decepcioná-lo.

— Na verdade, não acredito que o diabo estivesse em você, Atreu. Posso ser considerado herege por isso, mas é o que penso. Não acho que fosse realmente matar aquele garoto. Crianças não sabem o que é a morte. Crianças só têm coisas boas na cabeça. Não concorda?

— Claro. — Conseguiu dizer.

— Todas as crianças são boas. E veja o ótimo homem que você está se tornando.

Sorriu.

— Confio em vocês.

Atreu e Ganimedes dormiam três horas por noite, ocupados com preparativos de dois lados. O teatro aberto foi montado atrás da escola, numa extensão de planície que se transformou de verde em pisoteada e amarelenta. Havia umas pedras à esquerda, que bloqueavam o vento e protegeriam os atores e a plateia. Os servos, sob o planejamento dos dois alunos, haviam montado o palco pouco acima do chão, com um exíguo espaço de bastidores. Havia bancos compridos, dispostos em semicírculo, à vista do palco, e um espaço privilegiado para a Voz, sua guarda e seu séquito. A área atrás dos bancos fora deixada livre para acomodar os servos, assim como Atreu e Ganimedes haviam pedido. Toda a escola assistiria à história do cego capaz de enxergar o mundo muito melhor que todos que encontrava, porque via os desígnios de Deus.

Com o final do outono, chegou o dia. Os portões da Escola Marcial se abriram mais uma vez para receber o cortejo da Voz de Urag, a menina chamada Desdêmona.

Os dois foram colocados junto aos padres dessa vez. Era uma sensação estranha, Atreu me contou, ter aquela intimidade com o que consideravam o inimigo. Estavam separados dos outros alunos, ouviam as conversinhas banais entre os padres, notavam que eles trocavam piadas, coçavam-se discretamente e bocejavam como todos os outros. E, como os outros, ficavam nervosos ao ver o desfile dos cavaleiros, atentos aos arredores e à segurança da Voz. Havia ainda mais soldados dessa vez, e mais padres. Os padres pareciam se multiplicar onde quer que houvesse espaço.

De novo, Pugna Marco Segundo liderava os guardas da Voz de Urag. Mantinha a mesma aparência, a mesma casaca, o mesmo bigode e cabelo oleado de anos antes, e de anos depois. Mas o Cardeal Simas não acompanhava. Em seu lugar, um homem baixo, muito jovem e rechonchudo. Era, Atreu viria a descobrir, o Cardeal Melquíades. E a liteira da Voz de Urag continuava a mesma, as pesadas cortinas bloqueando a visão da garota, um caixote de carregar a santa longe dos olhos de todos.

O cortejo parou, fez-se o cerimonial. A cortina da liteira foi aberta, mostrando a Voz Desdêmona. Atreu pôde ver bem seu rosto. Lembrou-se da garota de dois anos antes, da risada e do grunhido. Desdêmona tinha uma espécie de chapéu sobre a cabeça, cobrindo seus cabelos e suas orelhas. Era feito de madeira leve, mas mesmo assim pesava muito, e era necessário um padre para mantê-lo erguido e não forçar seu santo pescoço. O chapéu era um tipo de escultura, retratando as três trombetas e as asas de diversos anjos, tudo pintado em vermelho e ouro. A maquiagem pesada da Voz escondia suas feições em um desenho abstrato. Suas mãos estavam cobertas por luvas com dedos longuíssimos, sustentados por armações de bambu, que impossibilitavam quase qualquer movimento. A primeira impressão que se tinha era uma boneca. Mas mesmo uma boneca poderia se mexer mais. A Voz era uma tela, onde a Igreja havia pintado e esculpido uma obra de arte que refletisse seus gostos.

Aegio tocou no ombro de Ganimedes. Ele teria a honra.

Ganimedes foi até a Voz, sob o olhar fixo de padres e soldados. Lembravam do histórico do rapaz, e qualquer movimento excessivo seria saudado com armas. Mas, apesar da tremedeira, ele soube se conter. Ajoelhou-se para a Voz, estendeu o pergaminho com o texto de *As alegrias de um cego*.

Desdêmona falou alguma coisa, baixo demais para ser ouvida. Ganimedes arregalou os olhos. O Cardeal Melquíades dirigiu-se a todos:

— A Voz Desdêmona abençoa este lugar.

A cerimônia prosseguiu.

— O que ela disse para você? — sussurrou Atreu, depois que o amigo voltara.

Ganimedes demorou um tempo para responder.

— Que você tem mau hálito.

Algo indefinível se movimentou no peito de Atreu.

Era início da tarde, e estava tudo pronto. A Escola Marcial fora revistada, a segurança da Voz fora garantida. O palco e os bastidores haviam sido vasculhados. Mas nem mesmo Pugna Marco Segundo fora capaz de encontrar o que Atreu e Ganimedes haviam escondido. Os dois sentiam um enjoo fundo, cócegas misturadas com uma espécie de torções de fome. Os atores repassavam as falas pela última vez, fechavam os olhos e murmuravam as frases mais difíceis. Pequenas emergências com figurinos eram resolvidas à base de agulha e linha.

— Nervosos? — Sorriu Aegio.

— Um pouco — disse Atreu.

— Deus olha por nós — disse Ganimedes.

— Tudo vai dar certo. — O padre lhes segurou os ombros.

Os alunos se acomodaram nos bancos. Dezenas e dezenas de rostos, alguns vistos apenas três ou quatro vezes nos anos de escola. Então, os servos se dispuseram atrás, de pé, acotovelando-se e se espichando em busca de uma vista do palco. Os padres sentaram-se em seus próprios lugares. Por fim, o séquito da Voz, seus guardas, seus sacerdotes, seu cardeal.

— Onde ela está? — disse Ganimedes.

Atreu deu um suspiro.

— Na caixa. Como sempre.

Estava na caixa. A liteira fechada fora levada para o espaço de honra, e lá dentro estava a Voz de Urag. As cortinas grossas não permitiam ver o lado de dentro — nem, para quem estava dentro, enxergar lá fora. O tecido também mascarava o som. E, com as orelhas cobertas pelo elaborado chapéu cerimonial, seria impossível ouvir qualquer coisa.

— Ela não vai assistir? — disse Ganimedes.

— Não estamos fazendo isso para divertir a Voz.

— Mas ela veio até aqui. E não vai assistir?

— Ela está dentro da caixa. Ela está sempre dentro da caixa.

O mesmo padre que sustentara o chapéu entrava e saía da liteira. Olhava ao redor, cochichava com um ou outro membro do séquito.

Ganimedes começou a suar. Atônito. Talvez preocupado demais com o espetáculo.

— Já volto — disse Ganimedes.

— Espere...

Mas não esperou. Saiu correndo, em busca de conselho espiritual. Atreu viu-o agarrar-se ao padre Aegio — logo ele — e temeu pelo pior.

— Ela não vai assistir, padre.

Aegio sorriu.

— Ora, meu rapaz, fique calmo.

— Ela não vai assistir, padre. Ela está dentro daquela liteira. Não vai ver nem ouvir nada.

Aegio passou a mão por seu cabelo, num gesto paternal e condescendente.

— É claro que não, Ganimedes. A Voz não pode ver nem ouvir as criações do homem. Seus santos olhos e ouvidos estão reservados para a obra de Deus.

Era simples assim, e Ganimedes deveria saber, se sua cabeça não estivesse tão ocupada com qualquer coisa *exceto* o que tentavam lhe ensinar na escola. A Voz de Urag não podia ver nem ouvir as falsas criações dos homens. Por isso, havia um padre com o dever especial de olhar e escutar isso, quando era necessário, e então relatar o que acontecia. O mesmo padre que sustentava o chapéu, que entrava e saía da liteira. Ele assistiria a um pouco da peça, e então viria contar para Desdêmona. Assim, seus santos ouvidos não seriam maculados pelas mentiras do mundo, seus santos olhos não veriam a falsidade.

— Fizemos tudo isso. Você disse que ela iria *assistir*.

— Você sabe quantos dariam a vida para ter o que você tem, jovem Ganimedes? Essa é a maior honra para um homem do teatro.

— Eu queria que ela *visse*.

— Você quer ser Deus? — disse, quase severo.

Todos prontos, as cortinas estavam fechadas, aguardando o sinal, e Atreu via aquilo. Via Ganimedes regredir a uma criança com medo do Pai do Céu, falando com Aegio. Então deu um pulo, quando sentiu um toque em suas costas.

Era um padre. Era o padre que sustentava o chapéu, que relataria a peça a Desdêmona.

— O senhor é Atreu? — disse, com voz afeminada.

Fez que sim.

— Tenho uma mensagem para o senhor.

— Mensagem? — Atabalhoado, confuso, sentia-se um bruto, um paquiderme.

— Fique tranquilo e não faça alarde, senhor Atreu. Eu sei, e o senhor sabe, e mais ninguém. Queremos que permaneça assim.

— Não entendo.

— Eu, o senhor, e mais ninguém — com um jeito afetado e cantarolante.

Abençoou Atreu com mãos frouxas, deu-lhe as costas.

O mundo estava girando. As pessoas aguardavam. Do outro lado já vinham Ganimedes e Aegio.

— Está na hora, Atreu — disse o padre.

— Ela não vai assistir — disse Ganimedes.

Atreu levou a mão à cabeça. O outro padre já sumira.

— Está na hora — repetiu Aegio.

— Abram a cortina.

Abriram-se as cortinas. Os personagens surgiram. O cego entrou no palco, tateando o ar, tentando descobrir a árvore que dava os melhores frutos. Atreu e Ganimedes estavam ao lado do palco, à sua sombra, protegidos da vista de todos, atores e plateia.

— Ela não vai assistir — disse Ganimedes.

— Isso não importa. Você está comigo, não está?

Ganimedes não respondeu.

— *Ora, mas a árvore que dá os melhores frutos está na fazenda do meu vizinho!* — declamou o tolo com quem o cego conversava.

O padre saiu de dentro da liteira, indo espiar a peça.

Os dois garotos ouviram passos leves, mansos, vindos de trás do palco.

— *A árvore dos melhores frutos está do outro lado do penhasco!*

— *Mas qual é o problema com esta que está bem aqui, ao nosso alcance?* — argumentou o cego.

— *Você não consegue enxergar! Eu pegarei o fruto mais doce!* — proclamou o tolo antes de despencar para sua morte encenada.

Os passos saíram de trás do palco e tornaram-se dois pés descalços, de uma garota metida numa túnica. Ganimedes abriu a boca, mas não conseguiu emitir som.

— *Qual é o cavalo mais forte?*

— *Deixe-me escolher* — disse o cego.

— *Mas se nem consegue ver o brilho da pelagem! Ora, cego, eu escolherei o cavalo mais forte!*

O padre voltou à liteira.

A garota se aproximou. Seus cabelos eram loiros, bem maltratados de muitas tinturas e penteados, agora curtos. Ela não estava mais usando maquiagem, e nem luvas. Deveria ser dois anos mais velha que Atreu e Ganimedes.

Desdêmona, a Voz de Urag, chegou perto dos dois sem garbo algum.

— *Vou cortar a barriga do cavalo e ver suas entranhas! Então saberei se é um animal saudável!*

Ganimedes fez menção de se ajoelhar, mas mesmo ele percebeu que não era certo. Desdêmona olhou para ele, e então para Atreu. Caminhou de pés no chão.

— Eu queria assistir — disse.

— Daqui você não consegue ver nada — disse Atreu.

— Mas pelo menos ouço.

Ela foi até Atreu, abriu os braços e o abraçou. Pousou a cabeça em seu ombro sem falar mais nada. Atreu ficou um momento sem reação, e então pôs as mãos nas costas da Voz, apertando-a com suavidade contra si mesmo. O calor do corpo dela era intoxicante, o cheiro era limpo e fresco. Cheiro de pele humana e cabelos, maravilhoso.

Atreu abriu os olhos e virou a cabeça para Ganimedes.

— A moça mais bonita será minha esposa!

— Por que não me deixa conversar com elas?

— Ora, cego, como você vai enxergar a brancura de sua pele, o brilho de seus olhos, a cor de seus lábios?

— O que vamos fazer? — disse Ganimedes, sem som, apenas montando as palavras com a boca.

— Vá você. — Atreu fez o mesmo.

Desdêmona abraçada nele, um tipo de carinho desinteressado e desconcertante.

— Farei um baile, e todos poderão escolher a mais bela, que então será minha esposa!

O executor do plano deveria ser Atreu, mas Ganimedes soube que caberia a ele. Hesitou um momento, olhou de novo a Voz de Urag, abraçada em seu amigo. Correu por trás das pedras, entrou na Escola Marcial sem ser visto.

Atreu procurou em desespero algo para falar.

— Qual desses homens é meu senhor?

— Eu sei quem é o Senhor de todos nós!

— Ora, cego, como você pode saber quem tem a coroa mais rica, quem porta as maiores joias, quem carrega as melhores armas?

O padre sumiu dentro da liteira, indo narrar a peça para uma Voz que não estava lá.

Desdêmona permanecia de olhos fechados, encostada em Atreu.

— Vou servir ao homem que mais tiver matado nessa batalha, que tiver o estandarte mais glorioso!

Ganimedes surgiu de novo, correndo furtivo, atrás das pedras.

— Vai acontecer — disse Atreu, segurando a Voz e olhando em seus olhos.

— *Todos nós temos apenas um Senhor!*

Num estrondo terrível, a Escola Marcial explodiu.

O fogo que Ganimedes acendera detonou o primeiro reservatório, que incendiou quatro depósitos ao redor, criando uma explosão longa e contínua. Estilhaços flamejantes voaram por dentro do prédio, ateando fogo em tapeçarias, madeira, escrituras sagradas, batinas, roupas de alunos. O fogo se espalhou com rapidez, indo alcançar os outros depósitos. Uma segunda e uma terceira explosões não tardaram. Logo, toda a escola ardia.

O primeiro estrondo trouxe pânico, gritaria, os atores pularam do palco, os guardas sacaram suas espadas, os padres correram em círculos. O padre de fala afeminada tentou impedir que qualquer um abrisse a cortina da liteira, mas Pugna empurrou-o, ele voou três metros, e a caixa vazia foi revelada.

Ganimedes saiu correndo pela rota já decidida. Atreu segurou o pulso da Voz, puxou-a, começou a correr também. Desdêmona resistiu, fincou os pés no chão.

— O que está fazendo?

— Vocês vão fugir? — disse a Voz.

— É claro!

— Não quero ir.

— Você é prisioneira. Você fica dentro de uma caixa.

— Eu ouço Deus. Eu sou a Voz.

Nada.

— Largue o meu pulso.

E, naquele momento, foi majestade. Atreu sentiu um borbulhar dentro de si, uma raiva súbita da pirralha, soltou-a com brusquidão. Ela chegou a se desequilibrar.

— Então fique aí!

Correu atrás do amigo. Os dois contornaram o palco, iam ganhar a planície, mas viram Aegio, correndo esbaforido e segurando as saias da batina, na direção contrária. Lágrimas escorriam de seu rosto.

— Não esperava isto! Tudo, menos...

Atreu correu para ele, deu-lhe um soco na boca, viu dois dentes voarem. O padre caiu para trás, os dois alunos correram, sem olhar se havia quaisquer perseguidores. O chão tremeu com mais um estouro. Guardas e clero procuravam a Voz, servos tentavam salvar a escola, alunos gritavam e dançavam no pandemônio. Atreu e Ganimedes fugiram, enquanto sua infância ardia.

Atreu acordou com dor de cabeça e sensação de algodão na boca. Seco, quebradiço, intestinos frágeis. O quarto fedia a perfume, a mulher ainda estava dormindo. Procurou as calças, vestiu, foi buscar algo para comer.

Encontrou Ganimedes no salão comunal, segurando as têmporas.

— Traga leite — disse Atreu para a dona do lugar. — Carne fria. O que tiver.

Ela estava limpando a maquiagem, desfazendo a personagem que montava todas as noites. As garotas, cansadas, dormitavam ou conversavam em volta.

— Tem ideia de quanto custa um caneco de leite aqui, menino? Por que não procura uma taverna?

Atreu chutou uma cadeira.

— *Porque não quero uma taverna.* Tenho ainda muito ouro. E posso bater de novo em quem quiser tirá-lo de mim.

Suspirando, a dona do bordel estalou os dedos. O homem semiadormecido atrás do balcão foi providenciar leite e carne fria a preço de joias.

— Aceitar ouro roubado dos padres é arriscado — disse a mulher. — Eu deveria cobrar mais.

— Cobre o quanto quiser — disse Atreu.

Ela ergueu os olhos. Pediu que Urag lhe emprestasse forças.

Atreu desabou em uma cadeira, ao lado do amigo.

— Já estamos aqui há dois dias — disse Ganimedes.

— Três. Mas, do jeito que você bebeu, não é surpresa que tenha esquecido de um.

Ganimedes estreitou os olhos, em busca de um fragmento de lembrança. Algo surgiu. Era verdade: três dias.

— Quando vamos embora?

— Você tem algum compromisso urgente?

— Mais três dias, então?

— Mais três dias. Mais uma vida inteira.

Brindaram com os canecos de leite. Imediatamente, o estômago de Atreu discordou, e ele vomitou. A cafetina mal abriu a boca para reclamar, e Atreu puxou a bolsa para pagar pela inconveniência.

Eu gostaria de dizer que havia um plano. Mas o que havia era a mente de dois rapazes de quinze anos. Acho que eles nunca chegaram a pensar no que ocorreria depois da destruição da escola. Ou, se pensaram, nunca imaginaram escapar impunes por tanto tempo. A noção romântica de uma curta vida fugitiva tem apelo na idade selvagem.

Atreu limpou a boca, viu o decote de uma das meninas, lembrou-se do prazer há pouco descoberto. Empurrou o caneco de leite. Subiu as escadas de volta ao quarto, para se entregar a mais um excesso.

Ouviu um barulho intermitente, repetitivo, vindo de trás da porta. Abriu, e deparou-se com um homem magro, musculoso, esguio, montando a prostituta que estava em sua cama. Ele ainda vestia parte da batina.

— Dê-me um minuto — ofegou o Cardeal Simas. — Então, conversamos.

Atreu fechou a porta. Achou ter ficado louco. Mas, do outro lado, dentro do seu quarto, o cardeal continuava fazendo ranger a cama. Simas estava lá. A fuga acabara. Vomitou de novo.

— Entre! — Veio a voz de dentro do quarto.

Atreu obedeceu. Cruzou pela prostituta, que terminava de se vestir, e viu Simas amarrando suas próprias vestes.

— Ah, a juventude — disse o cardeal.

— Vai me matar?

— A juventude é desperdiçada com os jovens. Quando temos energia para três dias dentro de um bordel, só temos imaginação para três dias dentro de um bordel. E para perguntas como essa.

— Se você quisesse me matar, eu já estaria morto, não é?

— Pare com os lugares-comuns, Atreu!

Simas olhou-o bem de frente, sorriu largo.

— Não se lembra? Você é meu. Por que eu iria quebrar meu brinquedo, destruir minha ferramenta?

Foi até ele, segurou seus ombros.

— Por que eu iria jogar fora minha arma, Atreu?

Enjoo.

— Muito bem — disse o Cardeal Simas. — Você destruiu a Escola Marcial. Parece que teremos de arranjar um novo depósito para os jovens idiotas de sangue azul.

— O que vai fazer comigo?

— Nada. — O cardeal deu de ombros. — Você vai continuar sua educação. No Instituto do Brado de Urag.

Atreu arregalou os olhos.

— Faça o que quiser, rapaz, eu não me importo. Você destruiu a maldita escola, e será recompensado. Ganimedes sempre sonhou com o Instituto.

— E se eu fugir?

Simas balançou a cabeça.

— Nunca travei essa conversa com um martelo, ou com uma boa adaga. Você é a ferramenta mais cheia de opiniões que já tive, Atreu.

— E se eu queimar o Instituto?

— Pense no pior que poderia acontecer. Não, não isso. Você está pensando em Ganimedes, está pensando que eu iria torturá-lo ou coisa assim. Pense no *pior* que poderia acontecer. Não interessa se as pessoas que você mais amou estão mortas. Você sabe que milagres acontecem, e eu tenho o poder de Deus ao meu lado. Pense na maior tragédia que poderia acontecer no mundo. Agora pense que eu sou muito mais velho que você, Atreu, e tenho uma imaginação muito mais fértil. Pense que treinei durante anos, e já li dezenas de volumes que tratam apenas de cometer atrocidades com quem não merece. Pense que faço parte de uma instituição há séculos dedicada a fazer os outros sofrerem.

Nada.

— É claro que você não consegue pensar em tudo isso. *Eu consigo, Atreu.* Você não consegue imaginar o que eu faria se você me desobedecesse. Não terá como se preparar. E sabe que nunca vai escapar *de mim*.

Atreu olhou suas roupas, jogadas pelo quarto. Recolheu-as. Desceu as escadas para pagar o que devia e chamar Ganimedes.

— Boa arma.

6

Atreu amou Aquelau. Por muito tempo achei que os melhores professores fossem amados por seus pupilos, mas já não tenho certeza. Acho que os melhores professores são odiados, porque são inclementes como a vida. É ótimo gostar de aprender, desenvolver a gana pelo conhecimento, como Aquelau instigava. Mas melhor ainda é não ter opção. No Instituto do Brado de Urag, Atreu estudou sob tiranos. Odiou cada minuto e cada mestre.

Em três anos, deixou de ser um garoto, e fez-se guerreiro.

E, após três anos de purgatório, pouco sono, treinamento até sangrar, cavalgava. Era verão, o sol forte rompia o frio brando e insistente de nossa terra. As planícies ainda estavam úmidas das chuvas da primavera, e os cavalos resvalavam em lama de vez em quando. Prosseguindo por uma estrada estreita e solitária, com o vazio por todos os lados, Atreu estava fora do Instituto, em busca de provação e estandarte, com os guerreiros mais velhos.

— Você deve se achar um grande soldado, não é? — disse Oberon, mais uma vez.

Atreu o olhou de soslaio. Os dois cavalos estavam emparelhados, e Oberon fitava-o com um sorriso enorme, cheio de dentes, quase um rosnado. Olhos meio esbugalhados, e olheiras fundas, porque não dormira direito na noite anterior. O sol cozinhava a cabeça vermelha de Oberon, martelava a ressaca e fermentava o vinho em seu estômago. O corpanzil rosado suava em gotas largas e pegajosas, exalando cheiro de álcool e empapando o saiote abaixo. Oberon fazia com que o porta-estandarte, o guerreiro que carregava sua bandeira de cabeça de touro, ficasse ao seu lado o tempo todo. Um lembrete ao novato sobre quem mandava ali.

— Vocês, alunos do Instituto, se acham anjos da guerra! — latiu Oberon. — Passam anos enfurnados, repetindo movimentos de espada e lendo histórias de gente morta. Pois lhe digo uma coisa, Alfeu.

— Atreu — corrigiu.

— Ouça o que eu digo, pessoa cujo nome não me importa. Você pode treinar o quanto quiser com seus coleguinhas. No campo de batalha, haverá inimigos de verdade.

— Sim.

— "Sim"? Não lhe ensinaram sobre hierarquia na escolinha, Anteu? Diga *sim, senhor.* Diga sim, *meu lorde.*

— Você não é um lorde guerreiro, Oberon — interrompeu D'Agostini.

O ruivo fez-lhe uma careta. D'Agostini emparelhara o cavalo com os dois, e com o infeliz porta-estandarte. Atreu estava flanqueado pelos dois guerreiros. D'Agostini amarrara um pedaço de tecido na cabeça para se proteger contra o sol. Alisava os bigodes distraído, enquanto se agarrava à sela com a outra mão. Cavalos não eram íntimos do então capitão de navio.

— Sou um lorde onde importa! — Oberon deu um forte tapa no próprio braço. — O que é uma palavra frente a um machado?

— Ele está injuriado porque teve de se curvar a um garoto na capital — disse D'Agostini.

— Não estou injuriado. E você também dobrou o joelho, cabeça de golfinho. O moleque vai morrer na primeira batalha que enfrentar.

— Dizem que é um prodígio.

Oberon cuspiu no chão.

— Benedict, não é? — disse D'Agostini. — *Lorde* Benedict. Formou-se no Instituto de Urag há pouco mais de um ano. Você o conhece, Atreu?

— Já ouvi falar.

— E o que acha dele?

— Dizem que é forte.

— Merece ser um lorde?

Em nossa terra, ser um lorde guerreiro é uma honraria grande, e uma das únicas formas pelas quais alguém de nascimento plebeu pode chegar à nobreza. Todos os oficiais reconhecidos pela Igreja têm direito a um estandarte — o que também é uma distinção. Seja por valor em batalha ou por estudo no Instituto de Urag, os soldados que lideram homens podem carregar sua marca — muito mais forte que seu rosto, num tempo em que ninguém conhece sua aparência, ou que seu nome, numa terra onde ninguém sabe ler. Mas ser lorde guerreiro é algo ainda maior. Um lorde guerreiro possui seus próprios homens, seu próprio pequeno exército. Pode possuir terras, cobrar impostos, designar seus próprios oficiais e líderes. Atingir esse patamar é ter a confiança da Igreja, pois não mais seus soldados serão escolhidos entre as tropas regulares, trocados de acordo com as ordens de um general. Benedict, com talvez vinte anos, já era um lorde. Oberon não era.

— Não posso julgar quem merece ser lorde ou não, senhor — disse Atreu.

— Resposta de soldado. Resposta de aluno do Instituto. — D'Agostini sorriu por baixo do bigode. — E se eu lhe pedisse a resposta de homem?

Um instante de silêncio.

— Eu diria que Benedict é famoso dentro do Instituto. Dizem que é muito bom em conseguir as coisas sem trabalhar muito.

Isso pareceu satisfazer D'Agostini.

— E quanto a mim, Agneu? O que dizem a meu respeito?

— Que o senhor é muito bom em garantir que ninguém saia vivo de uma batalha.

Oberon deu uma gargalhada e ergueu os braços, batendo palmas acima da cabeça e mostrando suas axilas fedorentas. Atreu roubou um olhar para D'Agostini, que tinha um sorriso dissimulado. Oberon não parecia ter entendido o comentário, e tudo estava bem.

Atrás deles seguiam trinta homens, todos com o escudo da Igreja, a marca das três trombetas. Ninguém ali era um lorde, ninguém mandava guerreiros pintarem seu estandarte nos escudos. Mas os soldados estavam sob responsabilidade de Oberon. D'Agostini estava em terra há um mês, o que era comum, pois raramente há inimigos vindos do mar. Os homens sob seu comando, a tripulação de seu navio, gozava de uma semana entre deveres, e o capitão escolhera poupá-los. Seguia cavalgando desconfortável, para mais uma missão seca, mas não reclamava.

— O que vai escolher como seu estandarte? — Oberon já esquecera a hostilidade de um minuto atrás, e perguntava com curiosidade genuína.

— Não sei — disse Atreu. — Talvez seja melhor não pensar nisso.

— Ora, você vai conseguir! Mesmo se não merecer, todos aqui são amigos, não é? Uma mão lava a outra, e as duas lavam meu imenso mastro roxo!

Desatou em outra gargalhada.

Aquele era um último teste antes de se ver livre do Instituto para sempre. Atreu deveria acompanhar dois oficiais experientes, em uma missão verdadeira. Sua coragem, liderança, habilidade de combate e fé seriam julgadas. Caso fosse considerado pronto, segundo a opinião sob juramento dos dois guerreiros, estaria formado, e receberia o direito a um estandarte. Muitos ficavam anos e anos nesta fase probatória — por incompetência, juízes rigorosos demais ou pura falta de oportunidades. Se não houvesse chance de sacar a espada, um estandarte poderia demorar muito. Diziam que alguns armavam situações de combate ou simplesmente chacinavam desavisados para conquistar o batismo de sangue.

— Que tal um urso com os dentes arreganhados? Um lobo feroz? — insistiu Oberon.

— O lobo é o estandarte do Lorde Adamus — disse D'Agostini.

— Um lobo de duas cabeças, então. De três! Muito inovador.

— Não faça o pirralho sonhar muito alto, Oberon. Esta vai ser uma missão simples, ninguém vai comer aço. Calmaria.

Oberon bufou, descartando a ideia, tremendo os lábios frouxos.

— Esqueceu para onde estamos indo? É um viveiro de dores de cabeça. É onde os desocupados inventam novos problemas, onde os impertinentes brotam do chão.

E, naquilo, Oberon estava certo.

— Sempre há chance de obter um estandarte em Sudário do Louco.

O zumbido na cabeça de Oberon havia cessado, e ele fez todos pararem. Sentou na relva e preparou-se para encarar o resto da viagem. Enfiava folhas de cor vermelha na boca e mascava, gerando uma grande quantidade de espuma, que vazava pelos lábios. A planta se chamava mordanze, ou pelo menos assim se chamavam suas folhas usadas para fins recreativos. Depois de mais ou menos um minuto, ergueu as sobrancelhas e arqueou o corpo para trás. O efeito começara a atingi-lo.

— Quer um pouco? — estendendo um chumaço de folhas para Atreu.

O rapaz fez que não. D'Agostini aceitou uma e pôs-se a mascar.

— Estamos tão perto — murmurou Atreu. — Já consigo ver a cidade.

O novato tinha olhos de rapina. Com muito esforço, D'Agostini, acostumado a vigiar naus inimigas na gávea, conseguia distinguir a mancha que era Sudário do Louco, à distância.

— Por que estamos parados? — em sussurro, mas desnecessário, porque Oberon estava tomado por um acesso de risinhos.

— Caminhe comigo — disse D'Agostini, e não esperou resposta.

A algumas dezenas de metros do gigante ruivo, D'Agostini cuspiu os restos da folha, virou-se para Atreu.

— Oberon é Oberon. Mas tem razão em uma coisa. Você se acha um grande soldado, não é?

Ele sentiu as bochechas queimarem, desviou os olhos.

— Nem todos estudaram no Instituto. Nem todos têm seu estoicismo e sua disciplina. Se você quer ser guerreiro, prepare-se para conviver com homens como Oberon. A maioria dos guerreiros é assim.

— Ele não consegue aguentar uma viagem curta sem vinho ou mordanze!

— E nem a maioria dos soldados. Homens como Oberon são bons guerreiros porque não poderiam ser fazendeiros, oleiros ou cavalariços. Não poderiam ter esposas e filhos, pelo menos sem distribuir sopapos e sífilis para toda a família. Para eles, uma viagem é um tédio impensável, sem algo que os distraia. E uma vida sem parede de escudos é tortura.

Atreu ficou calado.

— Para eles, o exército é uma licença para quebrar coisas e bater em pessoas, perambular pelo mundo e passar o tempo todo com os amigos. É claro que Oberon é mais fera do que homem. Fique feliz porque esta fera se contenta com mordanze e putas, bravatas e combate, e está do nosso lado. Oberon sem o exército seria uma tempestade, um cardume de piranhas famintas.

Ficaram em silêncio.

— Diabo afogado, eu devia ter aceitado duas folhas — disse o marujo. Balançou a cabeça e deu de ombros. — O que sabe de Sudário do Louco, Atreu?

Era uma pergunta mais confortável, e suspeito que D'Agostini soubesse disso, e tivesse feito de propósito. Atreu estudara Sudário do Louco, porque todos os guerreiros cedo ou tarde se envolvem com Sudário do Louco. Devem seguir para lá de espadas em punho, ou pelo menos conhecem quem precisou fazer isso.

— Li a história — disse Atreu.

Chamava-se Carvalho Morto, há um ou dois séculos. Uma cidade afastada, uma aldeia que crescera além do previsto. Erguera muralhas e, longe das vistas e vozes da capital Ruiturus, criara uma população de independência obstinada. O povo de Carvalho Morto rezava e temia a Deus, respeitava os padres e pagava seus impostos, mas discutia ideias hereges sem medo da fogueira. E relutavam em entregar as taxas aos cobradores, inventavam maneiras de burlar a cota, viam esporte em ludibriar Ruiturus. Um incômodo menor.

Mas, numa primavera, a Voz de Urag faria uma grande viagem, e Carvalho Morto recebeu uma carta, informando que abrigaria a líder da Igreja por uma noite. Isso tornaria a estradinha que passava pela cidade uma Via Santa, um dos mais importantes caminhos em nossa terra. As cidades localizadas em Vias Santas pagam mais impostos.

O povo organizou-se em preparação. Quando oficiais da Igreja chegaram, para garantir que o lugar estivesse pronto para receber a Voz, encontraram uma cidade tomada pela loucura. Todos os habitantes andavam nus, pintavam-se como palhaços, gargalhavam histericamente nas ruas. Os comerciantes roubavam mercadorias e deixavam ouro em troca. Os fazendeiros enterravam suas vacas, na esperança de que brotassem. Cada pessoa falava em sua língua particular, em uma cacofonia constante e ensurdecedora. Muitos engatinhavam como animais, latindo e zurrando uns para os outros.

A Igreja encontrou aquilo, e seus enviados fugiram sem demora. Acreditava-se que a loucura era contagiosa, e que o ar dos loucos carregava a peste para os sãos. Ainda hoje muitos acreditam nisso, embora alguns saibam que os demônios da loucura estão bem guardados dentro de cada ensandecido. Os oficiais de Deus temeram por sua própria sanidade, reportaram o que haviam visto, e a rota da Voz de Urag foi desviada. A estrada de Carvalho Morto não seria uma Via Santa. Havia risco de que a cidade fosse queimada, mas o medo da loucura foi maior, e decidiu-se por deixar o lugar maldito em paz. Carvalho Morto foi transformada em manicômio, batizada Sudário do Louco. Anos depois, descobriu-se que a praga tinha milagrosamente desaparecido, mas o nome permaneceu.

— São os impostos, sempre os impostos — disse D'Agostini.

— O que vamos encontrar lá?

O bigodudo deu de ombros.

— Nada tão divertido quanto uma população de malucos, com toda certeza. As pessoas de Sudário do Louco não são idiotas. Não querem arriscar um massacre, que é o que aconteceria caso se rebelassem.

— Mas não pagaram os impostos.

— Nós *não recebemos* os impostos, o que é bem diferente. Os oficiais que foram mandados para fazer a coleta não voltaram, e nem o ouro de Ruiturus. Isso pode ser apenas um acidente infeliz, ou pode ser algo mais grave. Se alguém decidiu enfiar uma adaga na garganta de um oficial, então teremos de matar muita gente.

Atreu ficou um tempo em silêncio.

— Isso é ser guerreiro?

— Na maior parte do tempo — disse D'Agostini. — Urag sabe que existem piratas, e que pouca coisa dá mais prazer do que retalhar seus buchos com um sabre. E existem bandoleiros e selvagens nesta terra seca. Mas a maior parte do trabalho é cobrar impostos, parecer ameaçador e intimidar pessoas.

— E proteger pessoas?

— Menos do que seria de imaginar. Em geral, só proteger pessoas delas mesmas. Convencê-las de que precisam ser protegidas.

O marujo dirigiu um olhar significativo para Atreu. Aquelas palavras beiravam a traição. O rapaz podia interpretar como um voto de confiança, um par de braços abertos. Ou como uma ameaça. Se revelasse a conversa, estaria morto.

— Oberon está pronto para retomar viagem — disse. — Por Deus, eu devia ter pego outra folha de mordanze.

Oberon segurou a roupa do homem, empurrou-o contra a parede, fez suas costas estalarem na madeira.

— Você pode inventar uma história melhor do que essa — rosnou. — Vamos, não me obrigue a fazer o que não quero.

Atreu estava tomado por uma vergonha profunda, um constrangimento que lhe parecia fora de lugar. Estavam na casa do burgomestre, e Oberon empurrava o homem no meio de sua sala, fazendo tremer uma prateleira e derrubando um vaso de argila, que foi se espatifar no chão. Duas cadeiras estavam caídas, a esposa do homem assistia a tudo com as mãos na boca. Dois rapazes de quatorze ou quinze anos espumavam nos cantos do aposento, querendo fazer uma estupidez.

— O ouro foi enviado — disse o burgomestre, meio sem fôlego. — Os soldados partiram daqui com um baú.

— E então foram atacados por salteadores? Salteadores invisíveis que mataram todos e desapareceram sem deixar rastro?

— Não sei o que houve com eles.

— Você não sabe muita coisa, velho.

Oberon bateu com a mão espalmada na parede, bem ao lado da cabeça do homem. O burgomestre apertou os olhos de susto.

Atreu e D'Agostini estavam mais atrás, braços cruzados no peito e rostos de um sutil desprezo. Era mesmo vergonhoso, mas aquele era o papel que deveriam interpretar, depois que Oberon decidira chutar a porta e dar um tabefe no burgomestre. Atreu ficava espantado com o medo daquela gente, surpreso de que não conseguissem notar que ele era só um novato constrangido. Era o poder de uma espada e alguns músculos.

— Vou perguntar só mais uma vez, porque sou um homem piedoso — disse Oberon numa vozinha cantarolante. — O que houve com os oficiais?

— Já disse que não sei!

Oberon pareceu ter levado um tapa. A surpresa virou indignação, e ele esmurrou o estômago do burgomestre. O homem se dobrou, um de seus filhos correu para o pai. D'Agostini girou o corpo num instante, agarrou o pulso do garoto, torceu seu braço, jogou-o no chão. A mulher deu um gritinho.

Atreu encontrou os olhos do outro menino. Por dentro, suplicava para que ele não tentasse nada.

— Suas crias estão apanhando por causa de sua estupidez — disse Oberon. — É isso que você quer? Uma desculpa para os meus homens sacarem as espadas e destruírem este pardieiro?

Lágrimas verteram dos olhos do burgomestre. Ele tentava engolir o choro, evitar o rosto da esposa, mas não havia muito que pudesse fazer.

— Onde está o ouro?

— Não sei.

— Apneu, chame os soldados. Vamos revistar a casa.

Atreu não pensou, apenas cumpriu a ordem. Quando lhe ocorreu hesitar, já estava na porta principal, chamando os homens para dentro.

Oberon esbofeteou o rosto do burgomestre e o largou. D'Agostini soltou o garoto, mantendo-o sob as vistas.

— Vamos ver o que há aqui! — anunciou Oberon, derrubando uma estante e quebrando tudo sobre ela.

Os soldados entraram na casa, e não havia justificativa para a maior parte do vandalismo. Um baú cheio de ouro não podia estar escondido atrás de uma prateleira simples, ou no meio da palha de uma cama. Os homens arrancaram tábuas do chão em busca de buracos ocultos, espalharam todas as roupas da dona da casa, subiram em cadeiras para arrancar o sapé do teto. Tiraram as cinzas do fundo do forno, emporcalhando o resto da casa, enquanto a família assistia, atônita.

Atreu arregalou os olhos para D'Agostini, que apenas fez um balançar curto com a cabeça.

— Onde está escondendo o ouro, velho muquirana? Será que vou ter que levá-lo para a capital e arrancar-lhe algumas respostas no fogo?

A dona da casa deu um berro, atirou-se aos pés de Oberon, chorando e implorando. O ruivo a empurrou, foi examinar uma estatueta de prata, que guardou para si.

— Uma viagem a Ruiturus, então?

— Eu posso fazer ele confessar — disse Atreu, de repente.

Oberon virou para ele. D'Agostini franziu-lhe o cenho em reprovação, mas Atreu fingiu não ver.

— Quer se divertir também, garoto? — disse Oberon, gesticulando para o burgomestre como se o oferecesse.

— Aprendemos sobre isso no Instituto de Urag. Existem ervas que podem arrancar a verdade de qualquer um, na combinação certa.

Oberon fitou-o por um instante. Atreu não desviou o olhar.

— Tem essas ervas aqui?

— Posso conseguir. São comuns. O segredo está na combinação.

Oberon sinalizou que prosseguisse. Atreu vasculhou os temperos e plantas da dona da casa. Selecionou alguns, pegou um pouco de uma erva que levava na algibeira. Achou uma tigela que ainda não estava quebrada e esmagou aquilo tudo, fazendo uma mistura de cheiro forte.

— Isso funciona mesmo? — disse o ruivo.

— É impossível guardar segredo tendo ingerido a mistura. Como se o próprio Urag arrancasse a verdade de você.

Atreu foi até o burgomestre, enfiou as ervas esmagadas na boca dele. O homem relutou, mas Atreu ergueu as sobrancelhas e indicou Oberon com um virar rápido das íris. O burgomestre ingeriu tudo.

— Pronto — disse Atreu. — Ele não consegue mais mentir.

Oberon deu uma risada e apertou seu ombro.

— Parece que o Instituto tem sua utilidade, não é?

— Onde está o ouro? — disse Atreu.

O burgomestre abriu a boca para responder, mas Oberon calou-o com um dedo.

— Primeiro vamos testar.

Então, para o burgomestre:

— Conte-nos, velhote. Já traiu sua mulher?

O homem ficou branco como uma vela. Roubou um olhar para a esposa. Atreu fez-lhe um sinal com as sobrancelhas.

— Sim — respondeu. A mulher deu um gemido.

— Se tivesse que escolher entre sua vida e a vida de seus filhos, agora mesmo, o que escolheria?

— A minha vida — após morder os lábios.

— As ervas funcionam! — entusiasmou-se Oberon.

Atreu respirou fundo.

— Onde está o ouro, velho?

— Não sei — disse o burgomestre, em voz sumida.

— Entregou-o para os soldados?

— Sim. Eles saíram daqui com o baú. Não sei o que houve.

Oberon sorriu.

— Aí está. Então vamos atrás dos nossos garotos. Fique feliz, velho. No final, ninguém se machucou.

Oberon despenteou o cabelo do burgomestre, como se fosse uma criança. Disse para os soldados irem embora. Quando ele mesmo já saía, viu um grosso colar de ouro, jogado no meio da bagunça.

— Importa-se se eu pegar isso?

— Sim, me importo. Mas estou com medo de você.

— As ervas funcionam mesmo! — disse Oberon.

Guardou o colar e foi embora.

Tomaram a estrada que levava para fora da cidade, seguindo o caminho que o burgomestre indicara. Os cobradores tinham deixado Sudário do Louco e marchado até sumir da vista das fazendas. Não havia qualquer rastro, pois passara-se muito tempo. Continuaram pela estrada, desviando-se de tempos em tempos para perguntar a viajantes ou moradores de casebres isolados. Alguns haviam enxergado o grupo carregando o baú, outros não. A conclusão lógica era roubo.

Era raro que soldados roubassem o ouro da Igreja. A ânsia por dinheiro existe em cada homem, e guerreiros sentem isso de modo ainda mais forte, acho, porque seu ouro vem a custo de sangue, e o que está à mão é sempre tentador. Mas, em se tratando do dinheiro de Urag, sempre há o risco de que a fé seja maior que a ganância, ou o medo de Deus sobrepuje o medo das espadas em pelo menos uma testemunha. Quem rouba da Igreja costuma ser descoberto e transformado em exemplo.

Os três, acompanhados de seus homens, continuaram por alguns dias, numa trilha fraca. O dono de uma taverna de beira de estrada informou não ter visto os fugitivos e isso foi o sinal de que haviam abandonado aquele caminho. Uma varredura nas imediações, ao longo de dois dias, revelou uma velha que morava com seu neto imbecil. A mulher disse que vira o grupo, e que todos pareciam doentes.

— Aí está — disse Oberon. — Não queriam infectar a capital.

Atreu perguntou à velha sobre o estado dos cobradores. Repassou mentalmente uma lista de sintomas visíveis.

— Não parece nenhuma praga comum — decretou.

— O que você sabe sobre isso, Arzeu? São bons soldados da Igreja, que se sacrificaram para evitar o contágio!

Atreu não estava convencido. Pediu a D'Agostini que continuassem no rastro. De qualquer modo, precisavam recuperar o baú.

— Acha que o dinheiro está infectado? — disse Oberon.

— Eles não estão doentes. Nós não vamos ficar doentes.

— Se está tão certo, *você* carrega o baú. Será a carreira mais curta que o exército já viu.

Seguiram a esmo, descrevendo círculos cada vez mais largos para achar sinal da presa. D'Agostini acabou descobrindo carcaças de vacas destroçadas no meio do nada, sobre uma colina. Logo perto, árvores de um capão derrubadas, a terra remexida, como se uma equipe de trabalhadores escavasse.

Eles seguiram a trilha de estranhezas, um calombo cada vez mais pesado afundando o estômago de Atreu. As depredações continuaram, mais e mais frequentes. O que quer que fizesse aquilo tornava-se mais lento e mais destrutivo.

Depois de quatro dias, ouviram um berro, um som distorcido que nenhuma garganta humana ou animal produziria. No quinto dia, encontraram os cobradores.

Os soldados não contiveram seus próprios gritos. Dois deles vomitaram sobre as túnicas. Os cavalos relincharam, viraram os olhos em pavor. O porta-estandarte foi derrubado pela montaria. Oberon rilhava os dentes, emitindo um rugido baixo do fundo da garganta, como um animal acuado. D'Agostini desmontou e, no mesmo instante, seu cavalo correu para longe. Atreu o imitou, antes que também caísse do cavalo em pânico.

A imagem que chegava primeiro aos olhos era um verme. Longo e gordo, com metros de comprimento, largo como uma carroça. Mas não era um verme. Sua superfície irregular era formada de troncos humanos, e braços e pernas. Cabeças projetavam-se por toda sua extensão, de todos os lados. A coisa locomovia-se agarrando a terra e a grama com seus dedos deformados, arrastando o corpanzil. Os membros e rostos que tocavam o solo eram esfolados, deixando uma trilha de sangue e fiapos de carne.

E a coisa carregava o estandarte da Igreja, as três trombetas. Uma haste de madeira com o pano bordado emergia da maçaroca de carne, e as túnicas de vários cobradores de impostos misturavam-se ao emaranhado. Espadas e escudos no meio daquilo tudo, como pedras em um pedaço de argila. Quando o monstro se movia, as lâminas mordiam e cortavam, e a coisa se agitava ainda mais, de agonia. O verme gritava por uma dezena de bocas, gemidos fracos, e também por alguma garganta monumental que se formara em seu interior.

Voltou-se para eles, estendendo seus braços e agitando suas lâminas. Convulsionou, rearranjando seu corpo, e eles puderam ver o baú semienterrado em seu interior. A fera era formada pelos corpos dos homens, e por seus objetos.

Atreu saltou para o lado por instinto, pois não conseguiu ver o golpe da besta. Para algo agonizante e malformado, era rápida e ardilosa. Um buraco, semelhante a uma boca, abriu-se em uma extremidade, e ela vomitou uma espécie de tentáculo feito de vários braços. Atingiu um soldado atrás de Atreu. O homem gritou quando sua clavícula foi destroçada, quatro mãos agarraram-lhe os ossos, o ombro e o rosto, e ele foi puxado para fazer parte do monstro.

D'Agostini correu para o outro lado da criatura, saltando e desviando-se dos flagelos feitos de pele. O corpo do marinheiro agia sozinho, respondendo à situação de perigo, enquanto sua mente tentava compreender. Um conjunto colossal de pernas e lâminas desceu como um martelo onde D'Agostini estava um instante atrás, ele saltou e puxou o sabre. Gritava enquanto isso, um terror involuntário liberto na voz.

— É o diabo! — gritou Oberon. — É o diabo em pessoa!

Atreu rolou, ainda refazendo-se do salto, e achou que o ruivo iria se acovardar e correr. Mas Oberon segurou seu machado, berrou que era o diabo a lhes atacar, e golpeou.

A coisa criou um grosso tentáculo de músculos para ferir Oberon, mas o machado foi mais rápido e mais forte. A lâmina dilacerou a carne deformada, fazendo um chafariz vermelho para todos os lados. Oberon foi banhado e deu uma gargalhada.

— É sua chance de matar o diabo, rapazes! Vamos! Seremos santos!

Um comprido tentáculo encimado por um rosto projetou-se para D'Agostini. Ele saltou, girando no ar, e enfiou a ponta do sabre entre os olhos do inimigo. O rosto guinchou, abriu a bocarra, e de lá projetou uma lança. D'Agostini, ao mesmo tempo em que tocava o chão, aparou a arma, dilacerou o palato monstruoso com sua lâmina. O tentáculo se encolheu, enquanto o rosto chorava, e outros membros aberrantes nasciam para atacar.

Quatro soldados atenderam ao chamado de Oberon, gritaram o nome de Deus e investiram. Dois foram enredados por tentáculos feitos de intestinos, derrubados e puxados. O machado do ruivo cortou as amarras, os homens se arrastaram para longe. Oberon se jogou para a coisa, encostou seu peito nu na pele repugnante, berrou, ergueu o machado e desceu-o com toda a força. A lâmina se enterrou fundo, abriu um talho imenso, de onde o sangue mais uma vez verteu em borbotões. Havia uma cabeça enterrada ali, coberta de fluidos como um recém-nascido, e tentou morder Oberon. Ele golpeou de novo, destroçando-a com o machado. Gavinhas de carne se projetaram do ferimento, indo enredar-se em seus braços e pescoço. Oberon as mordeu, rompendo as fibras, mastigou e engoliu, lambendo os beiços.

Atreu tentava ficar longe dos ataques, mas novas mãos com lâminas e pedaços de objetos continuavam a se projetar em sua direção. Mal conseguia enxergar D'Agostini pelos saltos e a velocidade, e estava horrorizado e maravilhado com a força e violência de Oberon. Enfim sacou sua espada, sentiu-se terrivelmente inadequado, fraco e bobo.

— Vamos matar o diabo! Venham, venham todos, vamos entregar o cadáver do filho da puta a Urag!

Mas não era o diabo. Atreu sabia o que era, ou ao menos achava que sabia.

Abaixou-se para evitar ser atingido pelo corpo de um soldado, que era puxado no ar até a monstruosidade. Sentiu um tremor sob seus pés, pulou a tempo de esquivar-se de uma grossa protuberância que escavara o chão, e agora explodia para fora da terra, onde ele estivera há um instante.

Correu para trás, ouvindo zombarias de Oberon. O ruivo golpeava e retalhava o monstro, num frenesi quase religioso, mas a coisa não parecia sentir, e continuava atacando. Atreu alcançou um dos cavalos que caíra na fuga, e agora estrebuchava com duas patas quebradas. O animal carregava algum equipamento. Atreu cortou sua garganta e pôs-se a desamarrar as cordas que prendiam os apetrechos ao seu lombo.

Correu de volta para a criatura, com a corda em punho. Viu D'Agostini descrever um talho longo e fundo, aleijando três braços. Mas uma espécie de chicote de carne, coberto de dentes, golpeou por trás do marinheiro. D'Agostini virou-se, tentou se esquivar, mas os dentes rasgaram-lhe o ombro esquerdo, mostrando o osso. Ele gritou, um tentáculo segurou seu pé. D'Agostini o cortou, conseguiu se libertar, cambaleou para longe, para tomar fôlego.

Atreu deu um berro, jogou-se sobre a criatura de peito aberto, sob os vivas de Oberon. Enquanto as mãos o agarravam e a pele se esticava para cobri-lo, Atreu segurou o baú. Enfiou seus braços por dentro da carne do monstro, enlaçou-o com a corda, deu os nós mais fortes que conhecia. Sentiu-se sendo englobado pela coisa.

— Oberon! — gritou. — Oberon, me puxe!

Com a única mão ainda livre, agitou a corda na direção do outro.

Oberon deu um golpe de machado, abrindo caminho por entre o bosque de carne, em três passos longos estava com Atreu. Agarrou a ponta da corda, enquanto o rapaz terminava de amarrá-la em si mesmo.

Então, Oberon puxou.

Sua força não se comparava à da fera, mesmo que fosse maior do que a de qualquer homem. Atreu sentiu as costas mordidas pela corda, sentiu-se rebentar, no meio da disputa entre monstro e guerreiro. Um tentáculo enrolou-se no tornozelo de Oberon, e a coisa o puxou. O ruivo gritou, agarrou a corda mais firme. A fera suspendeu seu corpo no ar, assim puxando Atreu e o baú de dentro da própria carne.

Atreu rilhou os dentes, grunhiu. Restava saber o que resistiria mais: seus nós, a carne da fera ou a teimosia de Oberon.

— Não vou soltar ele, seu cagalhão infernal! Faça o que quiser comigo, não vou soltar o garoto!

O tentáculo deu um puxão mais forte, e Atreu sentiu-se desgrudar. A fera rasgou a própria carne, e ele foi arremessado ao chão, amarrado ao baú, esfolando-se na terra. Atreu sacou uma adaga, cortou um dos nós, e o baú se desprendeu, rolando pelo chão e espalhando seu conteúdo. Tentou ficar de pé, mas as pernas fraquejaram e a mente voou, ele cambaleou e caiu.

Oberon foi sugado com violência para dentro do monstro. Atreu se arrastou para o ouro derramado, viu o que achava que iria ver. Era um estilhaço de algum tipo de pedra, trabalhado como um ornamento. Impossível dizer o que havia sido um dia, mas com certeza decorativo. Atreu segurou o objeto, ergueu o braço e o arremessou tão longe quanto pôde.

O monstro deu um gemido enorme, de todas as suas gargantas. D'Agostini o cortou mais uma vez, enquanto Oberon, misturando-se ao seu interior, chutava e mordia.

O corpanzil feito de corpos estremeceu. Convulsionou uma vez, e de novo. Então, com um uivo, amoleceu. Um rio de saliva, sangue e bile vazou por todos os lados da criatura. Ela ficou imóvel.

— Era minério divino — ofegou Atreu. — Eles não estavam doentes. Era minério divino.

Oberon rasgou o lençol de carne que o cobria, apoiou-se na maçaroca para ficar de pé.

— Matamos o diabo?

— Era minério divino — disse Atreu.

— De qualquer forma, boa luta! — Ele riu. — Como sabia disso? Aprendeu no Instituto?

— Não.

— Você tem suas utilidades, afinal! — Riu de novo. — Bem-vindo ao exército, Atreu.

Havia três soldados que não estavam mortos e nem tinham fugido. D'Agostini os reuniu, enquanto Atreu insistia para examinar seus ferimentos e Oberon ocupava-se do baú.

— Atreu! — chamou o ruivo.

O rapaz foi até ele.

— O baú está contaminado? O dinheiro?

— Não. Acho que não.

— Acha?

— Não está. O minério não funciona assim.

— Os homens viraram aquele monstro por causa de uma pedrinha?

— O minério pode fazer isso. Às vezes. Provavelmente alguém não tinha dinheiro, e pagou os impostos com a pedra.

— E como Sudário do Louco não é um ninho de coisas como esta?

Atreu não sabia explicar. Ninguém sabe. O minério divino age de modo imprevisível. Pode-se conhecer as propriedades de um fragmento específico — mas, como um todo, é selvagem. Derrama sua aura sobre todas as possibilidades, alterando o mundo de acordo com a energia que emana. O modo como distorce a realidade pode ser usado em objetos de imenso poder, mas em geral só provoca loucura e doença. Talvez algo naqueles homens tivesse causado aquela reação, talvez fosse algum ódio entre eles que tivesse desencadeado a metamorfose. Ou, talvez, um forte sentimento de união. Ou ainda, talvez o dono original do fragmento mantivesse-o em uma caixa decorada com os padrões certos, isolando seus efeitos e apenas isso impediu que Sudário virasse um aglomerado de aberrações. Não há como saber.

Oberon mandou os homens remanescentes vasculharem o perímetro, chamou D'Agostini.

— Ninguém sabe o que aconteceu aqui — disse.

Os outros ficaram em silêncio.

— A história é inacreditável de qualquer forma — continuou. — Podemos ser queimados por falar a verdade.

— É melhor mentir — concordou D'Agostini. — Dizer que os cobradores eram ladrões.

— Ou dizer que foram atacados por bandoleiros. E que não conseguimos recuperar o ouro.

Pausa.

— Ninguém sabe — disse Oberon. — Isso não é o bastante para nos deixar ricos, mas paga um ou dois meses de putas e vinho para cada um. Basta ficarmos de boca fechada.

— Os homens viram o ouro — disse D'Agostini.

— E com certeza vão contar a história maluca do monstro. E então *eles* serão queimados. Vamos ficar com o dinheiro. O que dizem?

Atreu olhou para D'Agostini. O marinheiro o fixou com o olhar e deu de ombros. Não falou, mas seu olhar era claro. Não tomaria a decisão. Ficava a cargo do novato.

Atreu ficou em silêncio. O dinheiro iria para a Igreja. Para os cofres dos cardeais. A Igreja matara Aquelau, matara seus irmãos de infância. O dinheiro iria para a Voz. A Voz recusara-se a fugir com ele.

— Não — disse Atreu.

— Ora, garoto!

— Não — repetiu. — Isso é roubo.

— Tem medo do castigo de Deus?

— Deus não existe. Isso é roubo.

— Bem, *eu* vou ficar com o ouro.

— E eu vou denunciá-lo.

— Já viu meu machado, garotinho?

Atreu engoliu.

— Já. Mate-me, se quiser. Não vou conseguir vencê-lo. Mas não vou ser ladrão.

Ficaram se encarando.

— Muito bem — disse Oberon. — Muito bem. O ouro vai para os padres.

Ergueu-se.

— Acho que não terei estandarte, então — disse Atreu.

— Não sou injusto, menino. Você nos salvou. Terá seu maldito estandarte.

Deu um risinho.

— Mas a escolha vai ser minha. Se você se importa tanto com moedas, então esse será seu estandarte. Uma enorme e redonda moeda dourada. Atreu, o Guerreiro dos Vinténs.

Gargalhou.

Nos dias seguintes, obrigou os homens a vasculhar cada fazenda e vilarejo em busca de tinta e pincel. Desenhou a grande moeda dourada no escudo de Atreu. O rapaz teve de usá-lo. Teria de usá-lo para sempre.

Atreu não soubera que estandarte escolher, e nem sonhara com aquilo desde a infância. Mas a enorme moeda, marcada em definitivo como sinônimo de si mesmo, fazia-o ruminar. Olhava o desenho de vários ângulos, tentando encontrar satisfação.

De noite, Oberon roncava. D'Agostini apontou para o escudo com o novo símbolo.

— Mais parece o sol — disse o marinheiro.

7

O MUNDO ACABOU PORQUE NÃO CHOVIA.

Não é difícil imaginar por que nosso povo é tão devoto, por que a ideia de Urag é tão presente. São governados por eventos aleatórios, externos. Precisam de chuva e de sol. Morrem de frio se o inverno é rigoroso, e de fome, quando a colheita é ruim. Nós, escritores e guerreiros e padres, praguejamos quando a lama suja nossas botas, ou quando o calor nos arranca suor. Eles morrem.

E aquele era um ano em que morria-se pela falta de chuva. Os plebeus viam seus vegetais definharem, seus animais ficarem magros. Não havia o que comprar, para os que lidavam com ouro. E, como sempre, como D'Agostini explicara a Atreu anos antes, tudo acabava em impostos. Não havia colheita, e não havia dinheiro, e não havia impostos. Por que Urag castigava desse modo justos e pecadores?

Gostaria de dizer que lembro daquela época, na verdade há pouco tempo. Mas toda a seca e a fome passaram abaixo dos meus olhos, pois eu estava ocupado escrevendo. Assim como Atreu pouco notou aquilo, até que a falta de chuva fez o mundo desabar.

A Igreja notava.

E foi assim que os cardeais resolveram saciar as almas, para aplacar os estômagos. A Voz de Urag partiu em peregrinação por nossa terra, lembrar a todos de que existiam coisas mais importantes que a fome.

Quatro irmãos pousaram o enorme baú em frente ao Cardeal Barsoom e ao General Pugna Marco Segundo. O sol quase a pino torrava seus crânios. Os quatro tinham o mesmo cabelo castanho, em estágios progressivos de escassez, acompanhando a idade. As roupas aristocráticas, repletas de bordados e sobrecasacas e abas de tecido, engolfavam seus corpos como fornos, e todos ostentavam gotas abundantes no lábio superior, em uma espécie de coreografia de suor. Eram nobres e eram irmãos, e suas roupas estavam gastas. O fio de ouro ausente em vários lugares, e pequenos rasgos costurados por mãos alheias. Não exibiam tantas joias quanto seria apropriado a sua posição. Eram nobres que perdiam ouro e dignidade para o calor, mas nunca deixavam de pagar a Igreja.

Com uma mesura, Pugna abaixou-se para verificar o ouro.

— Não — interrompeu Barsoom, com sua voz ribombante. O rosto de muralha encarou cada um dos quatro. — Tenho certeza de que está tudo aí.

Os irmãos entreolharam-se. Estava tudo ali, é claro. A presença do Cardeal Barsoom e de Pugna era garantia suficiente. E, mesmo que não fosse, a Voz de Urag visitava aquele feudo, e ninguém ousaria roubar tão próximo à santa. Barsoom exigira que o imposto fosse entregue daquele modo, a céu aberto e às vistas do populacho, como exemplo de subserviência. Dezenas de aldeões em seus melhores trapos assistiam à cerimônia improvisada. Viam sua parca riqueza, despejada nos cofres de seus senhores, ser entregue a Deus.

Os quatro irmãos estavam sérios. Curvaram-se, enquanto soldados vinham recolher o baú e levá-lo embora. O calor parecia aumentar o silêncio, amplificar o zumbido de uma mosca gorda nas proximidades. O cortejo dos nobres se abriu para dar passagem a um velho de cabeça erguida e andar saltitante.

— Vossa Eminência! Lorde Pugna! — cumprimentou o velho, abrindo um sorriso enorme e cheio de falhas. — Muito nos honram.

Curvou-se, emitindo um pequeno gemido contra as costas endurecidas, mas nunca deixando de sorrir. Era uma figura bizarra, baixo e esquelético dentro das mangas bufantes e da meia-armadura que poderia comportar dois como ele. Havia um rombo ainda fresco onde deveria estar sua orelha esquerda. Um de seus olhos estava fechado por um imenso hematoma negro, e sua mão direita exibia um curativo em vez de três dedos.

— Barão Mordecai — entoou Barsoom, também curvando-se.

O senhor daquelas terras, incongruente em sua felicidade e seus ferimentos, estendeu as boas-vindas aos oficiais da Igreja e agradeceu a presença da Voz.

— Quando poderemos receber a bênção da santa? — disse, soltando perdigotos através das falhas nos dentes.

— Ao amanhecer — disse o cardeal.

— Esplêndido! Um milagre! — Entusiasmou-se o velho. — Permita que eu lhes ofereça um banquete.

Um dos irmãos ergueu um dedo e fez menção de objetar, mas o barão calou-o com uma pancada precisa, usando sua bengala escura.

— Quieto, fedelho. Vossa Eminência deve me desculpar, pois minha prole é dotada de pouca fé. Preocupam-se com nossas atuais dificuldades!

Barsoom ficou calado.

— Eu confio em Urag, Eminência — continuou o barão, sem pestanejar. — Assim que o problema da seca se apresentou e meu povo começou a entregar couves esquálidas, Deus mostrou-me a solução. E só confirmou Sua bênção, com a visita da Voz!

Radiante e impávido, o Barão Mordecai apontou a bengala ao cardeal.

— Eu ficaria muito honrado se Vossa Eminência e Sua Santidade assistissem ao julgamento que ocorrerá esta tarde.

Os portões do castelo foram abertos, e todos foram admitidos no pátio central, para assistir à justiça sendo administrada. Um terreno de areia grossa, sempre seca e árida, tornada ainda mais morta pelo calor. Dos animais que costumavam circular por ali, apenas duas galinhas restavam, e correram apavoradas quando o povo do baronato chegou.

Os soldados da Igreja formavam um perímetro à volta do pátio, recobrindo as paredes. Todo o lado esquerdo era ocupado por um batalhão designado a proteger a Voz, liderado por Pugna Marco Segundo. A liteira fechada dominava o centro daquele espaço, suas cortinas grossas escondendo Desdêmona. Padres dos mais diversos escalões pontilhavam a massa de soldados. Um deles (que sustentara o santo chapéu anos antes) tinha a função de transmitir os comandos da Voz de Urag ao mundo exterior, e de descrever o que fosse preciso à mulher abençoada. Barsoom, mais alto que todos, formava uma ilha de batina em meio aos guerreiros, seus ombros ocupando o espaço de dois.

Ao fundo, os guardas e a corte do Barão Mordecai. Era um bando quase maltrapilho: roupas remendadas e falta de sabão. Não havia como negar que o baronato estava sob o jugo da seca.

E, no centro, ladeado por alguns guardas, estava um homem atônito e sólido, de barba cheia e roupas quase limpas. A aparência de saúde e a robustez sugeriam comida abundante, prosperidade, trabalho. Impossível imaginar que fosse um nobre. Era um comerciante. Seus pulsos, pescoço e tornozelos estavam presos por correntes, que forçavam-no a uma postura curvada.

O povo tomou o pátio, observando tudo com reverência. Um arauto fez soar uma trombeta meio amassada. Do interior do castelo, surgiu a figura alegre do barão. Estava acompanhado por um homem de mantos cinzentos e um largo chapéu da mesma cor, sobre longos cabelos cacheados.

O burburinho do povo foi calado pelos guardas com meia dúzia de empurrões. O homem de mantos cinzentos destacou-se, indo parar à frente do prisioneiro.

— Com Urag por minha testemunha e na presença de Seu Cardeal Barsoom e Sua Voz, venho aqui acusar Tafari, mercador errante, de agressão contra o senhor destas terras, Barão Mordecai.

O barão mal conseguia conter o riso.

— Onde está seu advogado, mestre Tafari?

O prisioneiro gaguejou, incrédulo.

— Não tenho.

— Onde está seu advogado, Barão Mordecai?

— Aponto o senhor, mestre Onthero, como meu advogado.

— Assim, o réu abrindo mão de sua defesa, passarei às acusações.

Era um ritual ligeiro. O advogado fez surgir um pergaminho de seus mantos e o desenrolou, revelando a lista de transgressões em letra rebuscada. Tafari, o comerciante, tentava interferir, e era mantido quieto pelos guardas. Seu crime era um ataque ao barão, resultando em graves ferimentos, que exigiam compensação.

— Como se declara a respeito dessas acusações? — disse o advogado.

— Não fiz nada disso!

— Venho adicionar às acusações o crime de mentira ao senhor destas terras, Barão Mordecai, vítima do réu.

Onthero chamou as testemunhas, que também eram o júri. Em nossa terra, as leis são muitas e meticulosas. Existe a lei da Igreja, reflexo da lei divina de Urag, que pune para purificar, superior a todas as regras seculares. E existe a lei dos nobres e do povo — a lei dos homens. Necessita de testemunhas e júri. Que devem conhecer uma ou ambas as partes, para que possam dar opiniões sólidas, baseadas em informação. As testemunhas, os quatro filhos de Mordecai, se apresentaram.

— O mercador atacou meu pai — disse o primeiro. — Feriu-o a pedradas, bateu nele com um pedaço de pau.

— Sua intenção era matar — confirmou o segundo. — Pude ver em seus olhos.

— Foi cruel, arrancou dedos e uma orelha.

— E gargalhava o tempo todo!

O barão sorria e enfiava a língua pelas frestas nos dentes.

É uma justiça que não visa punir, mas compensar. Os advogados, ao longo de muitos anos de uma história que não conheço, atribuíram valores às perdas das vítimas.

— O criminoso, chamado aqui de Tafari, mercador, deve pagar ao Barão Mordecai pelos danos causados — sentenciou o advogado. Em seguida, puxou outro pergaminho. Uma tabela de preços. — Por uma orelha, quinze peças de ouro, ou valor equivalente em objetos e animais saudáveis. Por um dedo, vinte peças de ouro, totalizando sessenta peças de ouro por três dedos perdidos. Por um dente central, cinco peças de ouro, e quatro por dentes periféricos.

Um par de portas se abriu, e apareceram servos carregando bolsas e sacolas de estopa cheias de mercadorias. Tafari começou a chorar, vendo sua propriedade confiscada.

— Por um olho inutilizado, segundo a opinião de um médico de alma pura ou um oficial da Igreja, quarenta peças de ouro.

Uma surra era uma boa maneira de ganhar uma pequena fortuna, tendo a justiça ao seu lado. No passado, eu não entenderia a diferença entre isso e um mero roubo. Hoje sei que o falatório, o ar legítimo e o ritual mantêm as pessoas quietas. Um roubo é ser atacado por um bandoleiro. Uma condenação é ser atacado pelo mundo.

— Por um corte maligno na perna, obrigando o uso de bengala e prejudicando a capacidade de defesa própria, dez peças de ouro.

— Não fiz nada disso! — berrou o mercador. — Nunca vi esse barão.

Mordecai apoiou-se na bengala e ensaiou um passo de dança.

Os servos traziam rolos de tecido, panelas, vasos, agulhas, ferramentas. Então a carroça e os animais. A esposa e os filhos. Os produtos de uma vida.

Barsoom observava, impassível. Um padre entrava e saía da liteira.

— Hoje vai haver banquete! — entusiasmou-se Mordecai.

O povo acompanhava o movimento dos servos, para dentro e para fora das portas abertas, carregando os últimos resquícios das posses do mercador.

— Piedade! — gritou Tafari, nada mais a fazer. — Voz Desdêmona, eu imploro! Piedade!

O barão parou de dançar. Abriu o olho que lhe restava.

— Piedade! — veio um grito do meio do povo.

— Estamos com fome! — ergueu-se outro.

Os soldados da Igreja aprontaram as armas. Pugna deu ordens rápidas, com gestos. Barsoom caminhou à frente, enquanto o padre responsável sumia mais uma vez atrás das cortinas da liteira.

— *Piedade!* — Os gritos da multidão se repetiram, cada vez mais altos.

— Estamos com fome, Santidade!

Tafari gemia alto, sem palavras, deixava lágrimas e saliva escorrerem rosto abaixo. A gritaria redobrou. Chamavam o nome de Desdêmona, de Barsoom. Um velho gritou pelo General Pugna, que conhecera certa vez em sua infância, e que muitos diziam ser milagroso.

— Este homem é um criminoso pérfido — disse o advogado, tentando ser ouvido acima do populacho.

— Piedade para o mercador!

— Queremos o ouro dele!

Os aldeões começaram a se mover. Um passo, depois outro, em direção às tropas da Igreja, em direção à Voz. Os guardas do barão ergueram suas lâminas, ameaçaram os primeiros. Os soldados de Pugna mantinham-se impassíveis, aguardando.

O Cardeal Barsoom ergueu as duas mãos acima das cabeças. Seus longos braços de tora pareciam cobrir o pátio inteiro, numa bênção rígida.

— Meus filhos — disse o cardeal —, a justiça foi feita hoje.

— A Voz! — Um berro anônimo, da massa. — Queremos falar com a Voz!

— Dê-nos comida, Santidade!

Barsoom avançou, empurrou quatro aldeões com suas manzorras.

— Para trás.

— A Voz! A Voz!

— Piedade!

— Comida!

Um gesto de Pugna, e os soldados acompanharam o cardeal. Seus escudos à frente do corpo, pressionaram a multidão.

— A Voz! A Voz!

— Eles terão um banquete!

E a raiva explodiu.

O ronco dos estômagos traduziu-se no rugir de muitas gargantas, e os plebeus investiram contra a Igreja. Os primeiros saltaram sobre os soldados, suas mãos postas como garras, os dentes arreganhados como se fossem feras, como se quisessem devorar aqueles homens, saciar-se ali mesmo. Dois soldados caíram, foram puxados num instante para dentro da turba, e esmurrados e arranhados e despedaçados. A linha da Igreja então investiu, escudos altos e espadas baixas, estocando e cortando. Barsoom, as mãos nuas, agarrou uma cabeça pobre em cada mão, chocou-as uma contra a outra, rachando osso e fazendo esguichar sangue. Segurou um pescoço e apertou até esmagar a traqueia, quebrou um esterno com um soco.

E os guardas do barão partiram para a matança, como cães numa coleira esticada. Ergueram e desceram as espadas e os machados, produzindo uma fonte escarlate, gritando incoerências, porque também estavam com fome.

Foi uma revolta curta. Dois instantes de massacre, e os aldeões encolheram-se, ficaram de joelhos, protegendo as cabeças. Um gesto de Barsoom, e os soldados da Igreja estacaram. Os guardas do barão obedeceram também, após uma ordem gritada.

A areia do chão tornara-se um lodo avermelhado. Partes de aldeões estavam espalhadas, pisoteadas, como um prenúncio do banquete que esperava pelos nobres e oficiais. O mercador chorava baixinho, sem força para nada, e mesmo boa parte de sua mercadoria fora quebrada no caos.

Restavam lâminas úmidas e gente apavorada. A liteira fechada, a Voz atrás das cortinas, com seu padre, que deveria lhe descrever o mundo.

— Santidade, vamos sobreviver? — choramingou alguém.

Um guarda fez menção de matar mais.

— Tirem todos daqui — ordenou Barsoom.

Os soldados cercaram o populacho, usaram os escudos e os cabos das armas para conduzi-los. Fizeram ruídos reconfortantes, acalmando o gado.

— A Voz — disse alguém.

— A Voz, por favor.

— A Voz.

E, nesse coro, sumiram pelos portões, para fora do castelo.

O palácio tinha janelas. Não era como os castelos dos nobres, era tanto fortaleza quanto obra de arte. Feito para ser um pedaço do paraíso na terra, não decepcionava. O Palácio Eterno da Voz, em Ruiturus, era onde os cardeais cochichavam o futuro de todos nós, onde os generais se curvavam após suas missões e suas campanhas.

Atreu caminhou por um corredor largo, símbolo de ostentação, suficiente para três homens ombro a ombro. Estava suado e coberto de poeira, porque retornava de viagem. Seus Escudos do Sol haviam visitado uma cidade distante e acalmado os ânimos revoltosos por causa de fome e calor. Atreu me disse que, naquela ocasião, não usara a espada. Havia intimidado os maltrapilhos raivosos e conseguido conversar com seu líder. Não interessa, mas prefiro acreditar que seja verdade. Estava acabado, e agora Atreu voltava para casa. Suas botas marcavam o tapete no centro do corredor, seu corpo aliviava-se com a brisa fresca que soprava no palácio. A construção tinha portas e janelas estratégicas, que podiam ser abertas ou fechadas para permitir a circulação do ar. E alas nunca expostas ao sol, naturalmente frias, que refrescavam aquele vento manso. Durante o inverno, fornalhas internas espalhavam seu calor por dentro das paredes, e o palácio também era confortável. Atreu foi banhado por luz multicolorida, filtrada pelos vitrais magníficos das janelas largas, em direção a uma capela.

Atravessou um pátio interno, uma forma circular cravejada de pórticos fechados por grades, que abrigava o treino de guerreiros de honra, tropas dos generais. Os escudos dispostos nas paredes indicavam os generais que estavam presentes no palácio: a enguia de D'Agostini, o cão de duas cabeças de Penélope, o artefato incoerente de Pugna com seus floreios.

Ganhou novamente os corredores. Empurrou uma porta dupla de madeira escura, adentrou a capela, ajoelhou-se.

Olhos ligeiros notaram sua chegada. Penélope e D'Agostini, prostrados nos genuflexórios, as mãos abertas para o céu. Deveriam ter os olhos fechados, cegos para o mundo ilusório, mas Atreu era mais importante que Urag naquele momento. Pugna Marco Segundo continuou impassível, sem mover um músculo, mas Atreu sabia que ele também o notara. E não havia mais ninguém, com exceção de um padre que entoava um cântico.

Atreu prostrou-se. Fingiu fechar os olhos, deixando uma fresta. Estavam sozinhos, mas a tensão impedia que relaxassem, abandonassem a farsa.

O cântico chegou ao fim. O padre fez o sinal da voz elevada. Desceu um degrau em seu púlpito e limpou a garganta.

— Estamos aqui, neste serviço humilde, para celebrar a vida — disse o padre. — Somos amigos, somos família, e estamos felizes porque mais um de nossos generais chegou a salvo, pela graça de Deus.

Os quatro continuaram na posição ritual.

— Por isso — continuou —, não é preciso formalidade. Somos família. Quero que vocês abram os olhos e deem seu testemunho sobre a felicidade de estarem vivos para servir a Urag.

Abriram os olhos e abaixaram as mãos, mas não relaxaram. Dispararam olhares uns para os outros, e para a porta.

— Posso começar — disse o padre —, para que todos percam a inibição. Apesar de ser apenas um servo na Santa Igreja da Fala de Deus, Sobre Tudo e Sobre Todos, sinto-me perto de nossa amada protetora, a Voz de Urag. Sinto que *sei o que a Voz deseja* para nosso mundo, tamanho é seu poder. Sinto que ela deseja tocar nossos corações, tapar nossos ouvidos para as mentiras, encher-nos com a fala de Deus.

Atreu rilhou os dentes. A carta que recebera ainda na estrada estava cifrada, escrita pela mão precisa de Pugna, mas mesmo assim ele duvidara. Agora aquele código de meias palavras não deixava dúvida. E havia padres envolvidos. Pelo menos um.

Penélope ergueu-se, fez o sinal da voz elevada.

— Sou tão feliz porque me tiraram da nação selvagem onde eu me perdia em pecado! — A guerreira não era uma boa atriz, e mal conseguia conter a fúria ao dizer aquilo. — Às vezes, sinto que todos nós estamos tão presos neste mundo quanto eu estava em minha tribo. *Não podemos perder tempo* para nos libertar, pois o diabo está sempre alerta.

Atreu sentiu os músculos do pescoço enrijecerem. Penélope sempre impaciente. E ele nem mesmo havia tirado a poeira da estrada, ou esvaziado a bexiga.

— Urag nos dá felicidade nova todos os dias — disse D'Agostini. — É uma ótima surpresa ver tamanha devoção em você, Penélope.

— Meu amor por Urag pode ser falho, pois sou apenas mortal — disse a guerreira. — Mas meu ódio pelas ilusões e mentiras me guia à fala do Criador.

Atreu sentiu o suor da viagem ficar gelado. Aquilo não era modo de planejar um golpe. Penélope queria vingança, não acreditava na causa da Voz. Alguém como Aquelau, ou mesmo Ganimedes, conheceria a história o suficiente para saber, mas D'Agostini e Penélope encaravam tudo como só uma batalha. E Oberon, maldição, estaria incendiando a cabeça de todos, ansioso por uma boa matança. Pugna deveria conhecer o passado. Talvez tivesse visto o passado, se as histórias fossem corretas, mesmo que não lembrasse. Mas limitava-se a obedecer à Voz, não conseguia explicar seu próprio milagre, e nem tentava.

— Será que nós, meros pecadores — disse D'Agostini —, podemos conhecer os planos da Voz de Urag com *certeza?* Não será pretensão querer entender a vontade da santa?

— Nunca iremos compreender a perfeição da Voz — disse o padre. — Mas sabemos que ela quer nosso bem. Podemos ter *certeza* sobre as fundações de nossa fé.

Um cobertor de inevitabilidade derramou-se sobre a capela. Eles realmente fariam aquilo.

— Tive o prazer e a honra de estar com a Voz em uma peregrinação há poucos meses — disse Pugna, repentinamente adotando os maneirismos de uma pessoa normal. — Urag tocou aquelas pessoas de um modo que nunca vão esquecer. Depois daquilo, *não há mais volta*. Não importa o que o diabo faça.

Atreu evitava os olhos de todos. Estava decidido. A Voz iria mesmo fazer aquilo.

O rangido da porta fez todos saltarem, somente Pugna ficou inalterado. Dois bispos de narizes vermelhos entraram na capela, fizeram os gestos esperados, prostraram-se.

— Estamos no meio de um serviço familiar, dando nossos testemunhos — explicou o padre.

— Ah, permita-nos participar! — disse um dos bispos.

— Muito nos honram.

Um dos dois ergueu-se, falou por alguns minutos sobre como as palavras de Deus substituíam ouro, bebida e fornicação.

— Tenho fé em Urag — disse Penélope. — Sei que nosso mundo está rumando para Seu plano, *não importa o que nossos inimigos façam.*

— Devemos ter *cuidado* com o diabo — disse Atreu, pela primeira vez. Os outros cravaram-no de curiosidade.

— Urag é supremo — insistiu Penélope.

— Se não formos vigilantes contra o diabo, *podemos perder tudo* — disse Atreu.

— O paraíso é inevitável.

— Apenas Urag pode saber disso.

Um dos bispos levantou-se e louvou, entusiasmado, o amor daqueles guerreiros pela religião. Em seguida, embarcou em um discurso sobre a perfeição da fala de Deus e as artimanhas do diabo.

— Algo ainda não está claro — disse D'Agostini. — Conhecemos a fé de nosso irmão Atreu, mas não sabemos de seus deveres atuais. Quando partirmos em peregrinação, *ele irá nos acompanhar?*

— Acho que *ficarei para trás,* para guardar a Santa Igreja.

— Peregrinar é o *dever* dos fiéis — Penélope quase rosnou.

— Quem determina meu dever são os abençoados cardeais.

Os bispos lançaram-se em mais debates e elucubrações. Atreu desviava os olhos. Tão logo conseguiu, o padre encerrou a celebração. Eles saíram da capela.

Atreu cruzou o corredor de cabeça baixa, foi buscar uma latrina. Apoiou-se na parede, preparava-se para urinar, quando Penélope o emboscou.

— Deixe pelo menos eu mijar — disse Atreu.

— Ora, por favor. Isso é a coisa mais limpa que existe neste pardieiro.

Atreu mijou.

— Está tentando acabar na fogueira?

— *Você* pode acabar na fogueira, Atreu. A revolta *vai* acontecer. Todos estão conosco. Eu falei com a Voz.

— E agora, de repente, acredita no que aquela puta fala?

— Ela falou de você.

Silêncio.

— Desdêmona fala o que os cardeais mandam — disse Atreu.

— Agora ela quer se livrar dos cardeais.

— Então fala o que é conveniente. Ela quer vocês, ela me quer, para sangrar em seu nome. É uma criança mimada.

— Pode ser. Mas é nossa chance.

Atreu soltou um meio riso.

— Chance? Chance de trocar os cardeais por outros diferentes? Chance de morrer pela loucura de uma fanática?

— Chance de mudar. Ela quer mudar.

— Assim, repentinamente? A Voz Desdêmona teve uma crise de consciência? Por que isso não aconteceu vinte anos atrás?

— Não interessa a razão. Eu também não gosto dela. Mas podemos...

— Matar três ou quatro velhos e centenas de inocentes que servem a eles? Não, muito obrigado.

— Você não é assim, Atreu. Você acredita em mudança.

Ele ficou calado.

— Estou me arriscando aqui, falando em aberto.

— Você está sendo burra. Toda essa revolta é burra.

— Todos estamos sendo burros? Apenas você está certo?

— Ganimedes não está com vocês. E há outros. Há lordes e generais que nem conhecemos.

— Quem se importa, Atreu? Somos *nós*. Nós sempre vencemos.

Fixou os olhos nela.

— Não, Penélope. *Nós* sempre vencemos. E, desta vez, você não está conosco.

Acordou como se soubesse algo. A mente racional de Atreu não admitia que pudesse haver um sentido sobrenatural, alguma ligação que o avisasse no sono, por isso concluiu que ouvira um ruído, que calculara, sem saber, o melhor momento para a fuga.

Atreu saltou da cama de rei e pôs a espada na cintura. Deixou o quarto de pés descalços, sem fazer barulho, dobrou duas esquinas como um fantasma, sem ser visto pelos guardas casuais. Nunca havia perigo dentro do Palácio Eterno da Voz.

Esgueirar-se o lembrou da escola. Uma atividade clandestina, mas dessa vez os criminosos eram os outros. Desceu um lance de escadas, atravessou um saguão, chegou a uma passagem de serviço. Destrancou-a e seguiu, entrou em um corredor estreito, iluminado por dois lampiões, deserto. Aquela era a hora dos servos, e as passagens discretas, quase secretas, por onde eles circulavam, deveriam estar cheias. Atreu disparou à frente, alcançou um armário e o moveu, revelando uma abertura de pedras soltas.

— Idiotas — disse para si mesmo. — Idiotas.

Passou pela abertura, puxou o armário atrás de si. Correu, já sem preocupar-se com o barulho, só tentando alcançá-los. A certeza que tivera se confirmava, e o medo de que sim, eles haviam escolhido a rota mais óbvia. Seus amigos corriam para a morte.

Súbito:

— *Quem vem lá?*

Depois de uma curva, tochas fumarentas. Atreu deparou-se com seis guerreiros apontando-lhe bestas. Não falou; deixou as mãos baixas e caminhou em direção a eles.

— O general se juntou a nós! — disse um dos homens.

— Não — falou outro. — Ele veio como inimigo.

Atreu saltou, antes de ouvir o estalo dos disparos e o sibilo dos virotes. As mãos em bote agarraram duas gargantas, ele caiu sobre os homens e com eles, arremessou um contra a parede e pousou sobre outro, um joelho em seu peito. Restavam quatro, e dois abaixaram-se para engatilhar de novo, os outros sacando espadas e investindo. Atreu catou uma besta do chão, atirou-a como se fosse um pedaço de qualquer coisa, atingiu no rosto um dos que sacavam as lâminas. O nariz do homem espirrou sangue, ele levou as mãos à cara. Atreu desviou do segundo, agarrou seu braço e torceu-o forte, fazendo-o derrubar a espada. Chutou-lhe a virilha, sacou a própria arma e em dois passos estava sobre os guerreiros armados de bestas. Golpeou uma, quebrou o virote e a estrutura de madeira, o segundo apontou contra ele, quando ouviram:

— É a isso que chegamos.

Os homens tremiam. Atreu virou-se devagar para encarar Penélope.

— Vocês ainda não foram descobertos — disse o general. — Voltem.

— Nós *fomos* descobertos. Por você.

— Não sou seu inimigo, Penélope.

— Tem certeza?

A guerreira levou a mão às costas, puxou uma azagaia mais rápido do que ele pôde enxergar, arremessou-a contra o amigo. Atreu mergulhou para o lado, apenas a tempo de evitar a morte, e a ponta afiada cravou-se fundo em sua axila direita. Grunhiu, girou para bloquear a lança de Penélope, a força de um batalhão, fazendo ressoar sua espada.

— Agora não há mais volta — rosnou a guerreira.

— Desista.

— Você acha que não vou matá-lo, Atreu?

Ela ergueu a lança de novo, ele deixou o corpo cair e girou as pernas, descrevendo um semicírculo largo. Atingiu Penélope atrás dos joelhos, usou os pés para enganchar seus tornozelos, e a guerreira desabou. Atreu pulou por sobre seu corpo, a azagaia balançando e rasgando carne por dentro, correu pela passagem.

Atrás dele, Penélope rugiu, ele ouviu os passos em corrida, mas dobrou uma esquina e avistou os alvos: outros cinco homens, e Pugna e D'Agostini. E a Voz.

— Para trás! — gritou o marujo, e os soldados obedeceram, saindo do caminho.

D'Agostini recurvou o corpo e recuou o braço, numa guarda de esgrimista. Atreu correu para ele, a espada na mão esquerda, e então sentiu as solas dos pés ardendo. A dor era intolerável, ele se jogou no chão de novo, e podia ouvir o chiado da pele.

— Nós estávamos preparados — disse D'Agostini. — Pugna sabia que você viria assim.

Como um relâmpago, lançou-se sobre ele, o sabre estirado para uma estocada. Atreu virou-se, num relance viu a ponta contra seu rosto, rugiu e mordeu a lâmina de metal. Preso, D'Agostini hesitou um instante, Atreu estocou com sua própria lâmina. O marujo saltou para trás, mas deixou o sabre nos dentes do outro.

— Ácido no chão — disse Atreu, a boca cheia de sangue. — Como podem ser tão inteligentes e ao mesmo tempo tão estúpidos?

Penélope surgiu atrás, projetou a lança contra ele. Atreu pulou em sua direção, a ponta passou rente às suas costas. D'Agostini apanhou o sabre. Então:

— *Chega.*

Os três generais ficaram imóveis. Desdêmona emergiu de trás dos soldados, Pugna Marco Segundo vigilante ao seu lado. Ela vestia uma túnica rude, e seus dedos cutucavam a gola e as costuras, tentando aliviar o corpo desacostumado ao tecido pobre. Botas nos pés. Cabelo curto, maltratado. Sem a maquiagem e a liteira, as vestes cerimoniais e os protocolos, era uma mulher quase comum. Uma beleza de aldeã, alguém que nunca iria se destacar. Seu rosto oval estava envelhecido. Atreu pensava na Voz como uma garota, mas os anos haviam passado para ela também. Décadas de tempo, mas não de vida. Um olhar perplexo e o cenho permanentemente franzido.

— Vocês são amigos — disse Desdêmona. — Não podem se matar.

Atreu foi até ela, ignorando o ácido corroendo as solas dos pés.

— Isto não é uma brincadeira, menina. Isto não é uma história do seu livro de mentiras. Estas pessoas vão morrer pelo seu capricho.

— Isto não é mais mentira, Atreu. Finalmente é a verdade.

Ele jogou a espada no chão, fazendo um clangor.

— O que você quer?

— Fazer o que é certo — disse a Voz.

Atreu a fixou com um olhar. Penélope e D'Agostini estavam a postos, armas em punho. Pugna orbitando, atento sem aparentar.

— Já teve chance de fazer isso — disse Atreu.

— Eu posso governar. Realmente governar. Posso ser boa para o povo.

— Por que *agora?*

Ela balançou a cabeça de leve.

— Não sei. O que quer que eu diga? Não sei. Mas agora é um momento como outro qualquer. Venha conosco. Nós temos um exército. Vamos fugir. Vamos tomar a capital. Vamos tomar o poder.

Ele olhou Penélope. Olhou D'Agostini. Pugna. Os homens prontos a lutar sem chance de vitória, por lealdade.

— Você tem uma lança cravada no peito — disse Desdêmona.

— É uma azagaia.

— E uma azagaia não dói?

Ele agarrou o cabo da arma e o quebrou. Com cuidado, retirou a ponta. Penélope ofereceu uma bandagem.

— Venha conosco — disse a Voz.

— Por que você não quis fugir?

Silêncio.

— Por que não quis fugir, Desdêmona? A liberdade estava ao nosso alcance. E você queria.

— Vocês foram capturados.

— Talvez, com você, não fôssemos.

— Eu tive medo.

Ele piscou.

— Desculpe, Atreu.

Terminou de fazer o curativo, recusando a ajuda de Penélope.

— Venha conosco — disse Desdêmona.

— Isso é loucura.

— Mas é certo.

— Simas disse...

— Simas e Derionde dizem muita coisa. Para todos. Nós vamos vencer, Atreu. Mas precisamos de você.

Ele sentiu a mão de Penélope no seu ombro. D'Agostini sorriu sob o bigode.

— Vamos fazer o bem — disse a Voz. — Vamos fazer a verdadeira vontade de Urag.

Atreu sentiu-se estremecer. Com um repelão, livrou-se do toque de Penélope.

— Urag?

— Atreu, eu sou a Voz. Os cardeais...

— *Urag, sua imbecil?*

E mais uma vez ela era uma garotinha. Seu lábio inferior balançou como geleia.

— Vão embora! — rugiu Atreu. — Vão embora, todos vocês!

Penélope fez menção de erguer a lança, e Desdêmona abriu a boca. D'Agostini tomou a frente, interrompeu ambas. Pugna empurrou gentilmente a Voz de Urag pela passagem, o marujo puxou a guerreira.

— Fuja, Desdêmona — disse Atreu. — Desapareça, sua vaca.

Ela ainda olhou para trás enquanto o ouviu dizer:

— Se surgir na minha frente, mato você.

Era chamada sala de meditação, mas era um misto de salão de baile, sala de jantar e biblioteca. Havia uma imensa lareira, muda e fria naquele verão seco. Havia pinturas altas, retratos em tamanho maior que o natural de Vozes do passado e cardeais importantes. Derionde, Simas, Melquíades e Barsoom sentavam-se em poltronas estofadas. Uma serva trouxe taças de doce colorido em uma bandeja de prata. Barsoom foi o único a recusar.

— É a maior das delícias terrenas, neste clima que Urag decidiu nos enviar — disse Derionde. Enfiou a colher de prata na pasta doce, retirou uma porção, levou-a à boca. — Gelo, nata e frutas. Cozinheiros também podem ser artistas, não concorda, Lorde Atreu?

— Sim, Eminência.

Derionde fez um som satisfeito com os lábios.

— Ah! Que rudeza de minha parte. Aceita um pouco de doce?

Aceitou. Recebeu a taça da criada, sentou-se em uma poltrona e provou um pouco. O sabor era delicioso.

— Em suma, esta é a situação, Lorde Atreu — Derionde continuou o assunto anterior. — Um escriba muito devoto criou uma profecia. É a prova de que Desdêmona era, desde o começo, uma enviada do diabo para acabar com nossa Igreja. Um trabalho de perfeição, devo dizer. Nem mesmo um estudioso conseguiria provar que é falsa.

— Fico muito feliz, Eminência.

— E a Voz corrompida será derrotada por dois generais. O Guerreiro do Povo e o Cavaleiro Imaculado. Um humilde, o outro aristocrata. Um rude e honesto, o outro refinado e encantador. Opostos em tudo, mas unidos em uma amizade suprema.

Atreu ficou calado.

Não era a primeira vez que a Igreja fabricava heróis. Impossível contar quantos cavaleiros e mártires foram imaginados. Pugna Marco Segundo, há muito tempo, fora cogitado como santo guerreiro, por sua aparentemente eterna missão de proteger as Vozes. Descartado devido à sua obstinação e falta de carisma. Atreu era um substrato muito melhor.

— Muito comovente, não acha? O rapaz que escreveu é um excelente dramaturgo.

— Posso imaginar, Eminência.

— Por isso, quando o senhor aceitou liderar nossos exércitos contra a meretriz, aceitou também uma nova vida, Lorde Atreu. O senhor é nosso Guerreiro do Povo. Já encenou uma peça teatral, não? Quando era jovem?

— Sim, Eminência.

Atreu terminou o doce. Queria imaginar que não tinha gosto, que o deixava enjoado. Mas não. Era maravilhoso. Ele aceitaria outra taça, se fosse oferecida.

— Conheça então seu melhor amigo, Lorde Atreu. O Cavaleiro Imaculado.

As portas se abriram, e o homem alto e esguio, cabelos castanhos cheios e revoltos, entrou na sala. Seu nariz pontudo era o centro de um rosto belo como porcelana, seus lábios finos e vermelhos tinham um sorriso confiante.

Benedict estendeu-lhe a mão.

Atreu a apertou.

8

E ENTÃO HOUVE EXÉRCITOS.

Os primeiros meses de guerra civil foram como são todos esses conflitos: o entusiasmo dos rebeldes transformou-se em uma série de vitórias. Ou escaramuças que, para eles, pareciam vitórias. Os lordes guerreiros lideravam homens em menor quantidade, famintos, com armas saqueadas. E atacavam os castelos leais à Igreja, cobravam caro em troca de cada soldado caído, cada metro cedido. Morriam dez dos seus, cinquenta do inimigo. Os estandartes da enguia, do cão bicéfalo e da cabeça de touro voavam alto, nos minaretes das torres conquistadas. O estandarte rebuscado de Pugna avançava sempre, calado e implacável, abrindo caminho para os outros. Por alguns meses, tiveram esperança.

Urag pareceu abençoá-los, porque o verão cedeu, a chuva caiu, e o calor fervente transformou-se num outono confortável. Os rebeldes marchavam sobre folhas secas, dominavam o que podiam antes do inverno, quando é impossível guerrear. Sabiam que, assim que a primeira neve caísse, todas as portas seriam fechadas, os machados seriam pendurados, e haveria uma trégua à força. Tudo que era seu continuaria assim até a primavera, consolidando o domínio.

Esse era o plano.

Mas as tropas da Igreja lutavam sob o Guerreiro do Povo e o Cavaleiro Imaculado. Sob a profecia que eu criara, as palavras espalhadas e aprendidas a todos os ventos. Eram as nossas tropas, eram minhas, bradavam as minhas mentiras, seguiam os homens que eu criei.

Derionde sempre fora um homem metódico e sagaz, capaz de ver o futuro distante. Assim como recrutara-me antes mesmo que a guerra estourasse, estava preparado para disseminar minha ficção. Contava com o ouro do clero, com os impostos daquele e de outros anos. Resolveu o problema, assim como tantos outros, com dinheiro. Pagou para que bardos errantes e menestréis corteses fossem a Ruiturus, somente aprender meus versos. E eles cantaram e declamaram aquelas palavras em cada taverna, cada praça, cada corte. Derionde afetou desconfiar da profecia. Conclamou padres estudiosos, abades e teólogos. Os grandes sábios da Igreja. Pôs minha obra à prova, e os eclesiásticos a estudaram, concluíram que era genuína. A profecia espalhou-se pelos mosteiros, pelas igrejas.

Os rebeldes acreditavam na Voz e em sua ideia. Algo fraco. Porque nosso exército, nosso povo, não acreditava: *sabia*. Derionde mudou a verdade, mudou a realidade. E, naquele reescrever do mundo, o diabo enviara uma Voz corrupta, assim como fora profetizado há séculos, e dois soldados haviam se erguido para derrubá-la.

No final do primeiro mês de outono, a chuva adquiriu fúria, como costuma acontecer em nossa terra. Os céus ficaram carrancudos, e em raros dias víamos uma nesga de sol. A Voz avançava de aldeia em aldeia, de castelo em castelo, conquistando. Na verdade, Desdêmona, no que acredito ser uma compensação exagerada de sua vida anterior, fazia questão de marchar com os homens, nas batalhas mais importantes. Não prestava apoio exceto em espírito, precisava ser protegida, mas estava lá. Dormiu em uma dezena de quartos confiscados de nobres, uma dúzia de casas de fazenda. Através da chuva e da lama, foi engolindo nossa terra, a terra da Igreja.

Porque era assim que deveria ser. O povo enxergava a serva do diabo como um inimigo invencível, conquistando lugares sucessivos, impulsionada por uma força infernal. Urag fechava a cara para aquilo, Seu sol escondia-se atrás das nuvens, emoldurando aqueles dias negros. Derionde foi o maquinador, mas Atreu implementou a estratégia. E Benedict, conhecedor da sedução, deu os toques finais. Pouco antes de cada ataque rebelde, as forças da Igreja eram esvaziadas, trocadas por homens cansados ou feridos. As armas eram substituídas. Muitas famílias nobres eram mesmo retiradas, para preservar vidas importantes ou linhagens. As vitórias rebeldes eram fabricadas pela Igreja. O povo uniu-se em um desespero conjunto. O sacrifício não era uma opção — era uma *necessidade*, quando todos estavam juntos contra um poder diabólico. A Santa Igreja, soberana em nossa terra, conseguiu fazer-se vítima, o lado mais fraco. E eu fabriquei seus heróis.

Quando o Guerreiro do Povo e o Cavaleiro Imaculado surgiam, nunca havia derrota. Atreu e Benedict nunca lutaram sem um contingente pleno, tropas abundantes e bem-alimentadas, gordas de equipamento e pesadas de canhões. Todos os homens retirados de um feudo condenado à encenação de derrota eram incorporados a esses grandes exércitos, que desciam como a fúria divina sobre as hordas da meretriz do diabo. O maior risco para os cardeais não eram as lâminas, mas as ideias. Desdêmona desafiara a Igreja, incitara outros a fazerem o mesmo. Era perigoso que se pensasse que os mortais eram capazes disso. Apenas através dos grandes homens, os generais profetizados e escolhidos por Deus, era possível vencer. Atreu e Benedict ensinaram ao povo uma lição de subserviência. Ou melhor, eu ensinei. Eles foram apenas meus atores.

Entre todas as minhas vergonhas, esta talvez seja pequena, mas não me parece: senti orgulho naquela época. Derionde vinha me contar sobre a guerra, sobre a fé na profecia, sobre o Guerreiro do Povo e o Cavaleiro Imaculado. Muitas vezes através de mensageiros, mas também em pessoa. Uma grande honra. Meus personagens venciam batalhas, lideravam um misto de figurantes e público, que aceitavam a peça sem questionar. A guerra foi minha peça, o mundo foi meu palco. Senti orgulho. Lubna parecia-me distante. Eu dizia a mim mesmo que ela também estaria orgulhosa. Que, se eu perdera o amor, ao menos poderia ser supremo na arte. Meu Deus, eu era um pústula.

Falo de mim mesmo aqui, pois foi quando minha história, a história de Atreu e do mundo estiveram entrelaçadas. A participação de meu amigo é uma narrativa insossa, um sem-fim de vitórias e discursos. As pessoas prostravam-se quando Atreu e Benedict cruzavam as cidades. O Cavaleiro Imaculado sorria de cima de seu corcel e atirava rosas, mas o Guerreiro do Povo ficava encabulado e murmurava palavras em sua fala rude de aldeão pobre. Benedict dançava em bailes, Atreu bebia nas tavernas, contava histórias de sua infância como criador de porcos. Nunca cheguei a ver essas performances. Apenas imaginava as atuações magistrais.

O segundo mês do outono passou, e o inverno se aproximava com o bafo frio do demônio. O povo antecipava, aterrorizado, os meses sem comida, pela colheita magra, e a terra sob o domínio infernal. Então, a emboscada.

As tropas principais foram retiradas de Ruiturus, rumaram para o distante Forte Cabeça-de-Trovão, tomado pelos rebeldes. Atreu e Benedict lideravam a coluna. Um batalhão destacou-se de uma guarnição próxima, para ir se encontrar com o contingente principal às portas da fortaleza. Carregavam pergaminhos com ordens. Seguindo o comando de Atreu, passaram perto de uma aldeia rebelde, foram atacados e morreram.

De posse das instruções para o ataque a Cabeça-de-Trovão, os rebeldes sabiam que Ruiturus estaria desguarnecida. Enfurnado em meus aposentos, não vi nada disso — notei apenas quando guardas me arrastaram para fora, fui enfiado em uma carruagem junto a alguns bispos e escoltado para um imenso acampamento, sob o estandarte das três trombetas.

Os rebeldes atacaram a capital com todas as forças, e Ruiturus caiu. Os portões abertos admitiram centenas e centenas de homens famintos, e os soldados da Igreja foram executados. Nas muralhas, os estandartes de Penélope, D'Agostini, Oberon e Pugna tremularam altos. E a Voz ergueu seu próprio estandarte, as três trombetas da Igreja ladeadas por asas douradas. Desdêmona conquistara a capital, e conquistara Deus.

Fomos vitoriosos em Cabeça-de-Trovão. Foi uma perda de tempo necessária. Os exércitos da Igreja marcharam, reuniram-se em frente a Ruiturus tomada. Todo o contingente estava lá, bloqueando as estradas de paralelepípedos e cercando os três lados das muralhas. O mar, às costas da cidade, estava protegido pela frota rebelde, sob a bandeira de D'Agostini. Todas as naus haviam aportado em Ruiturus, e o melhor marinheiro de nossa ilha era seu comandante.

Assim que o exército da Igreja fixou o cerco, começaram os trabalhos de engenharia. O que restava das florestas próximas foi derrubado, para gerar madeira para imensas armas. Catapultas e escorpiões, tensionados e preparados para despejar sua carga esmagadora e flamejante sobre a capital. Os canhões apontados contra os muros. Os arqueiros, a cavalaria, o infinito contingente de infantaria, em suas intermináveis paredes de escudos. Fiquei acampado, à vista das tropas, mas longe do fronte, e não deixava de me impressionar com a gigantesca massa humana.

Porém, nada disso importa. A guerra civil, até aquele momento, fora uma preparação. A única batalha real então começou.

As tropas aguardavam, voltadas para uma colina. Não havia mais grama, só terra pisoteada, remexida de botas. Estavam todos em sentido, sob dezenas de estandartes. Ganimedes misturava-se entre os arqueiros que liderava. Então, vieram os dois escolhidos.

Atreu e Benedict surgiram por trás da colina. O urro dos homens foi incontrolável, todos os punhos erguidos no ar, saudando os campeões de Deus. O chão tremeu com o entusiasmo de tantos. Em Ruiturus, as sentinelas observavam aquilo, a onda de fé em torno dos dois.

Benedict apeou do cavalo branco e saudou as tropas com a mão sobre o peito. Atreu terminou de escalar a elevação a pé, fingiu que endireitava as costas, deu uma cusparada. A multidão riu.

— Nem todos irão nos ouvir — disse o Cavaleiro Imaculado.

— Então fale mais alto! — interrompeu o Guerreiro do Povo.

De novo, o público explodiu em risadas. Era impossível discursar para tanta gente, mas os homens encarregavam-se de distribuir a mensagem, mesmo sob palavras tortas, ao longo das fileiras. Fossem ordens militares, haveria cornetas em código, capitães e sargentos. Mas aquilo era um espetáculo.

— Meus irmãos — continuou o Cavaleiro Imaculado —, não podemos mentir para vocês. O diabo tomou nossa capital.

Silêncio consternado, juras de vingança.

— Nosso inimigo chegou à alma de nossa terra. Estamos em nosso momento mais sombrio, à beira de um inverno devastador, sem nosso palácio, sem nosso coração. Desdêmona, a Voz do Diabo, está prestes a conseguir o que deseja. E nós estamos de fora. Para que ela vença, basta que fiquemos parados.

E, porque Benedict soube calcular com perfeição ímpar, ou por sorte (ou porque estou mentindo), um trovão ressoou nas nuvens enfarruscadas. Urag fazia eco a Seu cavaleiro.

— O que devemos fazer então, irmãos?

— *Matar!* — Ergueu-se um punhado de vozes, e então os batalhões como um todo: — Matar! Matar!

— Calem a boca! — disse o Guerreiro do Povo.

Aos poucos, a instrução se espalhou, foi obedecida.

— Vocês estão pensando como nobres — continuou o humilde escolhido. — Querem matar? Querem fatiar todos esses comedores de esterco? Pois são mais estúpidos que meu asno de estimação!

Alguns risos, mas o burburinho estava confuso.

— Atreu está certo, meus irmãos — disse o Cavaleiro Imaculado. — Não devemos matar.

"Para os nobres e toda essa gente que passa a vida lendo pergaminhos, é isso que importa. Pegar de volta nossa cidade, nossos castelos, nosso ouro. Pois eu nunca tive ouro! Para mim, importam as pessoas. Nosso inimigo é sanguinário, irmãos. Nós somos piedosos."

— Não vamos matar esses coitados — disse o Guerreiro do Povo.

— Vamos perdoá-los. Vamos amá-los. Nossa única inimiga é a Voz.

Os soldados estavam atônitos.

E então, terminou o espetáculo, e começaram as ordens. Os capitães e sargentos fizeram soar as trombetas, os batalhões se organizaram. Os homens marcharam em direção a Ruiturus. No centro de tudo, os dois escolhidos, um montado e um a pé.

— Nós vamos cantar, meus irmãos.

Atreu puxou o ar e libertou sua voz poderosa. Começou a entoar um hino religioso simples, típico das aldeias. Errou de propósito um verso. E parece absurdo, mas eu mesmo ouvi os sons distantes distorcidos pelo vento. Centenas e centenas de homens juntaram-se ao Guerreiro do Povo e cantaram a glória de Urag. O cerco cantou.

Nenhuma catapulta fora disparada, mas Ruiturus enfraquecia.

Os perfeitos quadrados de tropas haviam deixado um corredor largo, no centro do qual estavam Atreu e Benedict. Pelo corredor, surgiu um grande grupo de monges. Suas tonsuras malfeitas, expressões boquiabertas e falta de dentes deixavam claro que eram os mais reles dentre os reles, os servos mais humildes de Urag. Caminhavam de pés descalços na terra, mal sentindo sua textura através da casca grossa de suas solas. À frente, conduzindo-os, o Cardeal Melquíades. Os monges foram à vanguarda da formação, passaram pelos dois escolhidos. Ajoelharam-se, sob a cantoria sacra dos soldados. Tiraram seus hábitos marrons, cor de fio cru e sujeira, e expuseram costas marcadas por cicatrizes e feridas em crosta. Tomaram seus azorragues, começaram a rezar e chicotearam as próprias costas, na autopenitência treinada e aprendida.

Melquíades ajoelhou-se à frente dos flagelantes, fez o sinal da voz elevada e, as mãos postas, também começou a rezar.

— Deus! Deus! — gritou o Guerreiro do Povo. — Nada mais importa!

Havia soldados em prantos. Homens que já haviam matado e sobrevivido por pouco, visto campos logo após um combate, arrancado riqueza das mãos duras de cadáveres. Chorando abertamente com a experiência religiosa.

E também em Ruiturus.

O corredor revelou o Cardeal Simas. Sua figura reta e magra andava deliberadamente, devagar, solitária. Carregando uma trombeta sobre uma almofada vermelha.

Simas passou pelos escolhidos, passou pelos monges. Ajoelhou-se à frente do abade, o líder daqueles homens humildes, e o religioso tremeu de pavor. Mas Simas abaixou a cabeça e apenas ofereceu a almofada com a trombeta.

As costas sangrando, o chicote na mão, o abade não sabia o que fazer. Simas tornou tudo mais fácil: pegou o chicote, trocou pelo instrumento. Pediu apenas:

— Toque.

Os monges olhavam, hipnotizados em seu êxtase. Os soldados também: cardeais, os príncipes da Igreja, ao mesmo nível que os mais baixos servos de Deus. Todos unidos para louvar Urag e expulsar a meretriz. Não com morte, mas com amor.

O monge segurou a trombeta, levou-a aos lábios, incerto. Soprou sem força, esperando um barulho débil e desafinado, mas o som foi poderoso. Então, empolgado, encheu as bochechas e soprou mais forte, e uma nota sublime, prodigiosa, engolfou os arredores. Recobriu cada conversa no cerco e em Ruiturus.

E o minério divino não decepcionou o Cardeal Simas: em meio a tanta devoção, o poder da pedra incrustada na trombeta se espalhou. As nuvens dissiparam-se sobre as tropas da Igreja, indo concentrar-se acima da capital. Um incongruente céu azul deixou passar o sol, enquanto a cidade ficava sob uma capa grossa e cinza, e logo trovões. Dois relâmpagos, e a chuva desabou em Ruiturus. O mar ficou revolto, os raios tocaram os minaretes. Talvez meia dúzia de pessoas, entre aqueles todos, conhecesse o minério. Para o restante, era intervenção de Deus.

O povo soube. Os soldados dos dois lados souberam.

Urag tomava partido.

A noite chegou e passou. Em Ruiturus, as primeiras deserções. Alguns conseguiram, outros morreram afogados, tentando nadar para longe, ou de pescoço quebrado, saltando o muro.

E, após o amor, catapultas. A Igreja fez chover pedras, toras de madeira e amontoados flamejantes sobre Ruiturus. Não era um esforço muito entusiasmado, eu acho, porque os cardeais eram muito apaixonados por seus confortos. Sabiam que, no Palácio Eterno da Voz, estavam suas pinturas e suas roupas, seus móveis e suas banheiras. Assim, as armas de cerco atiravam vacas mortas. Os cadáveres inchados eram postos com cuidado nas catapultas, e iam explodir em vermes e fedor nos prédios da cidade. Espalhavam doença, mas não quebravam paredes. Atreu confeccionou um laxante simples, banhou munição variada com aquilo. Contou aos homens como aprendera a lição valiosa durante sua infância de bronco.

Catapultas e cantorias, e os desertores rebeldes eram bem-vindos. Depois de alguns dias, a frota da Igreja aproximou-se pelo mar. Fez uma longa linha, cercando o porto de Ruiturus, desceu suas âncoras e apontou suas flechas incendiárias. Em terra, os canhões cuspiram sobre as muralhas da capital, num ritmo contínuo, dia e noite.

No Palácio Eterno da Voz, os generais estavam paralisados.

— Tudo se resume a isso — disse Desdêmona. — Eles não nos querem.

Os quatro olharam a Voz. Desdêmona nunca fora sua líder, apenas a idealizadora.

— A capital foi uma isca, e nós mordemos — disse D'Agostini. — Não importa. Ruiturus é nossa. Deveríamos estar em vantagem.

— Eles não nos querem — repetiu a Voz. — O povo não nos quer.

— Fodam-se esses miseráveis! — latiu Oberon. — Essa gente sempre precisou de alguém que pensasse por eles. Se querem comer a merda dos cardeais, podem se refestelar! Não quero morrer em seu nome.

Penélope dirigiu-lhe um olhar feroz.

— A saída é o mar — disse D'Agostini. — A frota da Igreja nos cercou, mas posso tirar a maior parte dos navios daqui. Vamos embarcar nossos homens e fugir.

— E depois? — disse Desdêmona.

— Queimar a cidade — Penélope foi rápida. — Não deixamos nada para o inimigo. Destruímos as igrejas, saqueamos a catedral, derrubamos o palácio e vamos nos reagrupar em outro lugar.

— Sudário do Louco! — ofereceu Oberon.

— A batalha já foi perdida — disse Pugna.

Todos se calaram. O estranho general saiu de sua imobilidade, e continuou:

— Nós somos servos do diabo, para o povo. Desdêmona é a Voz corrupta, a meretriz do diabo. — A não ser por uma espécie de protocolo inquebrantável, Pugna nunca deixava que a polidez interferisse com a franqueza. — No momento em que um de nós dormir, poderá ser assassinado. Por nossos próprios homens.

Desdêmona deu um sorriso triste, concordou.

— Incendiar a capital só vai confirmar isso — disse. — Não podemos mais vencer a guerra. Só nos resta pedir clemência ao povo.

— Já rastejei uma vez — rosnou Penélope. — Para *você*, Voz de Urag. Nunca mais. Posso morrer, mas vou levar muitos comigo.

— Não quero morrer, mas ajudo a matar — disse Oberon.

— Não — a Voz falou.

Foi até uma mesa, serviu-se de cerveja aguada, fez uma careta ao sentir o gosto.

— O General Pugna está certo quando diz que já perdemos. Mas apenas eu sou a meretriz do diabo.

Pausa.

— O povo pode odiá-los, mas tem a memória de crianças. Quando seus estômagos estiverem cheios, não vão lembrar dos estandartes. A campanha dos cardeais foi contra *mim*. E os soldados amam vocês.

— Desdêmona — começou D'Agostini.

— Eu sou o problema. Eu sou a falha. Sem mim, vocês podem escapar, tentar de novo.

Todos ficaram calados. Oberon abriu um sorriso e esfregou as mãos.

— Vão embora — disse a santa. — Fujam. Vou ficar para trás.

— Não vamos deixar que morra! — disse D'Agostini.

— Eu nunca vivi. Não será grande perda.

— Não posso — disse Pugna.

Desdêmona suspirou. Insistiu.

— Vou morrer com Vossa Santidade.

— Isso não é hora para um ataque de heroísmo — disse Penélope.

— Eu *não posso.* — Pugna quase se alterou. — Não posso abandonar a Voz de Urag.

— É uma ordem — disse Desdêmona.

— Não importa.

A estranheza daquele homem às vezes era esquecida, descartada como uma idiossincrasia. Mas era mais do que isso. Pugna Marco Segundo vivia para proteger as Vozes. Sempre fora assim.

— Então eu abdico, Pugna.

Os olhos dele se arregalaram. O queixo pendeu, uma espuma azulada vazou de sua boca. Um momento depois, refez-se.

— Não há rainha — disse Pugna.

— Enlouqueceu — disse Oberon.

— General Pugna Marco Segundo — Desdêmona pôs a mão em seu ombro —, por favor, vá embora. Todos devem escapar.

— Posso garantir a fuga — disse Pugna. — Desde que o almirante comande os navios.

D'Agostini suspirou.

— Nunca fui sua líder, generais. Mas cumpram esta minha última ordem.

Ao amanhecer, os portões foram abertos.

As tropas da Igreja estavam prontas, pois os escolhidos e os cardeais sabiam que aquilo, ou algo parecido, aconteceria. Os batalhões invadiram Ruiturus em marcha rápida, escudos erguidos, fazendo prisioneiros e esmagando os insubordinados. Após a primeira leva de infantaria, para limpar o caminho, Benedict liderou os cavaleiros, estandartes altos e lanças em punho.

— Urag! Urag!

A cavalaria investiu pelas ruas largas, as pontas das lanças encontraram soldados rendidos ou em fuga, mãos erguidas ou lâminas em punho. As trombetas soaram, e Atreu foi logo atrás, no comando do maior contingente a pé, dividindo os homens para ocupar prédios, ameias, silos.

Nas docas, os navios da Igreja levantaram âncora. Os capitães prepararam-se para interceptar qualquer fuga, pois sabiam que o maior marujo de nossa terra, o Almirante D'Agostini, estava entre os rebeldes. A marinha não usava canhões, pois eram armas pesadas e inconstantes demais para um navio. Em vez disso, possuíam catapultas pequenas, que usavam de forma desajeitada para guerrear de longe. Tinham fileiras de arqueiros, que deveriam atear fogo em velas. E, acima de tudo, tinham marinheiros de sabre em punho, que deveriam abordar, cortar gargantas e derrubar mastros. As naus estavam apontadas para a frota rebelde como bestas, como cães de guerra mal mantidos na coleira.

Os vigias das gáveas enxergaram a movimentação nos navios rebeldes, dezenas e dezenas de homens de terra embarcando, suas pernas cambaleantes desacostumadas ao balanço da água. Carregavam seus escudos pintados e suas armas, seu saque e suas mulheres, pulavam de um barco a outro, sob o comando de sargentos que também improvisavam. Os capitães rebeldes berravam instruções, mas faziam pouco sentido para a infantaria. Logo as âncoras rebeldes também começaram a se erguer, os nós foram desfeitos, os remos surgiram pelas aberturas nos cascos.

— É D'Agostini! — gritou uma sentinela.

O marujo inconfundível surgiu correndo pelas docas, sua careca reluzente e seu bigode um estandarte tão marcante quanto a enguia. Vinha com seus guerreiros de mar e terra, e foi recebido por uma chuva de flechas.

— Uma bolsa de ouro para o arqueiro que matar o almirante! — gritou um capitão da Igreja.

Logo outros o imitaram e as setas começaram a voar na direção da cidade. A maior parte afundou-se no mar ou cravou-se nos navios rebeldes, é claro, mas a mira dos arqueiros foi buscando D'Agostini enquanto ele corria para mais e mais perto, enquanto saltou para um navio, atravessou-o e seguiu a outro. Os rebeldes responderam fogo, mas mantiveram as catapultas caladas. D'Agostini não temia nada mais que um confronto aberto naquele momento.

A correria aumentou nas docas, até que todo o porto foi tomado pela multidão de guerreiros. Penélope e Oberon fizeram seus estandartes erguerem-se alto, para atrair o fogo. E, enquanto isso, Pugna Marco Segundo correu entre o alvoroço, sem estandarte, seus homens misturados aos outros. Desarmado, alcançou um píer, pôs os braços juntos à frente do corpo e mergulhou.

Sei do que aconteceu a seguir pelo relato contado e recontado. E, por maior o absurdo, nada me leva a crer que seja mentira. Pugna nunca mentiu. Nunca fizera nada parecido, mas agora estava sem a Voz. Sem rédeas. Mergulhou como um arpão, cortou a água revolta de tantas naus e esbranquiçada de espuma, afundou rápido. Teve tempo de endireitar o corpo, para cair no fundo lodoso como se estivesse em terra firme. Não nadava: seus pés afundaram na lama, ele ficou de pé sob o mar, vendo os cascos dos navios acima.

Caminhou, sentindo a água resistir ao seu avanço. A casaca azul colaborava para detê-lo, enchendo-se d'água, as dragonas flutuavam soltas. Mas andou, em passos longos e pesados, deliberados, em direção à frota da Igreja.

Alcançou um navio que ainda recolhia sua âncora, a grossa corrente suspensa no mar, erguendo-se vagarosamente. Pugna dobrou as pernas e impulsionou-se para cima, como em um salto. Seu corpo puxou para baixo, ele movimentou os pés num ritmo frenético, agitando o lodo, e deu braçadas compridas e poderosas. Alcançou a âncora e agarrou-se a ela. Enquanto era puxado junto ao enorme peso de metal, Pugna nadou para o lado, chegou bem abaixo do casco, agarrou-se às cracas que se grudavam ali. Rastejou pelo fundo do casco como se escalasse uma parede, sem soltar a âncora, resistindo à corrente que forçava para o lado oposto. Atravessou o casco, estava de novo no mar aberto, arrastando seu fardo de metal. O navio inclinava-se um pouco, movido por sua força prodigiosa recém-libertada. O rangido lamentoso da corrente tentando puxar tomou a água, distorcido, mas audível. Pugna alcançou outro navio, segurou-se ao casco. Agarrou a âncora com as duas mãos e, num golpe fenomenal, cravou sua ponta recurvada, furando a madeira.

Então soltou-se, deixou-se afundar.

O primeiro navio puxava sua âncora, e a ponta cravada foi estraçalhando o casco do segundo, abrindo um rombo mais e mais comprido, fazendo-o adernar. E ambos começaram a se aproximar, enquanto os capitães, atônitos, tentavam descobrir o que fazer.

Pugna Marco Segundo partiu para a próxima nau.

D'Agostini não podia explicar, mas o plano funcionava.

— Aos remos! Agora!

O primeiro navio rebelde enfiou-se pela fresta que Pugna abrira na linha da Igreja. Um dos barcos afundava, arrastava o outro, e um terceiro e um quarto já se descobriam meio presos. Mesmo assim, os arqueiros choveram flechas incendiárias. D'Agostini mandou a primeira embarcação quase vazia, com a tripulação mínima para fazê-la navegar e homens fortes para impulsionar os remos. Uma tripulação pronta para morrer, porque o navio foi uma isca, as velas logo prenderam fogo.

O capitão daquela primeira nau abalroou os inimigos com seu cemitério flutuante. A proa destroçou o casco da Igreja. Seus próprios marujos derrubaram o mastro em chamas, fazendo a vela incendiada cobrir o convés inimigo.

— Remos! — gritou D'Agostini de novo.

Então, a frota rebelde deixou o porto. Foram castigados pelas flechas, mas os navios da Igreja estavam em caos, e havia um buraco por onde passar. O almirante conseguiu manobrar suas naus pelas águas turbulentas, pontilhadas de destroços e adversários. Dois outros navios rebeldes se destacaram, indo sacrificar-se também para abalroar a Igreja e garantir a segurança dos demais.

Enfim, todos os sobreviventes cruzaram a linha defensiva. Metade dos navios da Igreja queimava ou afundava, os homens espadanavam no mar, tentando sobreviver aos naufrágios inexplicáveis. Os navios rebeldes se espalharam, e D'Agostini fez com que as velas se enfunassem. No mar aberto, o vento os impulsionou, junto aos remos. O inimigo manobrava para persegui-los, mas sabiam que não havia como alcançar o almirante.

Então, os marinheiros de um dos barcos ouviram um rangido, e o barulho de algo batendo contra o casco. Correram para a amurada e viram Pugna escalando.

O general ensopado deixou-se cair no convés como um saco de pedras. Disse:

— Levem-me para um lugar seco.

E fechou os olhos, indo acordar treze dias depois.

O Guerreiro do Povo subiu às ameias. Agarrou sua espada e derrubou o estandarte da Voz. Estendeu a mão e recebeu de um soldado à beira das lágrimas o santificado estandarte da Igreja. Colocou-o no lugar, e o vento foi obediente, fazendo voar as três trombetas.

Ganimedes estava a poucos metros, comandando os arqueiros que ocupavam as ameias, atentos para a movimentação dentro da cidade. Olhou para o Guerreiro do Povo, mas não podia falar nada. Eles não se conheciam.

As tropas ocupavam cada rua e cercavam o palácio. A população de Ruiturus comemorava, cantava hinos sacros em boas-vindas aos salvadores. Os soldados saqueavam, como todos os soldados fazem, mas os maiores atos de vandalismo foram arrombamentos de igrejas. As pessoas entravam à força, arrastavam padres para os púlpitos, implorando por celebrações instantâneas.

— Ainda há trabalho a fazer, meu amigo! — gritou o Cavaleiro Imaculado, a mão em concha ao lado da boca, de cima de seu corcel.

Da ameia, o Guerreiro do Povo respondeu:

— Capinar é trabalho! Este é um dever santo.

Desceu por uma escada de mão, ignorando as escadarias internas das torres, e foi encontrar-se com o melhor amigo.

— Monte comigo — disse o Cavaleiro Imaculado. — Não podemos perder tempo.

— Você sabe que não sei cavalgar direito.

— Juntos, podemos fazer qualquer coisa.

O Guerreiro do Povo montou, sob os vivas dos homens. E os escolhidos cavalgaram, na mesma sela como irmãos, em direção ao Palácio Eterno da Voz.

Havia soldados rebeldes nas janelas. Eles disparavam flechas para baixo, derramavam panelões de óleo fervente. As tropas da Igreja protegiam-se sob escudos imensos, mantidos sobre as cabeças, formando um casco de tartaruga. Dois aríetes estavam posicionados frente aos portões, suas cabeças esculpidas de carneiro prontas para quebrar a madeira grossa.

A primeira tora foi puxada, balançou nas cordas que a seguravam e chocou-se com o portão, fazendo um estrondo. Um sargento gritou ordens, e o segundo carneiro metálico investiu. As primeiras fraturas na madeira. Os escolhidos surgiram logo atrás.

— Derrubem o portão do diabo! — gritou o Cavaleiro Imaculado. — Por Urag!

Os arqueiros dentro do palácio voltaram suas flechas para os dois anjos que chegavam a cavalo, mas o Guerreiro do Povo ergueu seu escudo, acima da cabeça do amigo, e protegeu ambos. Mais um estrondo, o portão se dobrou. A quarta investida dos aríetes estraçalhou a última proteção, enviando farpas a todos os lados.

As tropas da Igreja derramaram-se para dentro do palácio, gritando vitória, devoção e morte.

— Por Deus!

— Pelos generais!

Os dois apearam e atravessaram o portão correndo.

Cruzaram a entrada e o primeiro pátio interno. À sua volta, os homens rendiam os últimos rebeldes. Ou, na maior parte das vezes, massacravam-nos. Uma escolta se formou espontaneamente atrás dos dois, mas Atreu disse:

— Deixem-nos sozinhos.

Conheciam o Palácio Eterno da Voz com intimidade. Correram pelos atalhos e chegaram ao sagrado aposento da representante de Deus.

Benedict fez menção de entrar, mas Atreu tomou a frente. Chutou a porta, pisou no tapete escarlate e dourado, invadiu o cômodo suntuoso. Lá estava Desdêmona.

Os aposentos da Voz eram uma pequena cidade, independente em tudo. Todos os luxos, de quartos a encanamentos, de cozinhas a teatros em miniatura. Só não havia janelas. Era um palácio dentro de um palácio, isolado do mundo, de onde a Voz nunca precisava sair. Desdêmona estava de pé, bem no centro de tudo, em frente a um divã magnífico e um conjunto de cadeiras com detalhes em ouro.

— Chegamos a isso, então — ela disse.

Os dois generais tinham as espadas na mão. Benedict manteve-se atrás, observando com interesse. Atreu foi até ela.

— Você vai me matar?

— Devia ter matado muito antes. Devia ter matado você naquele corredor secreto.

— Você também teria morrido.

— Não. No final, eles são meus amigos. Você é uma estranha.

A Voz não respondeu.

— Percebe o que fez, Desdêmona? Quantas mortes causou? Tudo inútil.

— Não foi inútil. Eu tentei.

— Você não conhece história. Não conhece as pessoas. Isso nunca poderia funcionar. Você tentou só para aplacar sua consciência, e muitos pagaram por isso.

Ela ficou um tempo calada.

— Talvez seja verdade — disse. — Desculpe. Ninguém deveria ter me seguido, mas agora já está feito.

Atreu ficou olhando-a.

— O que fizeram com você, Desdêmona?

— Você sabe muito bem. Eles me prenderam. Você tem razão, não conheço o mundo. Desde que me lembro, faço a mesma coisa, estou presa na mesma caixa. Nasci na caixa. Fui castigada quando brincava com uma relíquia, porque não tinha uma boneca. Bispos ficavam me observando dormir e tomar banho, para garantir que não fizesse nada impuro. Todos os dias apalpavam minha barriga e me examinavam, para garantir que não comesse demais.

— Mas agora...

— Nunca escolhi um vestido. Nunca pensei no que gostaria de fazer no futuro. Nunca tive um amante além de Urag.

Silêncio.

— Lembro de rir muito quando um arcebispo soltou um flato. Acho que eu tinha cinco anos. Derionde me convenceu de que minhas risadas haviam matado crianças e cachorrinhos.

Ela caminhou mais para perto.

— Tudo isso parece absurdo? Foi a minha vida, Atreu. Saber meu passado não vai ressuscitar os soldados que morreram, mas não consigo me importar muito. Durante anos acreditei que *minhas risadas* podiam matar.

— O que quer que eu faça?

— Você foi o mais próximo que tive de um amigo. Ou de um marido. Porque arrotou na minha cara e me abraçou.

— Por que não fugiu comigo, Desdêmona?

— Não sei! — ela gritou. — Porque não sou como você, Atreu. Ninguém é! Isso foi há quinze anos. Não posso voltar atrás. Por que você não veio comigo, naquele corredor?

— Não sei. — Pausa. — Ressentimento, acho.

Ficaram imóveis. A mão de Atreu tremia, segurando a espada. Ele inspirou uma quantidade monumental de ar, exalou pela boca.

— Venha. — Estendeu a mão.

Desdêmona balbuciou algo.

— Venha — repetiu Atreu. — Acabou. Vamos escondê-la. Podemos apresentar um corpo carbonizado a Derionde.

Os dedos da Voz tocaram os seus.

— Ah, não — disse Benedict.

Em duas passadas, interpôs-se entre os dois. Com o cabo da espada, deu um soco no queixo da Voz, que cuspiu um dente ensanguentado. Ela cambaleou para trás, Benedict deu-lhe um tapa forte, com as costas da manopla. Ela desabou no divã.

— Temos que matá-la! — disse o cavaleiro. — Quer a fogueira?

Atreu estava imóvel. Desdêmona voltou os olhos para ele, o rosto já começando a inchar, e disse:

— Ele tem razão.

Benedict apertou sua garganta. Deixou cair a espada e, com a outra mão, segurou a frente de seus mantos. Deu um puxão forte e os rasgou, revelando os seios brancos. Puxou as saias para cima.

— É virgem, então? E louca. Todos sabem que loucas são ótimas na cama.

O Guerreiro do Povo ergueu o braço da espada. Cravou a lâmina no pescoço da Voz de Urag antes que o mundo acabasse.

9

RUITURUS TREMEU QUANDO OS HERÓIS PISARAM NA SACADA. O Guerreiro do Povo e o Cavaleiro Imaculado surgiram ao mesmo tempo de trás das cortinas, ergueram seus braços em louvor, abraçaram-se como irmãos. Uma sacada no Palácio Eterno da Voz, de onde os santos podiam falar ao mundo. E o mundo todo parecia estar lá, Ruiturus se atopetava em frente à casa de Urag. Um mar de gente, saudando, chorando, exaltando a derrota do diabo.

O Cardeal Derionde apareceu manso, discreto, atrás deles, sorriu ao ver o povo reunido. Tocou-lhes os braços como um avô bondoso, deu uns tapinhas que diziam vamos, vamos, meus filhos, hora do dever.

— Acabou o tempo de morte — disse o Cavaleiro Imaculado.

A praça urrou em júbilo. Mais que a praça, Ruiturus gritou seu alívio. Duas semanas depois da vitória. O sangue fora lavado das ruas. Os prisioneiros haviam sido executados ou enviados para os campos de trabalho e reeducação, de onde nunca mais voltariam. Os nobres haviam voltado a seus castelos, levado seus homens para casa antes que a neve caísse e as estradas fechassem. As feridas começavam a cicatrizar e as mudanças começavam a se transformar em normalidade.

— Deus está feliz conosco — disse o Guerreiro do Povo, recebendo mais êxtase em resposta.

— Mas esta também é uma época triste.— Foi a vez do cavaleiro, de novo. — Urag não tem uma Voz em nosso mundo. O diabo está tentando nos afastar de Sua fala.

Murmúrios de consternação.

— Por isso precisamos ficar unidos! — O Guerreiro do Povo segurou o ombro de seu melhor amigo.

O Cavaleiro Imaculado aguardou um momento, por sua deixa. O outro parecia mudo, então ele tomou a fala para si:

— Não temos uma Voz para nos guiar, e precisamos ser bons. Esta é a hora de trabalhar por Deus, de resistir ao pecado, de obedecer à nossa salvadora, a Santa Igreja.

— Já disseram que somos heróis. — O Guerreiro do Povo se recuperou. — Mas os heróis são vocês! Vocês resistiram, lutaram, rezaram.

— E, mais uma vez, precisamos da sua ajuda. Vamos fechar os olhos e trabalhar! Vamos tapar nossos ouvidos e cantar a glória de Deus!

A multidão explodiu em prazer religioso. Eles falaram mais um pouco, fizeram mais algumas coreografias, e voltaram para dentro.

Estava frio, mas o Guerreiro do Povo suava.

— O que houve, senhor Atreu? — disse Derionde, franzindo o cenho em uma preocupação doce.

— Eminência?

— Por que não seguiu o roteiro?

— Esqueci minha fala, Eminência.

— Ah. Isso acontece.

Mas não acontecia. Atreu não esquecia nada.

Enquanto alguns fechavam os olhos e trabalhavam, outros comemoravam com festa. Não sei por que Atreu e Benedict não estavam naquele salão, dançando com as dúzias de condessinhas que competiam para se jogar a seus pés. Imagino que Derionde tenha arranjado para que eu não os encontrasse.

Eu circulava pelo ambiente enorme, esquivando-me das saias armadas e tentando não parecer perdido. Um ou outro daqueles nobres lembrava-se do meu rosto, de quando encenei minhas peças em cortes, e me dirigia um aceno. Mas não havia, na verdade, com quem conversar. As pessoas que eu conhecia melhor naquela festa eram religiosos. A sensação era a mesma de passar um baile inteiro dançando com a própria avó.

— É um pouco frustrante, imagino, senhor Iago? — disse o Cardeal Derionde.

Eu estivera distraído, olhando as bandejas de comida que os servos levavam e traziam. Brioches e guloseimas delicadas eram oferecidas pelo salão, e levadas embora quando esfriavam e perdiam o frescor necessário. Serviriam de comida aos empregados do palácio, ou virariam lixo.

— Perdão, Eminência?

— O senhor é o maior dramaturgo de nossa época. O senhor transformou o mundo em seu palco. Mas ninguém aqui sabe disso.

Não encontrei o que responder.

— Se soubessem, estariam à sua volta como mariposas — continuou Derionde.

— Talvez, Eminência. Mas não me importo.

— Isso é muito bom, senhor Iago. Deus nos dá a vida que Ele escolhe. Ficar insatisfeito só causa tristeza.

Concordei. Fiz alguns comentários inócuos. Quando eu piscava, quase esperava ver Lubna e o resto da companhia ao meu lado, comentando nossa nova fama anônima.

— O senhor é um bom rapaz, senhor Iago. Por favor, deixe-me apresentá-lo a um amigo.

Puxou-me gentilmente pelo braço, até um homem alto e desengonçado, metido em um peitoral de aço rebuscado, cerimonial, sobre uma roupa azul bordada. Tinha um cavanhaque grisalho moldado com cera, e conversava com um pequeno grupo de suas próprias mariposas. Derionde pediu licença, as mariposas fizeram mesuras e se retiraram.

— Marquês Gaston, este é Iago. Um jovem dramaturgo de muito talento.

O marquês demonstrou muita alegria em me conhecer. Perguntou sobre meu trabalho anterior e o que eu achava da festa. Derionde ficou um tempo nos observando, um sorriso bondoso e os olhinhos quase fechados. Então pediu nossa permissão e afastou-se.

— O cardeal é um homem notável — disse o marquês. — Parece um velhinho que só espera para se encontrar com Urag, não? Mas Sua Eminência sabe o que quer, e sabe fazer isso acontecer.

O Marquês Gaston falou aquilo com bom humor, aprovando a personalidade de Derionde com um balançar lento da cabeça.

— O cardeal é brilhante — falei. — Será um bom líder até que surja uma nova Voz.

— É claro. — A expressão do marquês mudou, ele se voltou para mim e se curvou, adquirindo um ar conspiratório. — Podemos falar às claras, senhor Iago?

— O que Vossa Graça quiser.

— A questão é que minha amante está grávida. — A informação, desprovida de qualquer contexto, me pegou de surpresa, e só pude ouvir. — E o meu bastardinho vai saltar de sua vagina daqui a pouco mais de um mês. Minha mulher não pode saber disso, mas essa garota não é nenhuma lavadeira que abre as pernas na beira do rio e afoga a criança lá mesmo. É uma nobre. E vai ter um chilique se eu sugerir um sumiço rápido para seu filho.

Permaneci ouvindo, sem saber aonde ele chegaria.

— É claro que existe um ótimo depósito de bastardos, que se chama a Santa Igreja, amém. Mas não basta jogar o garoto junto a tantos outros que vão cortar lenha em um mosteiro, entende? Para evitar a histeria de minha amiga, preciso garantir que ele vá receber educação e, no futuro, vá se tornar um arcebispo ou coisa assim. Entende?

Eu entendia, pelo menos até ali.

— Isso custa dinheiro, senhor Iago. Dinheiro que não posso pagar sem justificar à minha amada esposa. Então farei um grande favor à Igreja, à guisa de pagamento. Uma peça. O povo precisa esquecer a guerra, não? Você estará sob minha proteção, Iago, sob o meu ouro, por quanto tempo quiser. Basta escrever esta peça, e talvez mais alguma outra, quando eu precisar. No resto do tempo, fica livre para seus próprios devaneios.

Fiquei sem reação. Algo se encaixou no futuro. Era a chance, o momento de transição. Quando eu não precisaria mais me preocupar com o próximo ano. Quando eu poderia encenar o que quisesse. Sem mais profecias: só teatro.

Era o que eu queria. O que eu sempre quisera.

— O que acha da festa, Iago?

— Divertida — consegui dizer. — Muito boa.

— Pois você não conhece nada. É pobre e entediante, e as mulheres são feias e virtuosas. Venha comigo e teremos algumas festas de verdade.

Atreu estivera com fome uma hora antes, mas agora seu estômago se embrulhava. Desde a guerra era assim. Em meio às marchas e combates, comera como todo soldado, com gosto e sem saber quando veria a próxima refeição. Mas, depois, notava seu rosto ficando mais delgado, as bochechas sendo sugadas pelos ossos. Tinha fome, e então enjoo assim que enxergava a comida. Estava sentado num dos lugares de honra da mesa, com o garfo na mão. Olhava a fatia de carne banhada em molho e não conseguia deixar de pensar naquilo como algo violento, um pedaço de coisa morta.

À esquerda, Benedict conversava com uma condessa gorducha e enrugada. À toda volta, as pessoas faziam ruídos discretos com os talheres contra a porcelana, conversavam em tons polidos e bebiam vinho. Os músicos, no canto do salão, emitiam seus sons sem se fazer notar e a torrente contínua de servos materializava comida e bebida sem que os nobres os percebessem.

Aquilo era um pedaço de bicho morto. Atreu imaginou o animal estrebuchando, sangrando.

— Meu lorde está mesmo aprendendo — disse uma voz musical, em seguida quebrando-se em risinhos.

Ele despertou do devaneio mórbido, quase surpreso ao ver a garota sentada à sua frente, um lugar para a direita. Ela escondia a boca enquanto ria, mas não conseguia disfarçar o rubor.

— Senhora? — ele disse.

— Meu lorde está aprendendo a usar os talheres. No último banquete, parecia ainda estar em sua aldeia. — Mais risinhos, e um olhar demorado e lânguido.

Atreu notou o que fazia, fingiu confundir-se e deixou o garfo cair. Pegou-o do chão, segurando do modo errado, e o usou para enfiar um naco de carne na boca (náusea).

— Peça outro garfo ao servo! — chocou-se a nobrezinha.

— Já botei coisas mais sujas na boca — disse o Guerreiro do Povo.

Ela riu de novo, junto à sua mãe, ao lado, e um jovem barão, que olhava Atreu como se fosse um anjo.

A comida desabou como um tijolo em seu estômago. Ele levou a faca à carne, correndo a lâmina contra as fibras, e não pôde ignorar a semelhança com o ato de cortar um inimigo. Cortar uma garganta.

— Minha filha está fascinada pelo senhor, meu lorde — disse o homem à direita de Atreu, em voz baixa.

— Não sou lorde.

— Na verdade, é. É um lorde guerreiro.

— Ah, sim. Desculpe.

Olhou para baixo, como um bronco faria.

— Mas me chame de Atreu.

— É uma honra, Atreu. Então, insisto que me chame de Berliaco. Ignore meu título.

Era difícil ignorar o título de um duque.

— Você capturou a alma de minha filha, Atreu.

— Não foi por querer, senhor Berliaco.

O tratamento adoravelmente errôneo, e a ingenuidade que contrastava com o heroísmo e a ferocidade no campo de batalha.

— A maioria dos homens em minha posição tem que acorrentar suas filhas para que aceitem um bom casamento. Meninas costumam gostar de rapazes belos com fala doce. Mas um homem só precisa aprender a falar desse modo se não tem mais nada a oferecer a uma esposa.

— Um homem deve oferecer à esposa uma boa casa, uma espada afiada e muitos filhos — disse o Guerreiro do Povo.

— Exato. Gostaria de se casar com minha filha, Atreu?

Mesmo na corte, aquilo era quase brutal. Atreu não precisou fingir a surpresa.

— Poderíamos passar meses fazendo insinuações, mas isso iria me prejudicar. Todas as nobres estão voando ao seu redor como belos abutres. Não quero que alguém mais rápido faça a proposta enquanto eu fico hesitando.

— Sou um soldado e um criador de porcos, Berliaco.

— É nosso herói. As meninas dividem-se entre as que estão apaixonadas por você e as que estão apaixonadas por Lorde Benedict, e minha filha pertence ao primeiro grupo. Um casamento com ela garantiria um título que poucos nesta terra podem igualar.

— É uma honra, mas...

— Não irei mentir. Espero que alguém acostumado à vida de camponês saiba apreciar a franqueza. Alguns duques, e mesmo uns poucos nobres menores, têm mais dinheiro do que eu. Eles podem, sim, oferecer-lhe muito ouro em troca das filhas. Eu tenho terras. Prestígio. Tradição. Poder. Você salvou nossa terra, Atreu. Nunca ficará sem dinheiro. Mas, entrando para minha família, garantirá honra e respeito para todos os seus descendentes. E um grande contingente à sua disposição.

— Não sei o que dizer, Alteza.

— Diga sim.

A verdade era que, mesmo com toda aquela rapidez, o duque não fora o primeiro. Um conde tentara compensar o título inferior com a oferta de trocar o brasão de sua família pelo sol de Atreu. A morte recente de um barão, segundo boatos, era culpa da viúva, que em seguida começara a tentar atrair a atenção do herói. E um outro conde, conformado com a aparência infeliz e idade avançada de sua filha, oferecera a Atreu um palacete apenas para demonstrar interesse pela moça e aumentar seu valor.

— Preciso rezar, Alteza. Vou pedir para que Urag me diga a coisa certa a fazer.

O duque o olhou por um instante.

— Se está tentando parecer um genro ainda mais ideal, Lorde Atreu, então é astuto além de heroico. Mas, se está sendo sincero, não sei como Deus ainda não o pegou pela mão e o levou ao Seu reino. É bom demais para este mundo.

Comecei a escrever.

Eu continuava no Palácio Eterno da Voz, embora meu benfeitor já houvesse partido para suas próprias terras. Como uma criança, não me preocupava com a origem do ouro, se vinha da Igreja ou do Marquês Gaston. Sabia apenas que eu tinha aposentos e comida, luxo e uma coleira folgada. Era tudo que importava.

Até aquele momento, eu sempre me debatera com o texto, antes de iniciar. Sentia a boca seca e a pálpebra tremendo, duvidava dos personagens e da trama. A mesma hesitação de antes de falar com Lubna pela primeira vez. Porém, assim como não pensava em Lubna naqueles dias, não senti nada daquilo ao começar minha quarta obra. Um dia peguei um maço de folhas caras de papel, um feixe de penas e um pote de tinta, sentei e escrevi. Um ato amortecido.

Percebi que forçava os olhos e precisava acender velas, porque o dia já acabava. E só então notei o que estava fazendo. Não havia traçado um plano nem considerado as motivações das pessoas de mentira que eu comandava. Mas seguia uma estrutura fácil e reta — começo, introdução do conflito, primeira vitória, revés, revelação, vitória, final feliz. O público gostava. Eu não tinha opinião alguma, era por total indiferença.

Nos outros dias, sentei e escrevi da mesma forma.

Ouvi as batidas suaves que já aprendera a associar com o Cardeal Derionde. Limpei a pena e pousei-a na mesa, ergui-me e abri a porta. Também não estava aterrorizado com a visita nem tive qualquer pressa em atender. Fazia tudo deliberadamente.

— Como vai a peça, senhor Iago?

— Muito bem, Eminência.

— Permite que eu leia o que fez até agora?

Não falei nada. Fui até minha mesa, recolhi os papéis e alcancei-os ao cardeal, sorrindo. Ele sentou em uma cadeira posta de lado, lambeu a ponta de um dos dedos e passou a examinar as folhas. Fiquei ali parado, de pé, olhando sua expressão de avô.

— Muito bom, muito bom, senhor Iago.

— Obrigado, Eminência.

— Apenas um detalhe.

— Pois não?

— Transforme o amigo de seu protagonista em uma criança.

Fui até a mesa, molhei a pena na tinta e anotei a mudança em um pedaço desfiado de pergaminho, que eu usava como rascunho.

— O personagem era um soldado — eu disse. — Terei de mudar bastante o papel.

— Ora, não é preciso. Faça com que ele lute com esperteza. Quebre um jarro na cabeça de um inimigo. Coisas assim. Um toque de humor.

Anotei a sugestão.

— Nosso povo precisa de um pouco de humor e leveza, não acha, senhor Iago?

— Claro, Eminência.

— E será bom ter um ator jovem. Todos gostam de crianças.

— Qualquer pessoa de bem as adora, Eminência.

— Mantenha os conselhos que o personagem dá ao protagonista. É bom que as pessoas vejam a sabedoria de Urag sendo transmitida pelos anjinhos.

Anotei.

O cardeal aceitou um gole de vinho, fez um comentário sobre o tempo e pediu licença para se retirar.

— Mais uma coisa, senhor Iago — disse, já com a porta aberta.

— Sim, Eminência?

— Qual será o título?

— *Os filhos se afogam.*

Ele apertou os lábios, juntou as sobrancelhas finas e olhou para cima, como se procurasse algo na própria cabeça.

— Não acho um bom título. Que tal algo mais simples?

— Vossa Eminência tem alguma ideia?

— *O herói de Deus.*

Escrevi o novo título.

— Faça algo inspirador, senhor Iago!

Era um bom título, as pessoas iriam mantê-lo na memória. Meu mecenas iria entendê-lo de pronto. Quando o cardeal foi embora, sentei e me pus a escrever, já trocando o soldado veterano por um menino astuto, que conquistaria todos com suas tiradas e inocência.

Atreu não saiu de seu quarto por três dias. Houve um tempo em que ambos residimos no Palácio Eterno da Voz, mas nunca nos vimos. Eu escrevia, ele sentava-se e ruminava.

Atreu quis beber hidromel, porque sentia falta do zumbido agradável no fundo da cabeça. Ordenou a um servo que trouxesse, e prontamente foi agraciado com um jarro repleto de decorações e um caneco esculpido, em uma bandeja de prata.

— Meu lorde, perdão, mas vou pedir-lhe algo — disse o rapaz com a bandeja, parecendo à beira de um colapso.

Atreu fez com que desembuchasse, num gesto das sobrancelhas.

— Posso acompanhá-lo num gole? Seria uma honra poder dizer a meus amigos que bebi com o Guerreiro do Povo.

Beberam juntos. O hidromel era rude e amargo, pois o personagem de Atreu gostava das coisas simples, que lembravam sua infância. Depois que o servo foi embora, ele desistiu da beberagem. Não tinha com quem dividi-la. Alguns dias antes, tinha ficado bêbado com Benedict, numa demonstração pública da enorme amizade que nutriam um pelo outro.

Ordenou que lhe trouxessem livros de todos os tipos. Os cardeais arranjaram para que tudo fosse feito com discrição, mantendo o papel. Atreu conseguia ler uma ou duas páginas, e perdia o interesse. Usava a espada como acessório, dentro da bainha quando surgia para o povo, parte do figurino. De resto, não tocava. Sentia o cabo morno, um calor nojento, como se banhado em um muco, ou em sangue. Não eram dias dramáticos e, Atreu me disse, ele não pensava em Desdêmona, assim como eu não pensava em Lubna.

Pôs-se a procurar Ganimedes. Avançou pouco dentro do palácio antes que as incessantes ofertas de auxílio dos servos fizessem-no ceder, e ele ordenasse que um deles trouxesse o arqueiro. Ganimedes estava em missão, capturando um grupo de rebeldes cujo barco encalhara num banco de areia a dois dias de viagem. Atreu voltou ao quarto, ficou sentado esperando.

A atenção de plebeus e nobres o incomodava. Sentia-se preso. E isso, Atreu me conta, era o mais assustador. Ele não fora criado entre os porcos. Ele tivera servos. Ele fora um lorde guerreiro, antes de ser profetizado por mim. Atreu adquiria os gostos e maneirismos do Guerreiro do Povo. O teatro e a Igreja têm essa habilidade notável de transformar personalidades.

Ganimedes voltou ao palácio. Foi arrastado aos aposentos do escolhido às pressas, como se fosse uma convocação de emergência.

— Quer que eu tire alguém da forca, Atreu? — riu o arqueiro, assim que o servo saiu e fechou a porta.

O outro tentou rir. Mas todos os atores têm seus limites.

— Certo, desculpe — disse Ganimedes. — Cedo demais.

— Não — disse Atreu. — Você acabou de enfiar flechas em um bando de inimigos. Ainda está com o sangue fervendo.

Ganimedes fez o sinal da voz elevada, em mais um pedido de perdão pelos homens que matara.

— O que houve, Atreu?

O outro deu de ombros. Antes de uma resposta, Ganimedes interrompeu:

— Você está sozinho.

— Estou virando uma mocinha.

— Você está virando um homem. Não estamos mais na escola, planejando barbaridades e rindo dos padres. Você não pode mais passar todo o seu tempo com os amigos.

Silêncio.

— Eu matei ela.

— Eu sei — disse Ganimedes. — Todos estamos tristes.

— Chamam Desdêmona de meretriz.

— Chamam de coisa muito pior. Serva do diabo. Nós sabemos que não é verdade, mas foi a escolha dela. A Igreja representa Deus. O diabo não influencia todos os inimigos da Igreja, mas... — Deixou a frase no ar.

— Mas?

— Mas tem sua mão em muitos.

— Você acha que Desdêmona foi tocada pelo diabo?

Ganimedes ergueu-lhe uma sobrancelha.

— Desculpe — disse Atreu. — Você não é idiota.

— Toda essa situação é muito infeliz. A Voz escolheu se rebelar, e isso é infeliz. E a Igreja foi obrigada a mentir para manter o povo unido, e isso também é infeliz. Mas, no final, foi para o melhor.

Alguma coisa entrou em ebulição dentro de Atreu. Seria poético dizer que foi em seu peito, mas começou nas tripas. Ele sentiu aquilo subir, como um líquido negro, pronto para transbordar. Nada havia sido para o melhor. Mortes de inocentes, tragédia, inutilidade, tudo ocorrera do mesmo jeito, como ocorreria se ele estivesse do outro lado. A diferença era que matara Desdêmona. Não havia com quem falar, mas ali estava Ganimedes, como estivera desde sempre.

— Foi tudo para o melhor, Atreu.

E viu que Ganimedes não estava mais ali. Não como estivera. Não podia despejar aquilo em cima de quem ainda acreditava. Quem ainda julgava servir a algo bom. Atreu perdeu a coragem.

— Você tem razão.

Beberam no mesmo quarto, trocando histórias e relembrando o passado. Mas Atreu bebeu sozinho.

Ri sozinho ao começar o terceiro ato de *O herói de Deus.* As traquinagens de Salviano, o jovem coadjuvante, eram hilárias. Ele estava com fome o tempo todo. E o modo como olharia para o público quando apanhado em uma travessura era adorável.

Fui interrompido por um servo. Ele ficou ao meu lado, esperando que eu terminasse uma frase. Deveria me levar até os cardeais. Era um assunto que Derionde não abordaria em meus aposentos.

Fui deixado de pé no meio dos quatro, sentados em suas poltronas forradas de escarlate. Olhavam-me sem falar.

— Pressinto um problema, senhor Iago — disse Derionde.

Imaginei se era a peça. Não temi.

— Um de nossos escolhidos está se mostrando insatisfeito — ele continuou. — Pode ser que o diabo esteja tentando-o com a rebelião.

Acenei que entendia. Fiquei esperando mais instruções.

— Queremos que componha outra profecia, senhor Iago. Para que estejamos preparados, se o problema ocorrer.

— Precisamos que mate mais este homem para nós — disse o Cardeal Simas.

— Sim, Eminência.

Notei que eles se entreolharam. Talvez minha presteza tenha-os surpreendido.

— A Voz corrupta foi derrotada — Derionde retomou a palavra. — Mas um dos escolhidos era, na verdade, um servo demoníaco. Alguém enviado apenas para desestabilizar nossa Igreja.

— Qual dos dois, Eminência?

— O Guerreiro do Povo.

— Muito bem.

As primeiras palavras já surgiam.

— Tenho até mesmo ideia para um início — disse Derionde. — *"De dois guerreiros, um cairá".*

— Não, Eminência.

Mais uma vez, Derionde não escondeu a surpresa.

— Como será, então?

— *"Haverá dois soldados".*

Inspiração como um relâmpago. Era uma boa primeira frase. Um de Deus, e um do diabo.

Derionde juntou as pontas dos dedos e franziu o cenho, olhando para cima, revirando as palavras na cabeça.

— É bom. É muito, muito bom, senhor Iago! Interrompa *O herói de Deus*. Vá para a biblioteca e trabalhe na profecia.

— Sim, Eminência.

— Esta será sua obra-prima!

Atreu acordou, sem saber se era dia ou noite. A janela revelou a lua, então deitou-se de novo. Revirou os lençóis, chutou o ar. Suas pupilas dilatadas ficaram olhando o teto no escuro.

Sentou-se na cama. Procurou mais uma vez algo que o atraísse. Espada, livros, alguma mulher. Procurou uma ideia, alguma das hipóteses matemáticas que o haviam fascinado anos antes. Estava vazio. Andou pelo quarto e voltou a sentar.

Ergueu-se. Dobrou as pernas e ficou de joelhos no pé da cama. Fez o sinal da voz elevada. Juntou as mãos. Fechou os olhos. Murmurou:

— *Perdoai-me. Perdoai-me.*

E então, a realidade o atacou. Levantou de um salto, esfregou as mãos nas calças, como se estivessem imundas. A respiração curta e rasa. Não fora encenação. Não havia ninguém por perto. Realmente pedira perdão.

A Deus.

De manhã, reencontrou a furtividade que aprendera na escola. Falou às escondidas com os Escudos do Sol.

E fugiram.

A segunda profecia era sublime. Muito melhor que a primeira. Atreu já era visto como um traidor desprezível pelos habitantes do palácio, e a notícia se espalhava rápido. Mudei a realidade de novo. Mas não foi por isso que escolhi fugir.

Não quis descanso. Depois de terminar a profecia e garantir que fora aprovada, debrucei-me sobre *O herói de Deus*. A peça avançava a galope, eu ficava irritado com a lentidão da pena, incapaz de acompanhar minha mente. Terminei a primeira versão, deixei aquilo de lado uns dias e reli. Vi o que faltava: romance. O povo queria que o protagonista conquistasse a mansa felicidade doméstica no final da história. Voltei à trama, buscando lugares onde inserir uma heroína a ser salva. Quando estivesse amarrada, à mercê do vilão, ela diria que seu amado nunca deixaria o crápula impune.

Deveria ser encantadora, deveria cativar o público. Vasculhei-me em busca de traços de personalidade.

E quem era mais encantadora do que Lubna?

Três meses depois, o Marquês Gaston recebia nobres seletos para a primeira apresentação da obra sacra, numa noite de gala, após um jantar lauto. Sentei-me nos bastidores. Fiquei mordendo uma unha. O herói, no meio de uma perseguição, esbarrou no garoto que iria lhe mostrar uma rota de fuga por entre as ruelas. O vilão puniu seus capangas pela incompetência. Um padre solícito ofereceu abrigo à dupla de protagonistas.

— *Não tem nenhuma piada agora, moleque?* — disse o herói.

— *Deus não é piada, senhor* — retrucou o garotinho.

E então, na metade do primeiro ato, surgiu o interesse romântico.

Lubna.

Senti um frio esôfago acima. A atriz que eu treinara com cuidado, durante meses, reproduzia os trejeitos de minha atriz principal.

Eu transformara Lubna em personagem.

Levantei-me, um dos atores perguntou se estava bem, desejei-lhe boa sorte, sem lembrar da linguagem do teatro. Fui para trás do palco e vomitei. Recolhi minhas coisas numa sacola, joguei-a sobre um muro. Disse aos guardas do marquês que precisava de ar fresco, eles abriram-me o portão. Apanhei minha sacola e corri às cegas, no meio da noite, até encontrar uma estrada.

Foi então que descobri que escritores são canalhas. Eu me considerava um artista, algum tipo de intelectual intocável, em um mundo etéreo, usando gente como ficção. Mas era um verme. Decidi que minha obra-prima não seria uma profecia e nem uma peça. Invejei os cavalariços, os sapateiros, os criadores de porcos.

Sua obra-prima é a vida.

Deus no corpo de Jocasta

1

AGORA VOLTO A SER MENTIROSO. NÃO VI BOA PARTE DO QUE aconteceu, também não me contaram. Vi os resultados e criei o resto, pura especulação. Mas vou narrar assim mesmo, porque é preciso, para entender o que aconteceu depois. Meu primeiro personagem assim, roubado da vida e estofado com mentiras, é Oberon.

Enquanto eu conhecia meu melhor amigo, Oberon reencontrava amigos velhos. Por mais rápidos que fôssemos, Atreu precisava liderar um exército, e um exército é sempre vagaroso. Oberon levou apenas seus guerreiros jurados, sob o estandarte da cabeça de touro, e deixou para trás os feridos. Precisávamos lidar com nossos próprios feridos, com os prisioneiros, com as paredes rachadas e ossos quebrados em Sudário do Louco. Oberon foi ligeiro porque podia descartar coisas inconvenientes. Nesse ponto, era um guerreiro muito melhor que Atreu; sua mente não era ativa a ponto de incomodar. Assim, chegou ao Farol dos Órfãos muito antes de nós, e foi recebido por seus velhos amigos.

Não havia estrada que levasse ao Farol dos Órfãos, e por isso era um local tão bom para os rebeldes. Pugna o indicara, embora não lembrasse de quando o conhecera. Não era um local secreto, mas era discreto, às margens de uma estranha baía e acessível apenas por uma trilha estreita e pedregosa, íngreme, ladeada por formações rochosas escarpadas. Não havia nem mesmo restos de estradas da civilização antiga, como ainda há em alguns lugares. Acho que os antigos gostavam de sua própria versão do Farol dos Órfãos assim mesmo, sem estradas, da mesma forma que nós.

A cabeça de Oberon funcionava apenas para o estritamente necessário na vida de soldado; ler mapas e reconhecer atalhos. Pode ser que eu diga isso por ressentimento. Afinal, Oberon não era inteligente, mas podia matar um homem inteligente como eu, e nenhum lampejo de brilhantismo pôde me salvar do medo que senti dele em Sudário. Mas o estritamente necessário, naquele momento, era levar seus Cabeças de Touro até a Baía dos Órfãos com rapidez, e nisso teve sucesso.

Conduziu-os através da passagem inclinada, numa travessia impossível para um grande contingente. O Farol em si fora construído depois das escarpas, numa espécie de imenso vão de aparência bizarra. Logo após a inclinação natural do caminho rochoso, aquela formação de pedras terminava abruptamente, numa ladeira lisa e abaulada. Era uma semiesfera vazia e abrigava o Farol em seu bojo. Do alto, logo antes de começar a descida traiçoeira, Oberon pôde ver a baía, um recorte circular perfeito na costa rochosa. Enquanto o resto do litoral continuava com sua irregularidade previsível, aquela área parecia artificial, como se alguém houvesse retirado uma esfera perfeita de terreno, e o ar e a água houvessem preenchido o espaço vazio. A frota rebelde abrigava-se na Baía dos Órfãos, aguardando o retorno do Almirante D'Agostini, e o Farol permanecia ocupado, agitado, com seus casebres em volta e seus habitantes idiossincráticos.

Os guerreiros da cabeça de touro desceram escalando, cuidadosamente, enquanto seu líder saltava e escorregava. Como uma criança, Oberon escapava incólume aos riscos que não parecia notar. Logo foram vistos, é claro, pois o paredão oferece visibilidade completa de todos que se aproximam. Um garoto com o dedo enfiado no nariz ficou os olhando, meio estúpido e meio juiz, até decidir correr e avisar alguém.

Oberon pulou os últimos metros, caiu pesado sobre as botas, no chão de lodo e mar até os tornozelos. Espirrou muita água, produziu um som gosmento na lama, riu de tudo isso.

— Farol dos Órfãos! — anunciou o general. — Seu herói chegou. Tragam suas despudoradas!

Era mais um povoado do que uma aldeia de verdade, e todos conheciam o enorme ruivo. Alguns riram, outros fecharam a cara de medo. Os casebres eram construídos sobre palafitas, mantendo o interior quase seco, mesmo que a vida dos habitantes fosse sempre úmida e salgada. Oberon chapinhou até a espécie de ponte de madeira, elevada sobre palafitas, que levava até o Farol em si. Havia uma pequena rede desses caminhos de tábuas, sempre rangendo, conectando diversos pontos do vilarejo. As pessoas também locomoviam-se em pequenas canoas, empurradas por varas de madeira, ou apenas aceitavam o inevitável e enfiavam as pernas na água. Oberon passou por uma mulher que carregava um fardo de roupas sobre a cabeça, enlaçou-a pela cintura e aplicou-lhe um beijo salivante. Ela teve o reflexo de fechar os lábios, mas então entregou-se, porque não valia o esforço.

Logo o ruivo estava acompanhado de seus guerreiros, todos fazendo a pontezinha ranger e forçando as tábuas úmidas perigosamente. Seguiram alguns metros até a escada de pedra para o Farol. Um pescador vinha em sentido contrário, foi empurrado sem cerimônia e caiu no mar raso.

— Os heróis chegaram! — latiu Oberon de novo. — Será que não há mais reverência?

— Reverência, fedorento — rosnou um dos guerreiros para o pescador infeliz.

Devido à geografia bizarra da Baía dos Órfãos, a profundidade da água aumentava de forma abrupta, a semiesfera continuando para baixo. Dominando o centro da baía, quase inteiramente submerso, havia um imenso bloco de pedra, sem divisões aparentes, como se fosse moldado da rocha viva. Era um cubo perfeito. Ninguém sabia como fora construído e não havia memória ou registro de não estar lá. Era um dos raros legados do povo que viveu em nossa terra antes de nós, e talvez a Baía dos Órfãos fosse o lugar mais rico nessas estranhezas. O Farol fora construído por nosso próprio povo, há muitas décadas, sobre esse bloco incongruente. Era uma espécie de fortaleza em miniatura, uma casa fortificada, de onde se projetava a torre que guiava os marinheiros. Os construtores do Farol haviam também erigido uma escada sólida, de pedra, encostada no cubo, levando até os portões. Pisando na escada, Oberon voltava a se sentir sobre chão firme.

Os portões estavam desguarnecidos e entreabertos. O Farol dos Órfãos não precisava se preocupar com inimigos, em geral. O que incomodou o general suarento foi a falta de pompa, não houvera ninguém para anunciar sua chegada exceto um menino muito interessado no conteúdo do próprio nariz. Oberon e seus homens entraram na fortaleza e logo ouviram os sons de comemoração. Atravessaram um corredor curto e um saguão, e chegaram ao que se chamava de sala do trono, a corte do senhor daquele lugar.

— Lorde Oberon! — saudou o Bispo Calímaco, cuspindo fiapos do peixe que devorava. — Seja bem-vindo. Chegou em boa hora, estou prestes a me casar.

O soldado estava quase à morte quando os encontrou. Apanhara bastante dos guerreiros de Oberon, embora isso não fosse lógico e prejudicasse sua capacidade de cumprir a tarefa. Ele estivera acompanhado de outros três, todos fugitivos do cerco fracassado a Sudário do Louco. Quando Oberon tropeçou no quarteto esfarrapado, sem planejar (assim como não planejava nenhum de seus atos), decidiu botá-los em uso. Bateu um pouco nos infelizes e espalhou-os em quatro direções, com mensagens para o primeiro batalhão da Igreja que encontrassem. Oberon depois fez isso com outros grupos com quem cruzou no caminho até o Farol dos Órfãos, mas o soldado não sabia. Estava apenas grato por ter encontrado um oficial, e achou que Urag o abençoava, pois era o Cavaleiro Imaculado.

Caiu de joelhos frente a Benedict, as lágrimas correndo fartas sobre suas bochechas, até sua boca sorridente. O cavaleiro chegou perto, e o soldado não se conteve: abraçou as pernas dele, pediu bênção.

Benedict desvencilhou-se de forma amigável, abaixou-se para segurar o ombro do soldado e encará-lo.

— O que houve, homem?

O desgraçado fungou e engoliu o choro. Seu mundo foi dominado pela figura de Benedict e ele queria se mostrar digno de ser chamado de homem pelo santo.

— Eu estava no cerco, meu lorde. Estava no cerco a Sudário do Louco, e tudo deu errado.

Atrás de Benedict, a coluna herege de esfarrapados ocupava a trilha irregular por onde eles viajavam. Os grandalhões que faziam as vezes de guarda de honra de Jocasta não deixavam que a Voz aparecesse para aquele recém-chegado, possivelmente um infiel.

Benedict não sabia do cerco. Não sabia da traição de Ganimedes ou mesmo que haviam encontrado Atreu. O soldado contou-lhe passagens desencontradas, ali mesmo, de joelhos.

— Estávamos fugindo, meu lorde — admitiu.

Benedict sabia quando ser general e quando ser um amigo.

— Não foi culpa sua. Eles se aproveitaram de sua bondade.

Transformando deserção em caráter, Benedict incentivou o homem a continuar.

— Preciso de sua bênção, meu lorde. Por favor. Eu decepcionei Urag. Preciso da bênção do Dragão de Deus.

— Não posso abençoar ninguém — disse o Cavaleiro Imaculado. — Sou apenas um soldado de Urag. A bênção que você quer virá de outra pessoa.

Fez sinal aos grandalhões. O soldado não os havia notado, não notara toda a multidão, tamanho era o seu assombro em encontrar o escolhido no meio de uma estrada perdida. Pareceu ter visto a coluna pela primeira vez, fez um murmúrio de surpresa. Os guardas, a contragosto, deram passos para os lados, revelando a garota. Jocasta apressou-se até Benedict e o recém-chegado, ansiosa para ajudar de alguma forma.

O soldado hesitou.

— Quem é a menina, meu lorde?

— Você será o primeiro a receber a boa nova. Esta é a Voz de Urag.

Certa vez ouvi dizer que um homem sábio sempre se surpreende, e um tolo não se espanta com nada. Talvez seja por isso que Oberon, sem hesitar um instante, tenha ido até o bispo e abraçado-o com entusiasmo, dizendo parabéns.

— Quem é a felizarda?

— Seu nome é Irene. A pequena e angelical Irene, pura como a primeira neve do inverno. Veja só, não parece uma sílfide trazida por Urag para embelezar nossos mares?

O Bispo Calímaco puxou a garota de mais ou menos vinte anos e ela sorriu, exibindo a falta de um dente. Oberon avaliou-a com olho clínico.

— Belas ancas — disse.

— Sim! Foi exatamente o que pensei, Lorde Oberon. Ancas de mãe. Talvez seja este o anjo que vai me dar um herdeiro.

Os demais anjos do Bispo Calímaco estavam sentados na longa mesa de banquete — na verdade diversas mesas menores encostadas, cobertas por uma toalha comprida, costurada de retalhos e pedaços de velas de navios.

A corte do bispo estava toda lá, e também alguns aldeões daquele povoado exíguo. Havia sua guarda de honra, dois pescadores troncudos portando arpões. Havia seu escriba, com a eterna tarefa de registrar os pensamentos do bispo em uma versão revisada do Discurso Santo, mais fiel aos verdadeiros preceitos de Urag, assim como interpretados por Calímaco. Havia seu conselheiro: um homem de rosto torto e olhos muito juntos, que sorria para o vazio e babava com fartura. O bispo raciocinava que qualquer ideia cujos defeitos até mesmo seu conselheiro pudesse apontar era falha demais, e deveria ser descartada. Havia diversos padres, embora a maioria trabalhasse na pesca, pois Calímaco era generoso nas ordenações. E havia alguns bufões, pois o bispo apreciava essa arte. Três capitães de D'Agostini também estavam lá, enquanto suas tripulações permaneciam nos navios ancorados. Oberon os olhou de soslaio.

Mas o que mais havia eram os anjos do Bispo Calímaco. Suas esposas.

Oberon e seus homens receberam o tratamento de abundância miserável a que os rebeldes estavam acostumados no Farol dos Órfãos. O general usou a latrina, descalçou as botas, recebeu massagem de uma serva. Ofereceram-lhe uma cama de palha úmida, perguntaram se desejava subir ao farol, para admirar a vista magnífica. Recusou, e serviram-lhe comida e bebida à vontade.

Depois dos confortos, o bispo o rondava, na sala do trono. O elenco continuava o mesmo. Os guerreiros da cabeça de touro sentavam-se e tinham moças no colo, mas ainda carregavam machados e espadas.

— Venha, venha, olhe — disse Calímaco, puxando Oberon para um outro lado da sala, onde havia uma espécie de altar, iluminado por velas.

As paredes eram decoradas com redes de pesca e rudes representações do brasão do Bispo Calímaco (conflitantes entre si, pois seus gostos mudavam, e ele decidia adicionar e subtrair elementos com frequência). Mas aquela parede estava vazia, exceto por um quadro.

O bispo aproximou-se da pintura com ar reverente. Botou as mãos sobre o peito e suspirou. Seus olhos se perderam na figura do retrato, uma mulher de traços arredondados e cabelo preso, vista do busto para cima.

— O que acha?

Oberon estreitou os olhos para a pintura. Já sabia o que o bispo queria ouvir, mas não podia adivinhar qual era a comparação daquela vez. O retrato era quase ininteligível: a tinta barata havia rachado e desbotado com os anos e a maresia incessante. Manchas sugeriam que algo houvesse sido derramado sobre a tela em algum momento, dificultando ainda mais a percepção dos detalhes.

— São os olhos? — disse Oberon. — O queixo?

— Não vou contar! Veja, identifique a semelhança. Quero sua opinião sincera.

Oberon levou a mão à testa. Tentou decifrar mais características no rosto da pintura, e virou-se para olhar a noiva.

— As bochechas? — disse o ruivo.

O bispo deixou os ombros penderem.

— Oh. Oh, não! Será que estou enganado, mais uma vez?

— As orelhas? O nariz? O pescoço?

O rosto de Calímaco se acendeu.

— Sim! O pescoço! Você pode enxergar, não? A semelhança não é incrível?

— Parecem gêmeas, bispo.

— Mais do que gêmeas. Lorde Oberon, acho que, desta vez, enfim encontrei a reencarnação de minha amada Felícia.

Oberon concordou com a cabeça. A busca do Bispo Calímaco pela reencarnação de sua esposa Felícia começara com uma garota que realmente guardava grande semelhança com a falecida. Desde então, aos poucos expandira-se para critérios cada vez mais vagos, à medida que terminavam as opções e o retrato se esmaecia. As esposas conversavam entre si, meio aborrecidas, meio interessadas. A jovem Irene seria uma boa adição ao grupo. As moças do povoado gostavam dela, não haveria problemas de convivência. Eram onze esposas ao todo, e agora seria uma dúzia completa.

Um dos Cabeças de Touro avaliava os dotes físicos das supostas reencarnações.

— O bispo é louco. Mas não é burro.

Oberon calou o comentário com um olhar feroz. Sim, o bispo era louco. Todos os rebeldes sabiam, todos estavam acostumados. Mas fora necessário um louco para colaborar com a rebelião, e por isso não se reclamava.

— É um pescoço milagroso, bispo — disse o ruivo. — Um pescoço enviado por Deus.

Satisfeito com a aprovação do general, Calímaco foi até sua noiva e tomou seu rosto nas mãos, olhando embevecido em seus olhos castanhos e ordinários. Irene já usava o vestido de noiva, vermelho para simbolizar a paixão e a devoção a Urag, com um véu feito de rede de pesca. Já desbotado, é verdade, e desengonçado de inúmeros ajustes e costuras, recauchutado para uso de sucessivas noivas antes dela.

— Quando será o festejo? — disse Oberon.

— Pensava em realizá-lo amanhã.

O ruivo e um de seus homens trocaram um olhar.

— Por que não hoje mesmo?

Calímaco franziu o cenho.

— Hoje? Mas há tantos preparativos. O banquete ainda não está pronto.

— E por que adiar o amor, bispo?

O religioso abriu um largo sorriso.

De súbito, um dos capitães disse:

— Meu lorde, onde está o almirante?

Calímaco ergueu as sobrancelhas, lembrando daquilo também.

— Com efeito! Onde está D'Agostini? Onde está o jovem Atreu?

— Eles irão demorar alguns dias, bispo. Enquanto isso, me enviaram para garantir que a frota estivesse bem.

— Deseja inspecionar a frota, então? E eu aqui prendendo-o com minhas histórias de amor.

— Não preciso. Acho que os capitães podem relatar sobre o estado dos navios.

— Mas então não seria melhor esperar para realizar o himeneu na presença dos generais? Eles merecem estar aqui nesta comemoração.

— Não vai haver tempo para isso quando eles chegarem, bispo. Melhor não deixar sua noiva esperando. Casem-se agora. Os capitães podem voltar aos navios, e a vida segue.

Os oficiais de D'Agostini trocaram meia dúzia de sussurros curtos. Um deles levantou-se, fez menção de ir até a porta.

— Tem razão, tem razão, Lorde Oberon. Gostaria de celebrar meu casamento? Posso ordená-lo como padre.

Os guerreiros da cabeça de touro aproximaram as mãos das armas. Os dois capitães ainda sentados tentavam afetar calma, prontos para se erguer das cadeiras. O terceiro deu um passo em direção à saída.

— Ah, foda-se — disse Oberon e derrubou o Bispo Calímaco com um soco.

Se ele estivera quase morto antes, o encontro com a santa emprestou--lhe o vigor de um cavalo. Quando a coluna interrompeu a marcha do dia, sentando-se na relva e na estrada, trancando a passagem para quaisquer viajantes, o soldado não quis dormir ou mesmo tirar as botas. Fez questão de vigiar o perímetro, junto aos outros designados para aquela responsabilidade. Já era noite fechada, e as fogueiras dos hereges esquentavam sopas ralas, feitas de quaisquer animais e plantas disponíveis.

Benedict fez um gesto. Os guardas saudaram Jocasta e se afastaram, deixando-a sozinha junto à fogueira. O cavaleiro fez uma mesura e sentou ao seu lado.

— Santidade — começou.

— Já disse que não quero ser chamada assim, Benedict. Meu nome é suficiente.

Ele sorriu.

— Precisamos decidir o que fazer, Jocasta.

Os grandes olhos castanhos da garota concentraram-se no vazio, enquanto sua mente enfileirava os fatos.

— Os rebeldes venceram uma batalha — disse Jocasta.

— Escaparam mais uma vez, só isso.

— Ele disse que um dos generais cometeu traição. Mudou de lado.

— Ganimedes — disse Benedict. Então suspirou: — É o encanto do Soldado do Diabo, Jocasta. Atreu me enganou durante muito tempo. As pessoas acreditam em sua bondade, lutam por ele. Também fui vítima.

Apoiou os antebraços sobre os joelhos erguidos, deixou a cabeça pender. Jocasta tocou seu ombro, em simpatia.

— Mas nada tão grave quanto já foi. — O cavaleiro sorriu-lhe. — Na guerra civil, os rebeldes estavam vencendo, até que conseguimos esmagá-los. Agora, só fugiram mais um pouco. E eles mesmos estão abrindo os olhos, como nos diz nosso novo amigo.

Jocasta desdobrou mais uma vez a mensagem que o soldado trouxera. Cheia de erros, a letra quase ininteligível de Oberon. O homem também lhes repetira o que Oberon o forçara a decorar. A localização da frota rebelde, na Baía dos Órfãos, a oferta de rendição, o convite para ir até lá e armar uma emboscada contra Atreu.

— Acha que pode ser uma armadilha? — disse Jocasta.

— O que você acha?

— Não sou guerreira.

— Mas fala com Deus. O que Ele lhe diz?

A garota concentrou-se de novo.

— Esse homem...

— Oberon — disse Benedict.

— Esse Oberon é um sanguinário. Atacou e massacrou as tropas da Igreja quando estavam fugindo. E agora oferece sua amizade. É um traidor duplo. Traiu a Igreja e agora quer trair os rebeldes.

Silêncio.

— Talvez possa ter se redimido — disse Benedict.

— Talvez. — Pausa. — Não. Não, acho que não.

— Por quê?

— Homens como ele não se redimem, a menos que algo lhes aconteça. Não se redimem depois de uma vitória.

— Acha que existem homens irrecuperáveis?

— Se as pessoas pudessem ver o caminho de Deus sozinhas, não haveria necessidade de uma Voz.

— Então devemos ignorar a oferta?

— Não. — O rosto de Jocasta adquiriu uma espécie de ferocidade, o ar matreiro dos muito inteligentes. — Ele não pode ter preparado uma armadilha para *nós*. Não havia como saber onde estávamos. Quer trair os rebeldes, mas por seu próprio interesse. Não precisamos nos preocupar com sua redenção.

Benedict manteve-se atento.

— Vamos até esse tal lugar, e vamos usar a falta de caráter de Oberon a nosso favor. Antes mesmo de ser a Voz de Urag, quero derrotar os rebeldes.

A fogueira crepitou.

— É uma honra servir a Vossa Santidade.

— Não me chame assim, Benedict.

Ele olhou para baixo e deu seu melhor sorriso encabulado.

— Se eu chamá-la de Jocasta, vai ser difícil manter a distância que meu dever exige. Controlar meus sentimentos.

Ela piscou.

Escorregou até perto dele, segurou sua mão. Seus dedos se entrelaçaram.

2

UM DOS GUERREIROS BLOQUEOU A SAÍDA, E A CORTE ESTAVA DE costas na parede, bocas abertas e corpos tremendo. Os Cabeças de Touro continuavam com seus machados em punho, sacudindo as lâminas para quem fizesse um movimento brusco. As esposas encolhiam-se atrás da mesa, a noiva tinha as mãos no rosto, por entre os dedos pingavam lágrimas, ela dizia meu casamento, meu casamento.

— Faça a vadia calar a boca — rosnou Oberon.

O Bispo Calímaco, estendido no chão, nariz sangrando em borbotões, olhava para ele ainda com um meio sorriso, olhos desfocados. Inclinava a cabeça como um cão, sem entender direito o que acontecia.

— Por que fez isso, Oberon?

— Todos quietos e ninguém vai para o açougue.

— Meu casamento!

Oberon apertou os olhos, tapou os ouvidos com as palmas. Um dos capitães de D'Agostini roubou um olhar para os outros e saltou.

No ar, sacou o cutelo, preparou um golpe contra o general. Oberon deu um grito, agarrou o machado, interceptou o homem antes que pousasse. O metal fez seu estômago estourar como uma bolha, sangue espirrou num arco, decorando as paredes. As tripas se derramaram, o cadáver rolou no chão, quase partido ao meio. Alguém berrou, outros responderam, até que a sala foi tomada por guinchos.

— Calem a boca! — rugiu Oberon.

— Você não sujou o retrato, sujou? — disse o bispo, voz fanhosa.

Os guerreiros empurraram e chutaram os outros dois capitães, preventivamente. Um puxou o sabre, mas Oberon o deteve.

— Precisamos deles vivos.

— O retrato, o retrato.

— Meu casamento!

E berros. O ruivo correu três passos até a mesa, ergueu o machado e partiu-a em dois. A sala ficou calada.

— Chega de gritaria — ofegou.

— O que vai fazer conosco? — disse o bispo.

Oberon olhou em volta. Todos os rostos aterrorizados, vários ainda sem entender. Seria fácil matar todos, e seria o mais natural para ele. Procurou alguém que pudesse dar uma opinião, mas só havia os reféns e seus próprios soldados.

— Todos para o calabouço! Todos!

Começaram a puxar os infelizes pelas roupas, empurrá-los a um canto. Oberon conhecia aquele lugar, sabia onde ficavam os prisioneiros. Mandou alguns de seus homens para cima, recolher quem estava no farol e vasculhar o resto da propriedade. Alguém puxou o bispo, para que ficasse em pé.

Havia um alçapão que levava à masmorra. E não era, na verdade, uma masmorra, porque só podia ser aberta e fechada por dentro. Era o enorme cubo de pedra construído pelos antigos, em algum ponto antes da história. Usado como prisão porque era hermético, mas era preciso colocar pesos sobre o alçapão, para que quaisquer prisioneiros não pudessem abri-lo. Os guerreiros puxaram a bigorna apoiada sobre aquela portinhola. A tranca que havia pelo lado de dentro fora destruída há muito tempo, e as dobradiças rangiam com o esforço da idade.

Oberon empurrou o bispo alçapão abaixo. O velho quase caiu, mas segurou-se na escada de mão e desceu até o interior mal-iluminado. Podia-se ver a claridade bruxuleante de alguns lampiões, mas era, na melhor das hipóteses, uma penumbra incerta. O resto da corte foi sendo enfiado na masmorra, numa fila comprida. Os soldados vinham com mais e mais habitantes da casa, que haviam se escondido em salinhas e reentrâncias.

— O que fazemos com isso, general?

Um dos homens escoltava um bardo de roupas extravagantes, sapatos recurvados e um chapéu absurdo, com várias pontas molengas. O bardo, por sua vez, levava pela coleira um grande urso. O animal tinha ar abatido, e seu pelo estava úmido e tomado pela sarna. Mas ainda era um urso.

— Que diabos...

— É um urso dançarino — esclareceu o bardo.

— Enfiem essa merda lá dentro.

Bardo e urso foram presos com os demais, e houve mais gritaria quando o animal entrou. Oberon sacudiu a cabeça, tentando clarear os pensamentos. As lâminas dos capitães foram depositadas aos pés do general, e eles também foram jogados no calabouço.

— E a frota que está ancorada lá fora?

Oberon começou a andar em círculos, enquanto se berrava lá embaixo. Escorregou no sangue que ele mesmo derramara, segurou-se numa rede presa à parede.

— Por favor, meu retrato! — veio o guincho de Calímaco.

— A frota, meu lorde...

E gritos, sempre.

— Fechem o alçapão!

Os soldados obedeceram.

A pedra isolou os ruídos, a bigorna em cima garantiu a segurança. Por um momento, a corte ficou em silêncio, e o general sorriu. Ainda havia meia dúzia de reféns na sala do trono.

— O que fazemos com eles? — disse um guerreiro.

O rosto de Oberon murchou de novo. Não havia paz. Olhou os infelizes de mãos para cima: dois cozinheiros, uma esposa e uns pescadores.

— Ninguém importante. Matem.

Mais gritos; as pessoas eram incapazes de calar a boca. Mas pelo menos essa gritaria durou pouco, e só restou a sujeira para que os soldados limpassem.

Oberon arrependeu-se de ter destruído a mesa. Por baixo da toalha remendada, eram várias, mas a do centro fora arruinada, e era preciso arrumar tudo. Ordenou que os soldados arranjassem outra. Trouxeram a mesa rude que os servos usavam, deixaram-na bem no meio da sala do trono. O general se sentou, comeu e bebeu. E pensou.

— A frota está ancorada lá fora, meu lorde.

O olhar de Oberon não admitiu insistência. O guerreiro se calou.

Então, depois que o vinho havia acalmado sua mente, Oberon conseguiu formular uma estratégia. Mais uma vez, arrastaram a bigorna e abriram o alçapão. Ele mesmo desceu pelas escadas, acompanhado de quatro soldados. A corte do Bispo Calímaco continuava nas mesmas atividades e comportamento.

A masmorra era maior que o andar de cima. Descia-se pela escada para um corredor largo, que levava a três salas (usadas como celas) e um vasto salão. Também havia inúmeras salas menores, portinholas, passagens. Nem o bispo e nem ninguém conhecia cada segredo daquela construção. Mas nenhum prisioneiro jamais havia fugido, e era segura o bastante. As paredes eram rocha, mas não mostravam nenhuma junção onde os blocos pudessem ter sido encaixados. Suportes de metal brotavam de seu interior, agora sustentando os lampiões. Havia entalhes e decorações em alto-relevo por quase todas as superfícies e caneluras elaboradas onde a simples pedra poderia ser monótona. Padrões figurativos ou abstratos, retratando flores, belas mulheres diáfanas ou animais, num rebuscamento excessivo. Parecia decoração, mas tinha um propósito. Oberon não prestou atenção àquilo. Foi até os dois capitães sobreviventes.

A corte o olhava em silêncio. Tinham retomado quase as mesmas posições de antes, apenas sentados no chão e sem a grande mesa. Ele puxou um capitão pela roupa e fez com que levantasse.

— Você vai escrever uma carta — disse, encostando o machado no pescoço do homem.

O marujo ficou impassível, os lábios espremidos.

— Seja bonzinho — insistiu Oberon. — Não vou fazer ameaças.

— Pode me matar. Não vou colaborar com você, traidor.

Oberon respirou fundo. Deu um passo, ergueu o machado e o enterrou na cabeça de um servo. A gritaria recomeçou.

— Eu disse que não faria ameaças. Vamos, escreva.

O homem estava pálido, mas não fazia menção de obedecer. Alguém disse que não havia pergaminho, pena ou tinta.

— Sempre alguma coisa. Busquem.

— Poderia trazer o retrato, por favor? — disse Calímaco.

Oberon estava cansado. Mandou que trouxessem.

Tentou se afastar do barulho, mas a masmorra encerrava os gritos dentro de suas paredes. A cabeça do general começava a doer.

— Escusas, General. — Veio um chiado de outra sala.

Oberon foi olhar. Era um prisioneiro, mas não estivera na corte. Não era um dos seus. Um homem alto, de pernas compridas, sentado no chão. Ergueu-se e deu um sorriso enorme. Seus dentes eram como placas de marfim, exceto por três, bem na frente, feitos de ouro. Ele vestia uma casaca negra sobre o peito nu, e sua pele bronzeada era coberta de cicatrizes em formato de desenhos. O corpo todo fora tomado por um vasto padrão abstrato de escarificações e seus cabelos eram uma maçaroca de tranças grossas, sujas, selvagens. Com ele, meia dúzia de desdentados com ar feroz.

— Acho que estamos do mesmo lado — disse o estranho, com sua voz grossa e empolada, como se tivesse um ovo no fundo da garganta. — Você capturou os oficiais de D'Agostini? Esses sacripantas me prenderam. — Fungou. — E você é inimigo deles. Podemos ser amigos, não? Bons amigos, você pode deitar com a minha mulher e defecar no meu penico.

Sempre sorrindo, estendeu a mão.

— Quem é você? — disse Oberon.

— Pharoux. Um marinheiro independente. Não tenho mulher, mas ofereço a primeira que arranjar, ou qualquer um de meus homens, à sua escolha.

— Um pirata.

— Se quiser chamar assim. — Fungou. — Dou vazão à minha ambição marítima tão somente para ajudar minha velha avózinha, a pobre, tão doente e precisando de remédios. A pirataria não é tão ruim, somos foliões que cantam e dançam o tempo todo, e não merecemos seu escárnio, apenas a amizade de quem também odeia o excomungado almirante bigodudo.

A mão ainda aguardando.

— D'Agostini diz que piratas são a pior escória do mar.

— Você não é inimigo de D'Agostini? Não acabou de prender seus homens?

— Verdade — ponderou o ruivo.

Um dos guerreiros veio até ele, com materiais de escrita e o desbotado retrato da esposa de Calímaco.

— Os homens do almirante me prenderam, mataram quase toda a minha tripulação, num ato de covardia ímpar, deixando minha avózinha morrer, chorando por seu neto — disse Pharoux. — Meus homens são pais de família, têm criancinhas que dependem de sua volta, e que agora choram, agarrados às mães que foram forçadas à prostituição e ao crime pelo impiedoso assassino dos mares. Não quer ajuda para rachar aquele crânio pelado?

— D'Agostini diz que não se deve confiar em malditos piratas.

Deu-lhe as costas. Foi até os capitães, deu um sopapo em um deles, enquanto o bispo recebia seu quadro e o beijava. Sob ordens e machados, o capitão escreveu uma mensagem. Um convite, uma ordem. O Bispo Calímaco estendia sua generosidade e convidava todos os navegadores, marceneiros, tesoureiros, imediatos, capitães e demais oficiais da frota rebelde para o casamento. Os simples marujos ficariam aguardando, todos passariam alguns dias comemorando as bodas.

Foi uma das únicas ideias realmente inteligentes de Oberon, pelo menos no tempo em que nossas vidas se cruzaram. Não era necessário prender todas as tripulações: bastava tirar aqueles que encabeçavam os navios, faziam-nos funcionar. Sobravam homens que só conheciam os sabres, incapazes de operar as naus por si mesmos. A frota estaria aleijada.

— Tudo resolvido — disse o general. — Nada pode dar errado.

Alguém rolou pela encosta, partiu o tornozelo, berrou de dor. O resto dos hereges continuou a descer. Ofereceram para auxiliar Jocasta, mas ela já estava à frente de todos, deslizando com agilidade. O povo exíguo em volta do Farol olhava mais aqueles recém-chegados com apreensão. Jocasta foi até o homem do tornozelo quebrado, que debatia-se no mar raso, estendido no lodo.

— Você vai ficar bem — ela disse, acariciando seus cabelos com cuidado. — Vamos cuidar de você.

Benedict se aproximou, as grevas afundando na lama.

— Cuidado, Santidade. — Pois os habitantes locais agarravam seus arpões, suas redes.

— Eu deveria poder curá-lo com meu toque.

— Nenhuma Voz tem esse poder há séculos. Seus milagres são outros.

— Gostaria de poder ajudar este homem. — confortou-o como podia.

— Cuidado, Santidade.

Jocasta se ergueu.

— Esse povo não vai nos atacar.

Sorriu para os aldeões úmidos. Eles não souberam como reagir. Os discípulos de Jocasta se aglomeraram à sua volta, mostrando seus porretes e facões. Rosnaram para o vilarejo. A garota deu um passo à frente, ordenou calma.

— Viemos aqui espalhar o amor, não a morte! Não precisam ter medo. Sou a Voz de Urag.

Os aldeões se entreolharam. Há pouco tempo, a Voz de Urag fora aliada de seu senhor, na guerra civil. Achavam que tinha morrido. Também poderia ser efeito dos dogmas do Bispo Calímaco, que mudavam com frequência alarmante.

— Você é a nova esposa? — disse alguém.

Jocasta franziu o cenho.

Benedict exigiu entrada na fortaleza. Dentro em pouco, o portão foi aberto, os aldeões espiaram, e os hereges, liderados por sua Voz e seu Cavaleiro, puderam entrar.

Oberon tinha escolhido a maior cadeira na mansão e decorado-a com redes, pedaços de velas. Contra uma parede, dominando a sala, parecia um trono. O ruivo esparramava-se ali, enfiando punhados de carne de peixe na boca com as mãos. Seus guerreiros dispunham-se em semicírculo, à volta.

— Sabe o que descobri? — disse. — É bom ser nobre.

Sorriu, mostrando o peixe meio mastigado.

— Você está falando com a Voz de Urag — disse Benedict.

A irreverência fez os hereges avançarem, com suas armas rudes. Os guerreiros da cabeça de touro ergueram suas próprias lâminas.

— Não! — disse Jocasta.

Os dois generais mediram-se por um tempo.

— Você me chamou até aqui. — Benedict manteve a mão no cabo da espada.

— Urag me ama mesmo. — Oberon tomou um gole de vinho. — Mandei um punhado de infelizes para encontrar alguém da Igreja, e surge o Cavaleiro Imaculado!

— Quer lutar, Oberon?

— Meus guerreiros contra o que quer que sejam esses imundos?

— Eu contra você. Acha que tem chance?

O ruivo engoliu um pouco de peixe, entregou a tigela para um de seus homens.

— Certo, Lorde Benedict. Eu chamei, e você veio. Mas *eu* estou no comando. Fartei-me dos rebeldes. Quero a proteção da Igreja.

— Uma cadeira, por favor.

Silêncio.

— O quê?

— Uma cadeira. Quero sentar. Estou cansado de ficar em pé.

O rosto afilado de Benedict não traía qualquer tensão. Ficou olhando Oberon com olhos de serenidade perfeita, até que ele gaguejou uma ordem para que trouxessem uma cadeira para o lorde.

— E para a Voz, pagão nojento.

— Não fale assim, Benedict — interveio a santa. — Ele ainda não sabe.

O Cavaleiro Imaculado continuou fixando o olhar no ex-inimigo. Benedict era bom com as palavras, mas ainda melhor em não dizê-las. Deixava que seu interlocutor adivinhasse quaisquer ameaças, promessas, consequências. Naquele olhar mudo, o ruivo interpretou muita coisa, e as palavras "Voz de Urag" foram o centro.

— Uma cadeira — Oberon hesitou —, para a Voz.

Os dois sentados. Benedict tirou as botas, massageou os pés. A postura descuidada fazia-o parecer mais ameaçador, de alguma forma. Ficaram em silêncio. Oberon remexeu-se no trono, até que não suportou mais, e foi o primeiro a falar.

— Quero a proteção da Igreja.

— Você é um traidor.

— Não sou mais rebelde. Quero a proteção da Igreja.

Benedict ergueu os olhos do próprio pé.

— Mesmo? Por quê?

— Eu...

— Não se tornou um bom devoto, pois não está ajoelhado frente à Voz de Deus e um de Seus escolhidos. Também não cansou da guerra, pois há não muito tempo massacrou soldados em fuga. Não quer dinheiro, pois está com as bolsas cheias do ouro que saqueou dessas vítimas.

— Espere...

— Seu motivo só pode ser um conflito dentro dos próprios rebeldes. Quem sabe se ofendeu com algo, ou ficou indignado com alguma atitude de um general?

— Sim, foi isso.

— Não. Você está acostumado a ser o palhaço, o mais reles entre os senhores da guerra. E qualquer indignação que possa sentir é afogada com vinho e mordanze. Atraiu a ira de alguém; é a única explicação. Teve de fugir. Quem será? E qual terá sido o crime?

Oberon tentou intervir, gaguejando.

— Quem sabe ter chegado a Sudário do Louco depois de todos? Ou ter matado sem necessidade? Isso pode ofender alguns dos traidores. Principalmente Atreu. Foi isso, Oberon? O Soldado do Diabo se fartou de sua estupidez e brutalidade, e o expulsou?

Nada.

— Não — disse Benedict. — Não é do feitio de Atreu. Ele não pode ter simplesmente expulsado-o. É um homem sanguinário e impiedoso.

Aquela era a lógica que demonstrava na frente de Jocasta, pois não podia falar a verdade: Atreu não permitiria que Oberon saísse pelo mundo saqueando e estuprando. Mas não importava, o raciocínio era o mesmo.

— Atreu tentou matá-lo. Chamou-o para um duelo. Atreu desafiou-o para um duelo e você fugiu, e agora quer mudar de lado. Estou certo?

— Não!

Mas logo:

— Sim.

— É claro que estou. E por que a Santa Igreja deveria acolhê-lo, Oberon?

— Tenho algo a oferecer.

Benedict fez sinal para que falasse.

— A frota dos rebeldes! Prendi todos os oficiais, todos os especialistas e líderes no calabouço. Os marujos não podem ir a lugar algum. Boa ideia, não?

— Você se refere à frota que está aqui mesmo, na Baía dos Órfãos, visível a todos que descem a encosta? Já enviei uma mensagem a Ruiturus, informando a localização. A marinha está a caminho.

Oberon deixou o queixo pender.

— Não sabe qual é a vantagem estratégica desta baía, Oberon? Qualquer um que chegue por terra fica visível e vulnerável. Se você não estivesse trancado nesta casa, suas sentinelas poderiam ter visto nossa chegada e reportado a você. Poderiam ter nos enchido de flechas antes que escrevêssemos qualquer mensagem. Mas você ficou aqui dentro, comendo e bebendo, enquanto eu tive todo o tempo para informar os cardeais. E agora não tem nada. Por isso volto a perguntar. Por que a Santa Igreja deveria acolhê-lo?

Oberon estendeu o braço às cegas, sem tirar os olhos do cavaleiro, até que um dos seus entregou-lhe um caneco de vinho.

— Por favor — disse o ruivo.

Jocasta sorriu.

— Não foi fácil? — ela disse.

Oberon fez um grunhido interrogativo. O mundo ia rápido demais para ele.

— Você só precisava pedir, general — falou a Voz.

— Vão me ajudar, então?

— A Voz de Urag é muito piedosa, Oberon. Eu não. Deus me escolheu para guerrear, e não acolher.

— Ora, Benedict, todos sabem que isso é uma bobagem para enganar os idiotas!

O Cavaleiro Imaculado ergueu-se, foi até ele e aplicou-lhe um sonoro tapa no rosto. Machados, lâminas, mas Benedict deteve-os com um gesto.

— *Respeito.* Nunca nos encontramos antes, e não sei o que o Soldado do Diabo disse a vocês. Eu tenho a honra de ser um escolhido de Urag e acompanho a Voz.

Oberon arregalou os olhos, tentando decidir se era encenação. Nada em Benedict aparentava algo além de sinceridade.

— O que você quer? — disse o ruivo, quase num murmúrio.

O cavaleiro estava de pé, bem perto dele, e Oberon estava sentado. Tinha de olhar para cima para enxergar o rosto de Benedict. Sutilezas escapavam à mente rombuda do general, mas o espetáculo e a linguagem do corpo tinham significado. Naquele momento, ele era uma criança, um servo, e Benedict era seu senhor — mais alto, garboso, confiante. Só lhe restava implorar, oferecer.

— Seus homens — disse o Cavaleiro Imaculado. — De agora em diante, são meus.

— Feito — quase ansioso.

— E, como a frota já é nossa, você vai me entregar Atreu. Vamos fazer uma armadilha, matá-lo aqui mesmo.

Oberon sorriu. Não conhecia o plano de Benedict, não sabia como aquilo iria ocorrer. Mas uma armadilha para Atreu era sempre boa ideia.

Segundo o raciocínio de Oberon, nada poderia dar errado. Ele estava trancado na mansão, e uma carta fora mandada à frota rebelde, condenando os navios à âncora até que os oficiais voltassem (ocasião que, no que dependesse do ruivo, não ocorreria nunca). Mas foram dias até a chegada de Benedict. O farol estava apagado, pois Oberon não pensara em uma equipe para operá-lo. Com oficiais sumidos atrás de portas fechadas, aldeões trancados longe dos seus e nenhum sinal do bispo ou da corte, era evidente que havia problemas.

Sem liderança, os marujos demoraram a uma decisão. Ficaram confusos. Mas não eram estúpidos, pelo menos não todos. As tripulações desceram botes, desembarcaram nos píeres, andaram pelas plataformas. Os aldeões falaram dos últimos a chegar: o homem de armadura brilhante que dizia estar com a Voz de Urag. Os marinheiros chegaram ao portão, sabres e arcos em punho. Exigiram entrada, e o interior estava mudo.

— Capitão! — As palavras dos marujos se confundiam, abafadas atrás da porta trancada. — Lorde Oberon!

O ruivo estava alegre e aliviado. Se estivesse sozinho, o peso da decisão recairia sobre ele mais uma vez. Mas agora Benedict comandava. O maior problema de Oberon era a falta de mordanze e seu paladar, que começava a enjoar de peixe.

— Abram a porta! — exigiu alguém do outro lado.

Benedict ordenou preparativos: destruir as mesas, algumas prateleiras. Conseguir tábuas e pregos. Em breve, seria necessário selar janelas e reforçar a porta. Em breve, seria necessário alimentar quase uma centena de fanáticos, e mais os Cabeças de Touro, além dele mesmo, da Voz e de Oberon.

— O que vamos fazer? — disse Jocasta.

Benedict soube que estava nervoso porque não notara sua proximidade, não ajeitara a fachada de santo.

— Temos duas opções, Santidade. Suportar um cerco. Ou lutar.

Jocasta engoliu.

— Podemos vencer? — disse.

— Sempre podemos. Principalmente com Urag do nosso lado. Mas a vitória não é garantida.

Seria bom se Urag descesse à baía e lutasse, pensou Benedict. Porque, mesmo com todo o seu fanatismo, os hereges eram só um bando de miseráveis. E, mesmo com seu tamanho e suas armas, os Cabeças de Touro eram poucos. Lá fora havia diversas tripulações — que, mesmo sem poder navegar por si mesmas, podiam matar. Se pelo menos um punhado chegasse a entrar, poderiam libertar os prisioneiros. Então, haveria ainda mais inimigos. Difícil garantir a sobrevivência de Jocasta e o mais importante — a sua própria.

— O que você está disposta a sacrificar, Jocasta?

— Não me importo em morrer, se puder salvar alguém e espalhar a palavra de Deus.

— Você não pode morrer, porque a Igreja toda depende de sua liderança.

Calafrio.

— E não estou falando disso. Quantos dos fiéis está disposta a sacrificar, Jocasta?

Silêncio. Ela conhecia a história de nossa terra, ou pelo menos um pedaço. Pelo menos algumas das partes santas. Sabia que as Vozes do passado haviam liderado guerras, milhares haviam morrido sob as três trombetas. Era parte da função.

— Ninguém — disse Jocasta.

Benedict suspirou.

— Quantos deles já morreram, Benedict? Como posso exigir ainda mais dessa gente?

— Talvez não reste alternativa, Santidade.

— Vamos esperar. A marinha da Igreja virá nos resgatar.

Porque, se não viesse, Jocasta nunca chegaria a Ruiturus. E ela não conseguia imaginar um mundo onde isso não acontecesse.

— Tenha fé, Benedict.

Uma flecha entrou por uma janela, foi repicar no chão. Os guerreiros de mar e terra começaram a disparar através das aberturas. Benedict gritou comandos, as janelas foram seladas com as tábuas e pregos. A porta começou a estremecer: os marujos rebeldes chutavam, jogavam seus corpos contra ela, batiam com pequenas toras de madeira conseguidas no povoado. A porta foi reforçada com uma trava improvisada. Então os guerreiros de mar e terra dispuseram-se ao redor do farol, de lâminas em punho, aguardando uma rendição ou resposta.

Cerco.

Benedict calçou as grevas, destacou alguns guerreiros de Oberon (agora seus) para inspecionar as despensas mais uma vez. Havia pouca comida, pouca água potável.

— Não esmoreçam — ouviu Jocasta dizer. — Nossos corpos podem passar fome, mas nossas almas estão seguras em Urag.

Oberon passou por ele, calmamente mastigando um peixe seco.

— Estamos sob cerco, imbecil — disse o cavaleiro, dentes juntos.

— O quê, meu lorde?

Bufou, dispensando-o.

Os hereges maltrapilhos ocupavam a sala do trono e os quartos, a biblioteca e os corredores. Com suas camas improvisadas, seus trapos, seu fedor. Precisavam comer e beber água. E agora eles estavam sob cerco, até a chegada de Atreu ou da marinha.

Jocasta circulava por entre os miseráveis, confortando-os com palavras, explicando sobre a vontade de Urag e o significado das provações.

Havia o tal urso dançarino lá embaixo, Benedict raciocinava. Podia mandar homens para capturar o animal e matá-lo. Mas, com tantos prisioneiros, era um risco. Uma criança berrava, suas bochechinhas imundas riscadas de lágrimas. O barulho agudo fazia tremer os tímpanos.

— Há quanto tempo os prisioneiros não comem? — disse Jocasta.

Benedict teve de fazer força para não explodir. Estou tornando-o menos perfeito, mostrando algumas falhas em sua armadura. Mas, por mais que algumas reações tenham sido parecidas, Benedict não era Oberon. Apenas acho que qualquer um agiria um pouco como Oberon, naquela situação.

— Há quanto tempo os prisioneiros não comem? — repetiu a Voz.

— Não temos comida nem para nós mesmos.

— Isso não é motivo para matá-los à míngua!

Têmporas latejando.

— Eles têm o urso dançarino, Santidade.

— Mas não têm nem mesmo facas. Na verdade, aquele urso é um risco. Ele pode se enfurecer e devorar os prisioneiros.

— Então será uma provação para eles, um castigo de Deus.

— Já passou fome, Benedict? Eu já. Você não pode imaginar o desespero quando simplesmente *não há nada para comer,* e não se sabe quando haverá.

— Pense em seu povo, Jocasta.

— Toda a humanidade é meu povo.

Ele piscou. A fé verdadeira pode ser assustadora.

— Jano, Domato — Jocasta chamou dois de seus guardas. — Recolham um pouco de comida e alguns odres de água. Joguem lá embaixo para os prisioneiros.

Os fanáticos obedeceram, é claro. Jocasta foi à biblioteca, consolar um devoto ferido.

Oberon chegou perto. Comia outro peixe seco.

— Não vale a pena — disse Benedict, para si.

— Meu lorde? — disse o ruivo.

— Homens — para os Cabeças de Touro. — Prendam esses esfarrapados.

Num instante, os soldados puseram-se sobre os hereges. Encurralaram-nos em corredores, saletas. A maior parte se rendia, outros caíram sob machados. Oberon olhou incrédulo. Temera aquela gente, quando Benedict os comandava, mas agora era óbvio que, num espaço exíguo, não se comparavam a soldados treinados e cheios de armas.

Jocasta surgiu correndo.

— Benedict! O que...

— Não temos recursos, Santidade. O povo terá de fazer sacrifícios.

— Eles estão matando...

— Explique a necessidade de mais este sofrimento.

— Não! Parem!

Mas os soldados não obedeciam.

— Benedict! Ordene que parem.

— Jocasta...

— Eu sou a Voz de Urag.

A Voz daria trabalho.

— Prendam a garota também.

Agarraram os braços de Jocasta, ela disse qualquer coisa, mas um guerreiro comentou sobre a incessante reclamação das mulheres e tapou-lhe a boca com uma manzorra. Assim, a Voz de Urag e seus seguidores foram enfiados na masmorra, junto à corte do Bispo Calímaco, os oficiais da marinha rebelde, o pirata Pharoux, um bardo e seu urso dançarino.

Benedict suspirou de alívio. Agora poderia resistir a um cerco. Era bom ter o apoio da Voz, mas melhor ainda era ter comida e água.

3

— Nada no céu — disse Penélope, uma última vez, antes de levar o exército adiante.

Ganimedes balançou a cabeça e desejou-nos a bênção de Urag. D'Agostini, Atreu e os Escudos do Sol, Pugna e eu iríamos até o Farol dos Órfãos, encontrar a frota. Só iríamos vê-los de novo no meio de Ruiturus, entre cadáveres de inimigos, no ataque em duas frentes.

Penélope e Ganimedes ainda marchavam para a vitória naquele dia, porque não sabíamos o que acontecia no Farol. Mesmo com a surpresa arruinada pelo atraso de Oberon, ainda havia chance de um ataque bem-sucedido, desde que fôssemos rápidos.

Exceto que Urag tinha outros planos. Ou foi tudo um azar aleatório e sem mente, se não havia mesmo nada no céu. Penélope e Ganimedes levavam homens para o massacre, pois nunca chegaríamos a tempo com a frota.

Estávamos deitados, rentes ao chão pedregoso. Atreu tinha uma luneta, que passou a D'Agostini, e ambos viram a cena rocambolesca em torno do Farol. Pugna olhava o vilarejo com cenho franzido, como se fizesse algum grande esforço mental. Ele mesmo havia mostrado a baía aos outros rebeldes durante a guerra civil, mas agora observava como se fosse algo novo, diferente, estranho. Fiquei constrangido de pedir para ver também, mas D'Agostini me entregou a luneta.

Os guerreiros de mar e terra cercavam a construção, mas sem líderes. Era um cerco lamentável. Sem catapultas e aríetes, não tinham esperança de tomar o Farol. Podiam matar os ocupantes de fome e sede, mas também não havia tantos suprimentos do lado de fora, no povoado. Esgotariam as reservas dos navios, necessárias para a viagem a Ruiturus — que não aconteceria de qualquer jeito, sem os oficiais de bordo. Eu não entendia o sentido daquilo, era um quebra-cabeças hermético, mas ficou logo claro para Atreu.

— Os oficiais estão lá dentro. São prisioneiros.

E, se eram prisioneiros, o inimigo tomara o Farol dos Órfãos.

Depois de umas horas, enxergamos velas se aproximando. Velas significavam o inimigo, a marinha da Igreja.

De noite, Atreu desceu o paredão — sozinho, pois mais ninguém era capaz de fazer a escalada no escuro. Não falou com os marujos, pois soldados não sabem guardar segredos e a presença de um general seria gritada para o inimigo lá dentro. Investigou restos da passagem de Oberon. Fingiu estar bêbado e conversou com um aldeão que não o reconhecia. Voltou com a história reconstituída aos pedaços: Oberon e os Cabeças de Touro, Benedict e uma centena de esfarrapados, uma garota que se dizia Voz de Urag. Oficiais convidados a um casamento e portas trancadas há vários dias. E berraria lá dentro, som de abatedouro.

Pugna Marco Segundo virou a cabeça como um chicote, subitamente muito interessado em alguma dessas informações.

— Escória e escorbúticos — rosnou D'Agostini. — Como vamos entrar na fortaleza?

Todos voltaram-se a Atreu para liderança. Ele tinha as ideias.

— Não temos tempo para um cerco — disse. — Nem equipamento. E, se quer saber, estou farto de cercos.

— Qual é a nossa opção? Deixar o bispo e os homens lá dentro, com Oberon e Benedict? *Benedict está lá, Atreu.*

Ele deu um suspiro de raiva contida.

— Precisamos avisar Penélope e Ganimedes. Não chegaremos a tempo.

A percepção de mais uma derrota.

— Sem o ataque, nunca vamos vencer a guerra — disse D'Agostini. — É questão de dias até que os cardeais mandem tropas para exterminar Sudário do Louco. Sem Sudário e sem o Farol, onde vamos conseguir suprimentos? Onde vamos descansar as tropas?

— Um cerco é só uma chance de morrer como heróis idiotas.

— Melhor do que morrer como um idiota nada heroico, que é o que sou agora.

— Não há como cercá-los, D'Agostini, da mesma forma que não há como navegar sem os seus homens.

— Como vamos entrar, então? Quem sabe viramos gaivotas? Ou nos disfarçamos de dançarinas para entreter Oberon?

Eu forçava a mente atrás de uma resposta. Mas, como descobrira, a imaginação de dramaturgo não ajudava em nada na vida real.

— Não existe outra entrada? — disse Atreu.

— Por que surgiria agora? Não é um palácio, é a maldita casa fortificada de um bispo herético.

— Sempre há solução, D'Agostini. Estamos pensando só no problema.

Pugna Marco Segundo concentrado na baía e no Farol, como se enxergasse a coisa mais estranha do mundo. E talvez fosse mesmo, mas ele a conhecia.

De repente, ergueu-se.

— Existe outra entrada — anunciou, e ele mesmo pareceu surpreso.

Atreu quis que explicasse.

— Existe outra entrada — repetiu.

— Onde, Pugna?

— Não sei.

O homem franziu o rosto todo, numa expressão que não lhe era característica. Pugna tinha um comportamento e uma resposta para cada situação, sem indecisões. Ninguém lembrava de vê-lo confuso.

— Por que não disse antes? — D'Agostini prestes a arrancar os cabelos, se os tivesse.

— Não sei. Não lembrava. — Pausas entre cada frase. — Algo está diferente.

Ninguém fora capaz de explicar a longevidade e os prodígios de Pugna Marco Segundo. Após anos sem respostas, sem que ele mesmo lembrasse ou desse importância, era aceito como insolúvel. Algo diferente talvez levasse a uma explicação. Ou ao menos a uma entrada para o Farol dos Ófãos.

Sem aviso, Pugna disparou pelo terreno pedregoso. Como se a própria memória tivesse lhe enganchado um anzol e agora o puxasse rumo a qualquer coisa. Atreu levantou de um salto e correu atrás dele, o restante foi mais lento. Quase me perdi do grupo, na falta de fôlego e dor nas costelas, mas consegui alcançá-los perto de uma elevação rochosa.

O estranho general olhava as rochas como se pudessem lhe dizer algo. Atreu estava ansioso, quase mais entusiasmado pelo mistério e chance de resposta do que pelo resultado. D'Agostini aceitava que pudesse haver alguma passagem secreta, e bastava encontrá-la.

— O que é este lugar, Pugna? — disse Atreu.

Sem resposta.

— Como você o conhecia?

— A rainha esteve aqui.

Calou-se, de novo surpreso consigo mesmo.

— O que está diferente? — Atreu continuou. — Por que lembra agora?

— O que importa? — disse o almirante. — Se existe uma passagem, só precisamos descobrir.

— O que está diferente?

— A rainha está morta.

Silêncio. Pugna não parecia notar que falava em rainhas — algo que não existia para nós, exceto em mitos — ao invés de Vozes. E Pugna mudara. Desde que Desdêmona havia renegado o próprio título, seus milagres haviam aumentado. O ataque aos navios em Ruiturus. E agora memórias novas perto do Farol dos Órfãos.

Mas não existiam milagres — eu mesmo fabricara dois, sabia que eram todos falsos. Nossa terra não guardava muitas estranhezas, além de crendices de aldeões e fenômenos mal explicados. Mesmo assim, ali estavam duas: Pugna e o Farol, erigido sobre uma construção dos antigos. Pugna parecia vir de outro mundo, e era muito velho. Fazia sentido que houvesse ligação.

Ele virou para Atreu, de repente.

— Você disse que a Voz de Urag está lá dentro.

— Os aldeões falaram de uma garota, acompanhada de Benedict, que dizia ser a Voz.

— Tenho que achá-la, Atreu.

— Temos coisas mais importantes com que nos preocupar do que uma Voz falsa.

— É o meu dever. Se houver uma nova rainha, é meu dever protegê-la.

Atreu ainda falou qualquer coisa, mas já não era ouvido. Pugna continuou vasculhando as rochas, até que notou algo que ninguém mais vira. Empurrou algumas pedras numa combinação específica. Uma grande rocha escorregou para o lado, com um rugido imenso, revelando um túnel.

Eu enxergava de cima, como a visão de um pássaro.

O homem equilibrou-se no teto da carruagem, sacou o que parecia um canhão pequeno, que cabia em sua mão. Eu soube que era uma pistola, embora não soubesse o que era uma pistola. Naquele estado de sonho eu conhecia o mundo que havia antes de nós. A velocidade embaralhava os sentidos, as duas parelhas galopavam e puxavam a carruagem através de uma trilha estreita e sinuosa, em meio à floresta vibrante, viva, magnífica. Ao longe, achei que podia ouvir o barulho do mar.

Ele curvou o tronco para manter-se de pé enquanto o veículo fazia curvas sucessivas, o cocheiro gritando aos cavalos e fazendo estalar um chicote. Mostrou um sorriso maligno aos perseguidores e preparou-se para a delícia do combate.

Eram quatro, e o primeiro já os alcançava. Estava a pé, mas suas pernas moviam-se num borrão. Um par de olhos vigiava a estrada e mantinha a atenção nas curvas, enquanto o outro fixava o alvo. O que se via de seu corpo era a cabeça, inteiramente tatuada com desenhos intrincados, e as pernas desnudas, finíssimas, joelhos virados para trás, terminando em garras de pássaro. O passo do homem era sacolejante, poderia ser cômico, mas sua velocidade era feroz. Seu tronco e braços estavam cobertos por uma casaca vermelha com um emblema complexo, cheio de ângulos retos. Puxou das costas um canhão de mão diferente, comprido, com uma faca na ponta — eu soube, na lógica de sonho, que se chamava fuzil, tinha uma baioneta.

O homem sobre a carruagem disparou seu canhão, sua pistola, e um pequeno relâmpago deixou o cano. A cabeça do perseguidor explodiu, ele rolou para trás, sendo pisoteado por seus três colegas.

Eram tipos igualmente bizarros. Um como ele, pernas de pássaro, quatro olhos e rosto tatuado. Outro cavalgava, mas então vi que não estava montado: não tinha pernas, e seu tronco brotava do lombo de um cavalo branco, coberto de pinturas retratando folhagens e gavinhas. Tinha um machado, virou-o e apontou a extremidade do cabo para a carruagem. Um novo estampido e raio, mas errou o alvo. O último perseguidor não tinha braços ou pernas: seu tronco fora fundido com uma espécie de carruagem pequena, cujas rodas altas e estreitas giravam sozinhas. Sua cabeça era a de um homem normal, e usava uniforme, assim como os outros. De suas costas brotava um feixe de fuzis, como um buquê de flores. Eles dispararam ao mesmo tempo, o feixe girando, mas nenhum relâmpago acertou.

— Música, Diva! — exclamou o homem sobre a carruagem, abrindo a boca num enorme sorriso.

Minha visão mudou, como se eu trocasse de corpo. Agora estava dentro da carruagem, um interior luxuoso, estofados e cortinas bordados com fios de ouro. Junto a mim, duas mulheres. Uma com ar nervoso e cabelos castanhos desgrenhados, embora seu vestido fosse algo saído de um conto de fadas. A outra perfeita em seu cabelo armado, maquiagem e postura, com as mãos sobre o colo, totalmente inerte. Era Diva, eu soube. Piscou, dirigiu-se à acompanhante:

— O que Vossa Majestade gostaria de ouvir?

— Música, Diva! — voltou a gritar o homem lá fora.

A outra cobriu o rosto com as mãos, disse que não importava. Diva abriu a cortina, pôs a cabeça para fora da carruagem e começou a cantar, na voz mais angelical que já escutei.

— Gosto de lutar com música.

Ele desembainhou um sabre, ao mesmo tempo em que o inimigo fundido ao cavalo avançava com a lâmina do machado. Aparou o golpe com a espada inclinada, fazendo a arma inimiga resvalar. Girou o pulso e, num instante, o machado voava livre, indo bater contra uma árvore. Uma estocada certeira entre os olhos matou o estranho perseguidor.

Sua elegância me deixou fascinado. Usava uma casaca semelhante à de Pugna Marco Segundo, mas muito mais elaborada, dois tons de azul e fios de ouro. Suas dragonas eram brilhantes, ele usava luvas delicadas. Botas altas de couro reluzente, uma espécie de elmo que só cobria o topo da cabeça, decorado em ouro, com imagens de pássaros e a mesma estrutura em forma de charuto que era o estandarte de Pugna.

Restavam dois.

— Pugna! — chamou o homem.

De novo, minha perspectiva mudou, eu estava dentro da carruagem. Meu hospedeiro abriu a porta e saltou do veículo. Rolou no chão, em um instante impulsionou-se contra o homem das pernas de pássaro, derrubando-o.

Mais uma vez vi o sujeito sobre a carruagem, que saltou para evitar uma nova saraivada do feixe de fuzis. Caiu ajoelhado na estrada, bem em frente ao homem em forma de carroça. Girou o sabre e a cabeça do inimigo voou numa chuva vermelha.

— Eia! — exclamou o cocheiro, fazendo os cavalos pararem.

Pude ver os dois sobreviventes em meio aos cadáveres dos perseguidores. O homem que ele chamara de Pugna não era Pugna Marco Segundo: cabelos loiros, enorme queixo quadrado, sem bigode, peito largo. Mas tinha a mesma impassividade, a mesma postura inerte.

— Bom trabalho, Pugna. Pode parar de cantar, Diva.

A música cessou. A outra mulher, desgrenhada e apreensiva, saiu da carruagem.

— Estamos em segurança?

— Duvido, Majestade — olhando em volta.

— Pare com isso. O mundo pode estar acabando. Não tenho paciência.

Ele limpou a lâmina na casaca de um inimigo. Suspirou.

— Certo, Azabeth.

— Pode haver mais deles?

— Acho que não. Ao menos, a Rapina não encontrou.

Deu um assobio e pôs o antebraço na horizontal. Meu hospedeiro aproximou-se num instante. A perspectiva mudou, passei a enxergar pelos olhos do Pugna loiro, e vi que o homem tinha um falcão garboso sobre o braço.

— Mas eles estavam protegidos — disse.

— Não posso acreditar — falou Azabeth. — Vão mesmo usar Magia Conceitual.

Foi até ela, acariciou-lhe o rosto de leve. Olharam-se.

— Mais uma razão para termos pressa — ele disse. — Precisamos chegar ao abrigo para sobreviver. Precisamos sobreviver para retaliar.

— É essa a nossa melhor chance? Destruição Mútua Assegurada?

— Talvez nunca chegue a isso. Mas você precisa voltar, Azabeth.

Silêncio.

— Desculpe — ele falou.

— Não foi culpa sua — sorrindo. — Gostaria que Nathanael estivesse aqui.

— O príncipe vai sobreviver, de uma forma ou de outra.

— Mas será que um dia vai viver?

Ele olhou para baixo.

— Vamos — disse o homem. — Pugna!

Sem resposta. Meu hospedeiro continuou imóvel.

— A mim, Pugna.

Nada.

— Ele foi ferido? — disse Azabeth. — Está inutilizado?

— Pugna Marco Terceiro apresenta defeitos o tempo todo. O Segundo sempre vai ser superior. Dura uma eternidade.

O túnel que se descortinou à nossa frente era longo e sinuoso. Pugna Marco Segundo tomou a frente, munido de uma tocha.

Vimos o interior da passagem. Estava coberta de afrescos e altos-relevos intrincados. Eram retratos, padrões florais, abstrações e figuras de animais.

Seguimos Pugna, sem tempo de absorver tudo aquilo. Era apertado, pois era um túnel escavado na pedra viva. Mas comparava-se aos corredores de alguns de nossos castelos. Havia rachaduras. Alguns pontos do teto ameaçavam desabar, e paredes estavam inclinadas pelo desgaste. Mas a estrutura ainda estava lá, depois de um sem-número de anos, de séculos. Todo o corredor era coberto daquela imaginação profusa, do excesso visual. Mas os afrescos estavam interrompidos, desfigurados pelas rachaduras. Pedaços mais frágeis dos altos-relevos — um braço feminino, uma pétala, as escamas de um peixe — haviam quebrado e estavam no chão. Grandes seções do reboco ausentes, revelando a pedra entremeada de veios coloridos. Impossivelmente coloridos, o tipo de cor que só tem uma origem, e que eu mesmo nunca vira.

— É o minério — disse Atreu. — As rochas estão impregnadas de energia. É minério divino.

Estávamos desprotegidos. Cercados de minério divino por todos os lados. Senti uma coceira forte no couro cabeludo. Levei as unhas entre os fios, logo transformou-se numa ardência. Minha boca ficou seca, pareceu que minha língua inchava. A mesma ardência debaixo das cutículas, nas gengivas, no canto dos olhos.

Atreu impulsionou nosso grupo a uma corrida, tentando diminuir o tempo sob aqueles efeitos imprevisíveis. O corredor dançou, virou uma cobra sensual, e eu em seu interior. Notei que estava rindo, era tudo muito curioso.

— Estou sentindo — disse Azabeth, dentro da carruagem, levando as mãos às têmporas.

— Quanto tempo?

— Talvez uma hora. Talvez menos.

— Mais rápido, Fâmulo!

O condutor estalou o chicote, e a carruagem acelerou ainda mais. Azabeth suava, tinha os olhos fechados.

— Posso tentar nos proteger — ela disse.

— Eles estão usando o aparato. Guarde suas energias, vou precisar que esteja forte para correr.

Ele assobiou e o falcão entrou voando pela janela. Disse algumas palavras estranhas, que não compreendi mesmo dentro do sonho, e a ave abriu a boca. Apanhou uma pequena caixa de prata, coberta dos mesmos padrões que havia em tudo, e pôs sob a boca do falcão. Mais algumas palavras e o pássaro começou a expelir uma espuma azul brilhante. O homem recolheu toda a espuma e o falcão ficou inerte, como se estivesse morto. Ele jogou o cadáver pela janela, apanhou uma caixa de prata maior, virou-se para meu hospedeiro.

— Não acha que vamos precisar deste Pugna? — disse Azabeth.

— Foi sorte ele ter obedecido durante a batalha. Melhor salvar suas memórias enquanto ainda não se corromperam.

Uma piscada longa, e eu enxergava por outro par de olhos.

— Vai fazer o mesmo com a Diva?

— Não. — Ele sorriu. — Gosto de música.

— Ah, eu sei muito bem disso, brigadeiro. — Também um sorriso.

Em meio às alucinações, eu enxergava Pugna Marco Segundo, e formas indistintas que deveriam ser meus outros companheiros. Acho que passei por cima de um dos Escudos do Sol, que convulsionava no chão.

— Quanto tempo, Pugna? — disse Atreu.

O general virou-se para nós e vi algo que não posso afirmar que seja real. Talvez tenha sido outra quimera de minha mente enlouquecida pelo minério. Os olhos de Pugna brilhavam com uma luz colorida, alternando entre verde, vermelho, azul, branco. O padrão não parecia aleatório: de alguma forma, parecia ressoar com algo dentro das alucinações. Alguns dos Escudos do Sol começaram a rir. Ouvi um grito que pareceu a voz de D'Agostini. Pugna falou qualquer coisa, mas sua própria voz estava distorcida demais.

Ele se virou de costas, mas corri para alcançá-lo, por alguma razão. Segurei seu rosto para continuar olhando as luzes em seus olhos. Tive a impressão de me perder naqueles padrões, como se fossem uma linguagem, e as alucinações engolfaram o túnel, engolfaram o mundo, tomaram forma.

Vi o passado. Vi a época dos antigos — quatro guerreiros bizarros perseguindo uma rainha e um herói.

Deixaram a carruagem para trás, eles corriam na floresta. O homem gritava com sua rainha, dizia mais rápido, embora ela soubesse, e corresse tão bem quanto qualquer um. O cocheiro, um velho calvo e alto de ar elegante, tentava segurar seu chapéu tubular armado, mas ficava para trás.

— Deixe-me aqui, brigadeiro — disse, sem ofegar.

O homem parou. Apertou os lábios.

— Você conhece o palácio e a família real. Não posso deixar que seja capturado.

— Não se preocupe com isso, por favor. — Puxou uma pistola de dentro de sua casaca e enfiou o cano na boca, sem alterar a expressão.

— Você foi um servo fiel, Fâmulo.

Um estouro e uma nuvem de pequenos relâmpagos, e a cabeça do condutor fez-se em mil pedaços. A espuma azul se espalhou pela floresta, e também sangue e cacos de joias.

— Está chegando! — disse Azabeth.

O homem olhou para cima, viu uma luz branca surgindo no céu. Logo, um contorno dourado, e então púrpura brilhante.

Correu, agarrou o pulso da rainha, arrastou-a numa trilha sinuosa. Meu hospedeiro mantinha o passo.

— Aqui! — ele disse, quando lampejos coloridos já decoravam toda a visão.

Agarrou uma raiz, puxou-a e, o que deveria ser madeira, revelou uma consistência flexível. A terra se abriu enquanto a luz no céu aumentava, rivalizando com o sol. Ele abriu um alçapão de pedra, fez com que a rainha entrasse primeiro, descendo a escada de mão. Em seguida, meu hospedeiro. Ele foi o último. Quando fechou o alçapão por dentro, a luz aumentou de repente, ofuscando mesmo através da nesga que entrou durante um instante, e ele caiu para trás. Um ruído branco ensurdecedor, a impressão de milhares de guinchos agudos, a terra tremeu. Senti-me chacoalhar como um boneco, meu hospedeiro jogado em uma parede e outra, coisas se espatifando, gritos de Azabeth.

Então, tudo ficou escuro e silencioso.

Azabeth surgiu numa luminosidade amarelada, produzida por globos de cristal.

— A esta altura, o reino pode ter acabado, Stephen. Talvez nós sejamos os últimos.

Ele se ergueu, abraçou-a.

— Vamos comer, Majestade. A família real se esquece de que seu estômago é tão exigente quanto o dos plebeus.

Ela deu-lhe um tapa brincalhão. De repente eu soube, assim como soubera o que era uma pistola e um fuzil: Brigadeiro Stephen Icarus Ashcroft, Segundo Regimento da Real Cavalaria Celeste de Nungaland.

Caminharam pelas salas decoradas, sobre tapetes luxuosos, por entre mesinhas entalhadas que sustentavam porcelana fina. Chegaram a uma despensa, onde caixotes em profusão armazenavam conservas, vinho e carne salgada. Mesmo a despensa era mais impressionante que o interior do Palácio Eterno da Voz.

— Quando poderemos sair? — disse Ashcroft.

— Daqui a alguns meses. No mínimo.

Ele abriu um vidro com pequenos ovos flutuando em um líquido. Virou-se para o meu hospedeiro.

— Música, Diva.

— Fique comigo, Iago! — Atreu deu-me um tabefe, eu gargalhei.

Ao meu redor, notava os Escudos do Sol cambaleando, avançando aos trambolhões pelo túnel. D'Agostini, sentindo dificuldade extrema no ato de caminhar, engatinhava. Atreu segurava-se nas paredes, mas tinha sobriedade bastante para me tirar do meu estado narcótico e me empurrar à frente. Pugna, inalterado, cuidava de nossa segurança.

Havia desmoronamentos de quando em quando, pilhas de pedregulhos que devíamos atravessar ou mover. Até que chegamos a um beco sem saída. Atreu praguejou. Não havia abertura, porta, qualquer coisa que sugerisse outro lado. Apenas uma parede, e vários canos metálicos brotando dos dois lados do túnel, muito amassados e tortos. A parede era dividida em pequenas seções retangulares, mas qualquer significado que tivessem fora perdido pela ação do tempo. Os afrescos e altos-relevos ganhavam vida aos meus olhos, abanavam e davam risadinhas.

— Música, Diva — falei, imitando o Brigadeiro Ashcroft.

Atreu me olhou. Pressionou um dos retângulos, e a pedra cedeu um centímetro. Houve um rangido e um clangor dentro de um dos tubos metálicos. Experimentou os retângulos e cada um fazia o mesmo em um tubo qualquer. Até que um deles produziu algo diferente: ar foi expelido dos tubos, gerando uma nota musical desafinada.

Pugna empurrou-o para o lado. Testou diferentes combinações, produzindo diferentes sons. Confundi mais uma vez a alucinação com a realidade, achei que vi a Rainha Azabeth e o Brigadeiro Ashcroft naquele túnel, fazendo notas musicais com os tubos de metal. Pugna mantinha seu rosto em concentração, tentando lembrar.

— Música — disse Atreu.

— Você está louco — disse D'Agostini. — Finalmente enlouqueceu.

— Música é matemática. Isto é uma senha.

Pugna virou-se para ele. Estremeceu. Era uma senha.

Atreu aproximou os ouvidos dos tubos. Tudo muito demorado, pois as alucinações e tontura tornavam mesmo um passo uma tarefa monumental. Mas descobriu: cada tubo podia estar aberto ou fechado. Sim ou não. Matemática.

Meu hospedeiro segurava um espelho para que Ashcroft escanhoasse o rosto com uma navalha. Ele tirou o sabão das bochechas e do queixo com a água de uma tina. Azabeth surgiu atrás dele, vestida apenas com uma das camisas do brigadeiro.

— Nós estamos mortos, Stephen. Este é o paraíso.

Ele se virou, beijou-a com sofreguidão. Azabeth primeiro amolecida, depois agressiva, seu vigor alimentando o dele. Meu hospedeiro continuava impassível.

— Não na frente dela — disse a rainha.

— Música, Diva.

Cada combinação de tubos abertos e fechados, valores positivos e negativos, produzia uma nota diferente. Tinha um significado diferente.

— Cada nota é uma letra — disse Atreu. — Isto é um código.

Um código de sim ou não, positivo ou negativo.

— Você precisa lembrar, Pugna. Lembre-se do código.

O general estava transtornado, como ninguém jamais o vira. Andava em círculos, segurando a própria cabeça. Parecia atormentado pelas fugidias memórias do passado, dos antigos. De quando ele, de alguma forma, conhecera esta passagem.

Pugna sacou sua enorme espada. Segurou a lâmina em riste na frente do rosto. E, sem aviso, golpeou a própria testa.

— Não! — Atreu saltou para agarrá-lo, mas desequilibrou-se sob a tontura do minério.

Outro golpe e a pele e sangue revelaram o osso do crânio. Mais um, e rachava.

— Chega! — berrou Atreu. — O que está fazendo?

Cinco ou seis guerreiros jaziam no chão, imóveis. D'Agostini segurava-se nos altos-relevos, tentando ficar de pé.

— Você tem de me ajudar, Atreu — disse Pugna. — Preciso do que está dentro de mim. Você tem de me ajudar.

Atreu piscou. Pugna explicou o que deveria ser feito.

— Não.

— Não temos escolha.

— Como sabe disso? Como sabe se vai dar certo?

— Meu crânio está rachado, e estou falando com você. As lembranças estão finalmente voltando. Preciso achar a rainha. Por favor, Atreu.

Azabeth e Ashcroft conheceram a felicidade no abrigo. Os dias compunham-se de longas conversas, discussões sobre arte e música, recitais da Diva. E amor, e jogos. Disputavam partidas de elaborados jogos, em tabuleiros requintados, com peças esculpidas à perfeição.

— Sempre deveria ser assim — disse Azabeth. — Eu mereço isso. Você merece. Nathanael merece.

— E Nungaland?

Só aquilo interrompia a felicidade. A certeza de que o reino precisava dos dois; o rei precisava dos dois, amava os dois. Por isso aquilo não era o passado, e não seria o futuro. Só o momento.

Mas pleno.

Seguindo as instruções de Pugna, nós o amarramos com todas as cordas que tínhamos. Pediu mais e mais segurança, até que nem mesmo sua força monumental pudesse parti-las. Atreu e D'Agostini fizeram nós complexos, tão bem quanto podiam com as mãos trêmulas. O general estava imobilizado, sentado no chão, o tronco reto sustentado por uma armação de madeira. Sua cabeça fora raspada com uma navalha, os fios oleados espalhados ao seu redor. Atreu ordenou que todos se afastassem, exceto eu, que fora designado para ajudá-lo.

— Tem certeza, Pugna? — disse meu amigo.

— É tudo de que me lembro para recuperar memórias.

— Isso não faz sentido. Não vejo como não vá matá-lo.

Sem resposta.

Atreu pegou os instrumentos, disse mais uma vez que eram poucos e inadequados, que não havia quaisquer condições de fazer aquilo direito. Pugna ficou com os olhos abertos à frente.

Atreu apoiou sua mão esquerda no topo da cabeça do general, encostou a lâmina sobre o traço transversal que desenhara com minha tinta. Então pressionou, e o sangue fluiu livre. Descreveu um corte fundo e comprido, descolando a pele.

Cumpri minha função, empapando um lenço com sangue, para evitar que atrapalhasse muito o cirurgião. Pugna grunhia entre dentes. Não sei o que eu esperava ver, mas tudo ali era normal em um homem sendo escalpelado. Atreu completou uma volta quase inteira. Então tomou um lado do escalpo e usou um instrumento de metal para desgrudá-lo do crânio.

— Pugna, você... — Foi cortado por um grunhido.

Atreu respirou fundo e puxou o escalpo, revelando o crânio ensanguentado por baixo.

Pugna berrou. Meu estômago se revoltou, as alucinações me assaltaram. Por um instante achei estar de novo num campo de batalha, vendo os guerreiros de Oberon retalharem soldados da Igreja como bois.

— Acorde, Iago!

Limpei mais uma grande quantidade de sangue.

— Se não puder fazer isso, chame outro.

— Eu posso!

— Então me passe a serra.

Entreguei, e acho que minha mão não tremeu demais.

Atreu começou a serrar o osso do crânio e o som foi nauseante. Uma poeira branca e fina misturou-se com o vermelho, criando uma pasta de gente. Pugna gritava, respirava em trancos violentos. Ofereci-lhe de novo um pedaço de couro para morder, ele balbuciou não, não.

Atreu continuava a serrar. Sua testa brotava gotas de suor. Sequei antes que chegassem aos seus olhos, ele não pareceu me notar. Estava concentrado como um trabalhador braçal. Enfim, a serra cedeu, o crânio fora atravessado. Atreu deteve o movimento com um susto, temeroso de ter danificado o cérebro lá dentro.

— Pugna?

— Estou aqui, Atreu. Estou vivo.

Não havia explicação para que estivesse consciente. A serra fez a volta no crânio. Atreu suava, respingado de sangue, o que criava em sua pele um rosa diluído. O pó de osso se erguia, eu inspirei um pouco de Pugna sem querer.

— Limpe suas mãos, Iago — disse Atreu.

Eu não era um médico, mas sabia que a imundície sob a qual ele fazia a operação mataria qualquer um. Atreu não queria que minhas mãos estivessem limpas, isso era impossível. Só queria que não escorregassem.

— Ajude-me. Quando eu contar três.

Toquei no osso nu do crânio, empapado e escorregadio. Foi uma nova sensação revoltante. Meu corpo estava decidido de que aquilo não era certo, não se devia encostar no osso de um homem vivo. Senti arrepios agonizando a partir das mãos, descendo a espinha e espremendo meu esfíncter.

— Três.

E puxamos a tampa.

Olhei melhor, para ter certeza de que não estava alucinando. Lá dentro, não havia sangue. Não havia nem mesmo um cérebro.

— O que é isso, Pugna?

— Continue seguindo as instruções — grunhiu o paciente. — Não pare agora.

O que havia era uma massa esponjosa. Não de carne, não um cérebro humano. Uma espuma incrivelmente frágil e porosa. Em alguns pontos, podia-se notar o que deveria ter sido a cor original, um azul claro e brilhante. Mas quase tudo estava tomado por diferentes tons de marrom avermelhado, como ferrugem. Havia seções da espuma que tinham endurecido e quebrado, deixando buracos. Outras haviam murchado e soltado uma espécie de soro, que se empoçava como água estagnada e suja. No meio da espuma, havia discos de metal com joias no centro. As joias piscavam em intervalos regulares. E havia finíssimos tubos espiralados de cobre, ligando as joias umas às outras e aos recônditos da cabeça de Pugna Marco Segundo. O interior do crânio fora gravado e esculpido com belos e elaborados padrões abstratos. Em meio a estes, figuras de pequenas donzelas em alto-relevo. Uma certa disposição artística sugeria algo feito com esmero e estética em mente, algum tipo de elegância planejada.

— Olhe — disse Atreu, apontando para os discos de metal nos quais estavam incrustadas as joias.

Também gravados com belos padrões, florais e bucólicos. A arte sugeria minério divino.

— O que é você? — voltou a dizer Atreu, sem notar que sorria. Todo aquele conhecimento novo era um brinquedo, mesmo em meio às circunstâncias.

— Preste atenção à sequência — disse Pugna, com voz alquebrada, quase um guincho. — Norte para sul, oeste para leste. Primeira safira acesa. Primeira esmeralda acesa. Primeiro rubi apagado. Segunda safira acesa. Primeiro diamante apagado. Terceira safira apagada. Segunda esmeralda apagada.

De novo, um código — cada joia brilhando ou escurecida, acesa ou apagada, sim ou não. Atreu pressionava cada uma contra seu disco de metal (às vezes danificando a espuma por acidente), até que parasse de piscar e permanecesse emanando brilho ou escura. A sequência tomou um grande tempo. Cada joia foi acesa ou apagada várias vezes.

Enfim, a última esmeralda foi pressionada, e emitiu seu brilho forte.

Pugna parou de grunhir, fechou a boca. Suas íris sumiram nas pálpebras. Ele começou a falar rapidamente, em um idioma que não entendíamos.

— Está possuído? — disse D'Agostini.

Atreu praguejou, deu um soco no chão.

— É a língua dos antigos — falei.

Era a única explicação, exceto pela glossolalia que caracterizava um milagre.

— Pugna é um dos antigos? — disse o almirante. — Eles eram essas coisas?

— Não sei — Atreu fechou os olhos, exausto e frustrado. — Não sei nada.

— Pugna era um de seus servos — eu disse.

O discurso incompreensível durou alguns minutos. Ele falava sem parar, sem respirar, sem pausas. Um pouco de espuma vazou de sua boca, e as joias voltaram a piscar.

— Solte-me — disse Pugna Marco Segundo. — Eu conheço o código.

Seguiam de mãos dadas pelo túnel.

— Será que é seguro? — disse Azabeth. — Podemos esperar mais uma semana.

Ashcroft tirou do bolso um disco de metal encimado por uma cobertura de vidro. Era um relógio, mas minúsculo, e cheio de movimentos.

— Já se vão quatro meses, três semanas e dois dias. Acho que uma semana não vai fazer diferença.

— Ainda temos comida.

— Nungaland precisa de sua rainha. Nathanael precisa de sua mãe. Edgar precisa de sua esposa.

Ela repousou a cabeça em seu ombro. Seguiram.

Ashcroft empurrou uma parede, que cedeu sob seu toque. Luz do dia. Saíram do túnel, olharam em volta.

Eu reconhecia os arredores. Não era mais uma floresta, mas um terreno pedregoso, devastado. O som do mar mais claro. O brilho que tentara matar Azabeth e Ashcroft destruíra por completo uma gigantesca esfera, formando a Baía dos Órfãos, como nós a conhecíamos. E o abrigo, antes no meio das árvores, agora estava semissubmerso, ao longe.

— Quantos ataques? — disse o brigadeiro.

— Acho que só um. Isto foi *um* ataque, Stephen.

Ele engoliu.

Ela segurou sua mão.

— Agora estamos no mundo real, Azabeth.

Pôs os braços ao seu redor, os lábios se tocaram. E eu sabia, aquele era um último beijo. Depois seriam rainha e oficial.

— A Diva viu tudo — disse Azabeth. — Suas memórias...

— Eu sei.

Ashcroft foi até meu hospedeiro. Vi-o com a caixinha de prata sob o queixo que, naquele instante, era meu.

— Você vai destruir tudo?

— Não — disse Stephen. — Desculpe, Majestade. Não tenho coragem.

Falou algumas palavras incompreensíveis. Minha visão escureceu, mas ainda pude ouvir:

— Vou armazenar as memórias em modelos Pugna Marco Segundo. Serão para sempre nossos guardiões.

4

Meio passo, do túnel para o abrigo, através da porta aberta, foi trocar de mundo. Minha mente clareou, a alucinação desvaneceu num instante. Caí sobre os joelhos e as mãos, senti a vergonha instintiva das bobagens que dissera sob o efeito narcótico.

Os guerreiros correram em suas posturas marciais, reconhecendo a área, olhando para todos os lados. Atreu e D'Agostini passaram por mim. O último foi Pugna.

— Jovem Atreu! — disse o Bispo Calímaco. — Que bela surpresa.

Pugna fechou a porta. Atreu havia amarrado um lenço em sua cabeça, para esconder o crânio aberto. Seus movimentos endurecidos, incertos, como se tivesse de pensar em cada gesto.

Ergui os olhos e notei como o lugar estava tomado de gente. Os Escudos do Sol tropeçaram nos oficiais de D'Agostini, que vinham descobrir a causa da barulheira. E havia toda a corte, o bando de fanáticos esfarrapados e uns tipos insalubres que eu descobri mais tarde serem piratas. Achei ainda estar sonhando as memórias de Pugna, ou alucinando. Mas aquela era uma esquisitice diferente, fedorenta e abafada, e por isso soube estar na realidade.

— Chegou em boa hora — disse o bispo, um largo sorriso e humor inabalado. — Estou prestes a celebrar meu casamento.

Atreu ofereceu-me a mão, para ajudar a me erguer, e eu tentei engolir de uma vez toda aquela novidade. Estava paralisado, quase todos estavam. Menos o bispo, que aceitara nossa chegada com tremenda naturalidade.

Foi até Atreu e deu-lhe um abraço.

— Quer que o abençoe, meu filho?

— Não, obrigado, bispo — disse meu amigo, com olhos em toda parte. Ele também já aprendera a não questionar a loucura de Calímaco.

— Oh, bem. Um dia você irá se tornar um bom religioso.

Em todo canto, surgia a pergunta: de onde viéramos? Como entráramos ali? A resposta viajava em ondas, apenas o bispo parecia não dar importância. Atreu chegara para seu casamento e isso era a coisa mais natural do mundo. Os soldados trocavam cumprimentos à medida que aceitavam a presença uns dos outros. D'Agostini já estava reunido com seus oficiais, ouvindo um relatório e amaldiçoando Oberon e Benedict.

— E você, meu jovem? — disse Calímaco, voltando-se para mim. — É um guerreiro?

— Sou escritor. Meu nome é Iago.

— Ah, um bardo! Já temos um menestrel, mas nunca é demais. Deseja apresentar-se em meu casamento?

— Não sou bardo. Odeio bardos.

— Todos gostam de bardos. Vamos, Iago, você está convidado, quero que conheça minha noiva.

Deixei-me arrastar, sem notar alternativa. Procurei ajuda em Atreu ou D'Agostini, mas eles confabulavam, e os guerreiros mantinham a corte longe.

— Não desejo me gabar, mas ela é a reencarnação da minha falecida esposa. Urag foi muito benevolente para comigo.

Por onde eu olhava, havia algo a ser visto. Tentei fixar na mente o abrigo na época de Azabeth e Ashcroft e comparar com o que existia hoje. As decorações estavam todas ali, mas desgastadas, corroídas, sujas, quebradas. Qualquer coisa que pudesse apodrecer já se fora; não havia mais mesinhas ou tapetes. Não vi porcelana alguma, qualquer objeto delicado, presumi que tivessem virado pó há tempos incalculáveis. Estava clara a razão de a masmorra ser tão grande, tão cheia de salas e corredores. Era uma fortaleza para uma rainha. Eu pisava onde aquela gente miraculosa pisara, estava em um resto de seu mundo exuberante, e achei-nos muito pobres em comparação.

O urso me fez dar um salto para trás, mas logo vi que era uma criatura digna de pena. Vi o retrato desbotado da falecida, as figuras cômicas que viviam em torno do bispo, os hereges sobreviventes.

Na maior sala, onde o brigadeiro e a rainha haviam feito as refeições com todo o garbo, havia um semicírculo de prostrados. Membros da corte, hereges maltrapilhos. Até alguns piratas tatuados e um oficial de D'Agostini. Em torno de uma garota baixa, absurdamente bela, com enormes olhos castanhos e cabelos lisos.

— Iago. — O bispo agarrou meu pulso, de repente muito sério. — Não há como prepará-lo para isso. Saiba que está na presença de um milagre.

Curvou-se.

— Aquela é a Voz de Urag.

Jocasta deu um passo, chegando perto dos primeiros fiéis. Tocou-lhes os olhos e orelhas. Vi os corpos movimentando-se em soluços. Nossa chegada fora um escarcéu. O rangido da porta, a balbúrdia dos soldados, o alarido da corte e do bispo. Mas alguns, ali em êxtase, não se moviam um centímetro para longe da adoração. Não existia mundo além da Voz.

— Não! — disse Jocasta. — Não devem chorar. Nem mesmo de alegria ou de raiva. E nem pensem em chorar de desespero ou de fome. Por que essas lágrimas, Kiva?

Uma mulher com um vestido cheio de remendos ergueu a cabeça. Não vi seu rosto, mas imaginei que mantivesse os olhos fechados.

— Estou feliz, Santidade. Todo esse tempo com o Bispo Calímaco, que acusam de heresia. A Voz corrupta, os rebeldes. E agora estou salva!

— *Você não está salva, Kiva.* Lágrimas não salvam. O que pode nos salvar agora são punhos.

— Santidade — disse alguém —, por que a senhora não pode reinar aqui mesmo? Por que ir à capital?

— Isso é a preguiça falando, Verduno. A preguiça e o medo. Não podemos nos contentar com nada menos que Ruiturus, nada menos que a Igreja. Não somos hereges! Não somos pagãos! Vocês são o povo de Urag e eu sou Sua Voz.

— Santidade, não entendo — disse um homem.

— Pois fale, Odom.

— Este mundo não é uma mentira? Então por que lutar?

Foi até ele, segurou seu rosto nas mãos, sacudiu-o com vigor.

— Este mundo não é uma mentira! Foi criado por Urag. Acha que Urag mente?

— Não, Santidade.

— Existem mentiras. Existem mentirosos. O diabo está por toda parte. Aquele que se dizia o Cavaleiro Imaculado é só mais um servo do diabo, um mentiroso que nos enganou.

Empertigou-se.

— *Mas o mundo não pertence a ele.* Não pertence aos mentirosos. Meu povo não vai entregar a terra ao diabo. Como podemos merecer o Reino de Urag se desperdiçarmos o presente de Urag? Se deixarmos tudo para os infiéis?

Jocasta seguiu seu discurso. Não consegui evitar ser enredado em suas palavras. E aquela gente estava absorta, tragada pelo carisma. Vi o oficial de D'Agostini abraçar-se a um fanático maltrapilho, no êxtase da fé. Irmãos instantâneos.

— É por isso que somos importantes — disse Jocasta. — Por isso somos essenciais para Urag. Porque acreditamos, *sabemos* de Seu desejo. Porque todos os outros são mentirosos ou estão de olhos fechados. Todos contra nós ou no nosso caminho. Cabe a nós lutar.

Ela beijou os olhos fechados do fiel chamado Odom, fez o mesmo com o homem ao seu lado e a jovem logo depois.

— Se nossos olhos estiverem fechados, como vamos lutar?

Então, enfiou os dedos em suas pálpebras e forçou seus olhos a abrir. Estava agitada, suava, mas era um ímpeto de aparência saudável, um entusiasmo de líder.

— Abram os olhos! Não deixem de olhar o mundo só porque alguém está falando sobre Deus. Estamos cercados de perigos! Todos contra nós! De olhos fechados, como vão reconhecer o inimigo?

Faces vermelhas, o desfecho:

— Não veem que muitos desconhecidos acabam de chegar?

Olhou na minha direção, apontando seu belo dedo.

Alguma coisa de Atreu surgiu em mim. Talvez eu quisesse imitá-lo, como um menino apalermado, ou talvez ele me inspirasse. De qualquer forma, quando aquela garota, que chamavam de Voz de Urag, apontou para mim e todos os olhos seguiram como fantoches, não senti nada mais que raiva. Vozes eram garotas que viviam dentro de caixas, arrependiam-se tarde demais e faziam idiotices.

— Quem é você?

— Iago — seco.

— Venha até aqui, Iago.

— Não.

Um homem fez menção de levantar, Jocasta deteve-o com um toque.

— Por que não?

— Qual é o seu nome?

— Ela é a Voz de Urag, pagão! — latiu alguém.

E o Bispo Calímaco, baixinho:

— É verdade, jovem Iago. É a Voz de Urag. Comporte-se.

— Meu nome é Jocasta.

Fiquei a encarando. A chama de insultá-la já se desvanecera, eu via a realidade. Meus joelhos estavam moles, eu estava com medo. Disse:

— Se você quer nos conhecer, fale conosco, Jocasta. Não espere que eu seja uma atração no seu teatro.

Mentira. Não falei com palavras tão bonitas, nem fui tão seguro. Gaguejei muito, demorei para me fazer entender.

Silêncio.

— Ele está certo — disse Jocasta.

Os fiéis reagiram como se um relâmpago os houvesse atingido.

— Alguns de vocês viram meus milagres. Outros só acreditaram. Não podem acreditar em qualquer coisa! Devemos conversar com Iago e estes outros que acabaram de chegar. Vamos explicar a eles quem somos nós e quem são nossos inimigos.

Ela veio até mim.

— Quem são seus inimigos? — perguntei.

— Os rebeldes. Benedict. Parte da Igreja. Todos que se opõem a Urag.

Eu estava sentado no chão, ao lado da Voz de Urag. À volta, muitos fingiam conversinhas, para nos espiar e entreouvir. Eu não sabia onde estava Atreu, onde estavam os outros. Não sabia quantas horas haviam se passado desde o túnel, mas parecia uma vida. Eu sentia conhecer aquelas pessoas há anos.

— Não posso exigir que acredite — disse Jocasta. — Mas entenda. Eu *sou* a Voz de Urag. Ele fala comigo e eu falo a língua dos anjos.

— Nada no céu — murmurei.

Ela bufou.

— Se vocês são rebeldes, estão se rebelando contra o quê?

— A Igreja, é claro.

Risada.

— A Igreja é eterna, Iago. Vocês não podem vencê-la. E se tentarem lutar contra o meu povo, vamos nos defender aqui mesmo.

— Vamos tirar vocês daqui.

— Ótimo, porque tenho que chegar a Ruiturus. Os cardeais estão me esperando.

Mais tarde eu descobriria o brilhantismo de Jocasta; agora parecia só uma menina estúpida. Teimosa.

— Você mesma disse que foi Benedict quem mandou a mensagem a Ruiturus. Ou talvez nem tenha mandado.

— Benedict é maligno. Mas a Igreja precisa de uma nova Voz. Não há razão para rejeitar quem realmente ouve Deus.

— Nós vamos enfrentar a Igreja.

— E vão morrer. É isso que acontece com quem desafia Urag.

Onde estava Atreu?

— Será fácil descobrir quem está do lado certo, nessa batalha — disse Jocasta. — Quem ficar contra mim estará contra Deus. Quem me proteger estará do lado da bondade. E, se vocês descobrirem que têm o mesmo objetivo que eu, talvez possamos evitar mais sangue.

Mesmo assim, eu escutava cada palavra. Jocasta tinha uma certeza tranquila, falava como se aquilo fosse uma verdade tão óbvia que seria estupidez duvidar. Se houvesse Deus, talvez Sua Voz fosse mesmo alguém assim: cheia de ideias, sem medo de gritá-las. Alguém com tamanha convicção de seu propósito que talvez cumprisse qualquer destino, ainda que imaginado.

Sacudi a cabeça.

— Você não entende, Jocasta. Eu estava lá. Eu vi as mentiras da Igreja. Não existe Cavaleiro Imaculado ou Soldado do Diabo. Foi tudo invenção.

— E por que eu deveria acreditar nisso?

Pisquei.

— Ter fé no cinismo não é diferente de ter fé em Deus. Exige crença cega. Não conheço você, Iago, não tenho razão para acreditar no que diz. Mas *sei* que houve um general que matou uma Voz de Urag.

— O homem que chamam de Soldado do Diabo está aqui. Ele veio salvá-los.

— Benedict também disse que queria me salvar.

Se naquele momento Jocasta sentia medo, sabia esconder.

— Você é escritor?

Fiz que sim.

— Gostaria de ler algo seu. Faz muito tempo que não leio nada.

— Quem é você, Jocasta? De onde surgiu?

— De um lugar que não existe mais.

Mais tarde eu ouviria sua história. Nada no mundo poderia me impedir de ouvir sua história, mesmo depois de pouco tempo em sua presença.

— A passagem de uma falsa Voz devastou minha aldeia. Os cavaleiros de Benedict mataram quase todo o resto, até a própria falsa Voz.

Jocasta não fora criada numa caixa.

— Os cardeais são assassinos — falei. — Mataram a mulher que eu amava.

— Por quê?

Pisquei.

— Por que mataram a sua mulher?

Balbuciei qualquer coisa. Na verdade, eu não sabia. Fora conveniente. Lubna ofendera os pruridos que eles afetavam. Queriam me deixar preso, para que eu escrevesse uma profecia.

— Ela era uma boa pessoa? — disse Jocasta.

— A melhor. E eles são assassinos.

— Mesmo se isso for verdade, sua Lubna está no paraíso. Você deveria estar feliz.

— Não existe paraíso. Não existe Deus. Não existe mais Lubna e mesmo seu corpo já foi comido por vermes.

Sinto orgulho de dizer que minha voz não quebrou. Falei aquilo sem fraquejar.

— O que você diz não importa, Iago. Urag não deixa de existir porque você não acredita.

— Mesmo assim, os cardeais são criminosos.

— Posso mudar a Igreja.

— A última Voz tentou fazer isso. Também foi morta.

— A última Voz fugiu da capital. Fez guerra contra o povo. Isso é covardia.

Quis ter raiva, mas Atreu também julgara Desdêmona. Eu também julgara. Pobre menina na caixa.

— Não vou desistir, Iago. Vou chegar a Ruiturus e vou tomar meu lugar de direito. Se a Igreja for corrupta, vou consertá-la. Eu não desisto. Nunca.

Súbito, a figura loura e imponente de Atreu surgiu sobre nós. Meu estado onírico se quebrou, notei que estava trocando confidências com uma fanática, protegida de Benedict.

— Vamos tirar todos daqui — disse meu amigo.

Levantei de um salto. A Voz permaneceu sentada.

— Eu sei quem dizem que você é, menina.

— E eu sei quem você é. O Soldado do Diabo. Meu inimigo.

Ficaram se olhando.

— Fique ou venha conosco — disse Atreu. — Mas não crie problemas.

— Primeiro vamos celebrar o casamento do Bispo Calímaco.

Não pude acreditar. Mas Jocasta estava séria, como se tivesse acabado de citar a própria palavra de Deus.

— Vamos todos embora — disse Atreu.

— Não. Vamos celebrar o casamento, porque o diabo e seus mentirosos não podem nos dizer o que fazer. Não temos medo deles. Além disso, prometi a Calímaco, e o meu povo não vai partir sem mim. Nem mesmo seus oficiais.

Num repelão, Atreu segurou seu pulso.

— Garota, você...

Mas então a mão de Pugna Marco Segundo surgiu na garganta de Atreu. O bizarro general movia-se com dificuldade, mas o bote fora rápido, econômico e preciso, como sempre. Atreu sabia que bastava um gesto para que esmagasse sua traqueia.

— Obedeça à rainha — disse Pugna.

— Esta não é...

— Sou um guardião de Sua Majestade. Não vou permitir que toque nela. E vou cumprir sua vontade.

Atreu mostrou as palmas das mãos, ostentando trégua. Pugna o soltou. Então virou-se para Jocasta e se ajoelhou com dificuldade, sobre um joelho só.

— Majestade, este Pugna Marco Segundo apresenta-se ao seu serviço. Sou seu servo e guardião.

Jocasta hesitou um instante.

— Não sou majestade.

Pugna recomeçou o mesmo discurso, mas ela o interrompeu, abençoou-o com o sinal da voz elevada e fez que se erguesse.

— Obrigada. Estou feliz com seu serviço.

Mas ela também compreendia que havia algo errado naquele homem, e não sabia o quê. No momento, o pragmatismo ditava que aceitasse a fidelidade do grande general. Os guerreiros fingiam não estar abalados.

— Qual é a vontade de Vossa Majestade?

— Garanta que o casamento ocorra sem problemas, Pugna. E garanta que seu amigo Atreu não estrague nada.

Lá dentro, enfurnados no abrigo que virara masmorra, não podíamos enxergar as velas. Não sabíamos o quão perto estava o inimigo e isso apenas aumentava o formigamento no estômago. Enquanto a marinha da Igreja poderia, a qualquer momento, despejar suas flechas incendiárias e catapultas sobre os nossos navios, estávamos assistindo a um casamento.

D'Agostini e Atreu de pé num canto, cenhos franzidos. Eu fora colocado à força no meio do povaréu que aplaudia o amor de Calímaco e condescendia em sua loucura. A corte, os hereges, alguns piratas, o oficial que se convertera. Não havia bancos na masmorra, por isso estavam todos de pé. O retrato da esposa morta fora apoiado contra uma parede, no centro de tudo. Calímaco aguardava a noiva como um adolescente, revirando as mãos e dando risinhos. A Voz de Urag postava-se solene ao seu lado, meditando de olhos fechados. Pugna Marco Segundo vigilante perto dela, sua passividade tornada ainda mais estranha porque agora seu corpo não repousava em sentido: tinha um braço retorcido, uma perna meio inclinada. Eu já conhecera doentes que haviam ficado daquele jeito para sempre. Acho que, por mais estranha que seja a cabeça de alguém, não se pode mexer lá dentro e retirar pedaços impunemente.

Desvencilhei-me dos convidados e fui até os dois generais.

— E não esqueça do outro problema — disse D'Agostini. — Como vamos tirar essa gente daqui, se quase não fomos capazes de atravessar o túnel?

Não deram pela minha presença.

— Vão ficar loucos — continuou o almirante. — Já estão loucos.

— É melhor esquecer — disse Atreu. — Eles se jogaram aos pés da menina. Deixe que morram.

— Pode ser melhor. Mas você não vai fazer isso.

Atreu cerrou os punhos. É claro que não. Ali estavam pessoas que não tinham cometido crime algum, exceto escolher outra santa a quem obedecer. E havia o Bispo Calímaco, que abrigara a frota e ajudara-os durante tanto tempo. E Pugna.

A flauta do menestrel interrompeu o burburinho. O homem veio saltitando, seu urso amarrado em outra sala. O público se dividiu, fez um corredor que ele atravessou, indo parar atrás do noivo. Em seguida, pelo corredor, chegou a noiva. As esposas de Calímaco conduziam-na, segurando as pontas de seu véu de rede de pesca e tocando-lhe os braços. A moça estava muito sorridente. O bispo procurou o olhar de Atreu por sobre as cabeças, piscou para ele.

A Igreja estava a uma distância desconhecida, talvez já sobre nós. Oberon e Benedict um andar acima.

— Hoje vamos unir duas pessoas muito especiais — disse Jocasta. — Um bispo e a miraculosa reencarnação de sua esposa.

Calímaco não cabia em si de alegria. Erguia o corpo nas pontas dos pés repetidas vezes, como se estivesse se controlando para não pular. As esposas espalharam-se aos lados do retrato, a noiva postou-se junto ao bispo.

— Quantos de nós conseguem recuperar um amor perdido? — continuou a Voz. — Quantos aqui já descobriram a reencarnação de um familiar morto?

O menestrel escorregou para longe discretamente, indo arranjar a próxima atração.

— Bispos não se casam. Mas isso é absurdo! Como pode alguém que não sabe o que é uma família dizer como as famílias devem se portar? Seria o mesmo que pedir aos oleiros que ensinassem aos pescadores as melhores iscas, e aos pescadores que mostrassem aos oleiros como amassar argila.

O bispo tinha seu sorriso congelado.

— Então está certo que este bispo se case! Sua devoção e amor pela esposa são óbvios!

D'Agostini inspirou o ar e trancou. Levou a mão ao punho do sabre.

Pharoux surgiu à vista, com seu caminhar gingado, sua pele tostada coberta de cicatrizes.

— Você sabia que ele estava aqui — disse Atreu. — Não é hora para mais um duelo.

— O verme vai sair ileso, de alguma forma. Afogue-me numa banheira; mesmo preso num calabouço ele cria um jeito de escapar.

Pharoux fingiu notar o almirante bigodudo pela primeira vez. Veio até nós.

— Podem me perseguir, podem me capturar, odiar-me pela liberdade de que desfruto e que ofereço — disse o pirata, em sua voz empolada. — Parece que está claro que Deus me ama mais do que a você, como eu já desconfiava, devido ao seu lamentável estado capilar. Puseram-me tão injustamente nesta masmorra, e a Voz de Urag aparece aqui. Aposto que gostaria de puxar seu sabrezinho, não é, D'Agostini? Deseja uma pequena rusga agora mesmo?

O almirante começou a desembainhar a arma. Atreu segurou seu braço.

— Vamos, vamos, não tenha medo — disse Pharoux. — Sou só um prisioneiro indefeso, não posso enfrentar o pateta dos mares. Você me estripa como um linguado antes que eu possa erguer a mão.

— D'Agostini — começou Atreu.

— *Eu sei* — disse o almirante. — Ele não tem amor próprio. Vai gritar e pedir ajuda. Choramingar para a Voz.

Pharoux sorriu com seus dentes enormes. O ouro em sua boca reluziu.

— Porque eu sou um pobre prisioneiro e você é um malvado rebelde pagão rabugento, não é? Se me atacasse, a Voz mandaria que me defendessem e até mesmo um ou dois oficiais obedeceriam. Será que vale a pena, meu estupefato desafeto? Um combate aqui, matar alguns plebeus, enfrentar alguns de seus homens?

— Você está morto, Pharoux.

— Não, não, você se engana, o que não é surpreendente, visto que sua própria mãezinha se enganou, ao criar como um filho o produto de uma disenteria. Eu vou sair daqui livre, meu bom pederasta marinho, e vou sumir antes que você note.

Pharoux disparava suas torrentes de falatório com rapidez estonteante, mas parecia fazer sentido. Olhei de novo Jocasta, presidindo aquele estranho casamento, e Pugna ao seu lado. A Voz não queria sangue, não queria se submeter aos rebeldes. As pessoas obedeciam à Voz. Pugna obedecia à Voz.

— Padres não se casam porque seu único e maior amor deve ser a Voz de Urag — Jocasta continuava. — Mas vemos que isto não é verdade, ao olhar o Bispo Calímaco. Seu amor pela esposa é tão grande que nem a morte pôde separá-los!

A noiva conteve lágrimas.

— Esta é a reencarnação de sua esposa Felícia, bispo?

— Sim!

— Pois então não posso continuar com esta cerimônia.

Um murmúrio de assombro se espalhou na plateia.

— Vocês já estão casados! O próprio Urag garantiu que ficassem juntos, mesmo depois da morte. Não há autoridade maior.

Minha atenção foi roubada por aquilo. Pharoux já se esgueirara para longe de D'Agostini, infiltrava-se entre os convivas.

— Você é a reencarnação de Felícia? — disse Jocasta para a noiva.

— Sim, Santidade.

— Tem certeza? Ou está distorcendo os atos de Urag? Isso não seria nada além de heresia.

A garota escondeu o rosto nas mãos.

— Acho que você é você mesma, e mais ninguém. Acho que não devemos chamá-la por outro nome, nem achar que nasceu para substituir uma esposa morta. Case-se com o bispo se amá-lo e se ele amar você.

O menestrel entrou dançando, enquanto os fiéis explodiram em vivas e exaltações à Voz. A noiva se ajoelhou e agarrou as pernas da santa. O Bispo Calímaco estava congelado no lugar, o sorriso perene, mas morto, em seus lábios. Pugna Marco Segundo se aproximou de Jocasta, para garantir que não houvesse excessos. O menestrel vinha conduzindo seu urso dançarino, e então revelou a segunda e espetacular parte de sua apresentação. Lambuzou o pênis de mel e o urso lambeu-o. Algumas pessoas aplaudiram.

5

GANIMEDES ESTAVA REZANDO.

— Isso é traição — disse Penélope.

Ele não fez menção de ouvir. Só continuou o movimento dos lábios mudos, as mãos postas, pálpebras cerradas. O arco, desencordoado para que a madeira não deformasse, estava pousado à sua frente, como uma oferenda. Era pelo arco que Ganimedes rezava, pelo trabalho que fizera e faria.

Era noite, e o exército ocupava um espaço enorme. Os homens estavam magros, seus pés sangravam. Os poucos cavalos eram reservados aos batedores e mensageiros, ou então usados como animais de carga quando as mulas morriam. Aquele era um exército ligeiro, móvel, sem grilhões. Mesmo assim era pesado. Movia-se com lentidão, como qualquer ajuntamento do tipo, e esparramava-se como um gato preguiçoso ao fim da marcha.

Todo o perímetro era cercado de sentinelas. Onde possivelmente, derrubavam árvores e construíam pequenas guaritas, destruídas de manhã. Mantinham o fogo baixo, comiam frio, dormiam gelados. A cauda de esposas, filhos, artesãos que acompanhava os homens era curta. Num exército normal, nas tropas da Igreja, seria algo monstruoso, uma aldeia móvel feita de quem precisava seguir ou via oportunidades de negócio. Mas, mesmo exígua, era um risco, e era vigiada. Eles estavam vulneráveis, no território inimigo, porque tudo era território inimigo. A única vantagem era a rapidez.

— Isso é traição — repetiu a guerreira.

Ganimedes fez o sinal da voz elevada.

— Não me incomodo com os seus ataques — disse. — Mas não faça isso com os homens. Eles precisam de Deus. Você vai destruir o moral.

Ela chutou a terra.

— *Você* está destruindo o moral, com suas crendices. Estamos em guerra contra a Igreja. Deus é o inimigo.

— Então admite que Deus existe — sorriu Ganimedes.

— Uma vez Atreu disse que, se Deus realmente existisse, seria preciso destruí-Lo.

— Atreu fala muitas coisas, Penélope.

Mas, em outras fogueiras, outros também rezavam. Mesmo que fosse um pensamento secreto antes de dormir. Mesmo que negassem a si mesmos, pediam que algo lá fora os mantivesse vivos. Eu não estava dentro da mente de cada soldado, mas passei tempo suficiente com eles para entender. Deixavam as grandes ideias, as grandes rebeldias, para Atreu e Ganimedes e Penélope. Lutavam por causas que faziam sentido, ou pelo que seus parentes lutavam, ou por senhores que lhes eram bons. A filosofia não importava muito.

De manhã, tudo ficava mais claro. Sem um inimigo à vista, com o falatório dos companheiros, sem o silêncio e a introspecção do escuro, podiam negar Deus. Podiam declarar sua lealdade aos generais, fazer troça dos supersticiosos.

De manhã, Ganimedes recusava cavalos, andava num passo ligeiro, à frente de todos, suando sem perder o riso. Penélope marchava ao seu lado, mostrando que não era mais fraca, ou seguia em sua biga, patrulhando os flancos. Seus batedores ficavam atentos a sinais da Igreja, espalhavam-se todos os dias e voltavam com notícias de caminhos a evitar, rotas mais seguras.

Lugares proibidos eram estradas e aldeias. Os caçadores no exército tratavam de obter a comida que podiam, pois não havia o que saquear, comprar, receber por caridade. A terra também estava exausta — vários exércitos naqueles últimos tempos pisoteando o chão e fazendo o mesmo, comendo animais e plantas. Ganimedes e Penélope eram caçadores exímios, havia uma sutil competição diária de suas proezas. E o avanço era difícil, as estradas sempre tentadoras, mas mortais. Exigia-se do exército rebelde que atravessasse colinas, ribanceiras, terrenos pedregosos e acidentados. E aí quebravam-se tornozelos, perdiam-se homens, sacrificavam-se cavalos.

Era uma viagem miserável, e a liderança em conflito tornava ainda mais.

— Você sabe que seu objetivo é impossível, não? — disse Ganimedes.

Penélope cortava lenha. Endireitou o corpo para enxergá-lo oleando o arco.

— As pessoas nunca vão deixar a religião. Você não pode ser vitoriosa nisso.

— Então por que está conosco?

— Porque a Igreja precisa cair. Porque não sou louco, e sei que *essa* é uma batalha possível.

— Serviço malfeito. Pela metade.

— Parece que você quer achar a maior coisa que existe e derrubá-la, nada mais.

Penélope ficou calada.

— O que foi? — ele disse, num tom jovial. — Cheguei perto?

— Morra, Ganimedes.

— Desculpe, acho que fui longe demais. É seu pai? O meu também foi um pústula.

Ela riu sem humor.

— Você é ingênuo. A verdade é que tenho quase certeza de que já estou morta. Só quero levar o maior número de filhos da puta junto comigo.

A cada dia mais perto de Ruiturus, aumentava o perigo. Faziam rotas mais e mais tortuosas, para evitar fazendas, aldeias e postos avançados. Mas não encontravam nada.

Anoitecer no acampamento, os batedores reportavam-se a Penélope. Coisa alguma nas proximidades, uma quietude de cemitério. Uma fortaleza avançada fechada, sem guarnição.

— Algo errado — disse a guerreira. E, naquilo, concordavam.

Ficaram dentro da tenda, sob a luz fraca de um lampião, analisando mapas, estudando rotas. Nenhum dos dois se entregou ao sono. Se estavam rumando a uma armadilha, não sabiam onde. E não havia caminho exceto em frente.

Pensaram em recuar até Sudário do Louco. Mas isso não iria salvá-los, e poderia condenar a cidade. Só precisavam chegar a Ruiturus. Não importava o quanto a capital estivesse pronta, o ataque em duas frentes deveria ser bem-sucedido, ou fracassar em definitivo. A diferença daquele ataque para a guerra civil anterior era o objetivo: não conquistar, só destruir.

— Se nos encontrarem no caminho — disse Ganimedes —, quer enfrentá-los?

Ela fez que não.

— Não quero perder nenhum soldado para os fanáticos. Temos que chegar a Ruiturus com o maior número possível.

— Podemos ir até o Farol dos Órfãos.

— Talvez o Farol já esteja dominado.

Penélope era uma general de treinamento e espírito, e chegou a cogitar o que realmente ocorrera. Nunca soubemos o que houve com o mensageiro que havíamos enviado para alertá-los. Por certo morreu nas espadas de algum batalhão inimigo. De qualquer forma, não faria diferença.

— Tem razão — disse Ganimedes. — Precisamos de números. Sempre mais números. Então por que nunca recrutou sua nação?

— Meu povo está morto.

— Você é a *última?*

— Não. — Ela virou o rosto. — Não está vendo? Nem eu sobrei.

Avançaram pouco no outro dia, um caminho cheio de voltas. Espalharam os batedores em espirais sempre maiores. Um deles voltou com preocupações.

Avistara uma nuvem de poeira ao longe. Sinal de muitos pés batendo o chão. Sinal de exército.

— Está tudo perdido — disse Penélope.

Ganimedes não podia discordar. Não havia oração que trouxesse a vitória de que precisavam.

— Podemos voltar — ele disse. — Sudário do Louco não é a única opção. Assim que encontrarmos uma cidade vulnerável, podemos atacar e tomá-la. Ficar protegidos lá, passar o inverno.

— Foi isso que fizemos na guerra civil. E vocês venceram.

— Qual é a alternativa?

— Continuar adiante.

Os dois ficaram se encarando. Pelo que já vi, existem poucas intimidades que rivalizam com a de amantes. Uma é a de atores em uma trupe, outra é a de generais dividindo a mesma liderança. Mentes parecidas não ficam tão próximas, pois não há necessidade. Já rivais e opostos, como Ganimedes e Penélope, acabam conhecendo as pequenezas e detalhes que só os casais dividem. Cada um vasculha o outro como uma fortaleza inimiga, em busca de forças e fraquezas. Recapitulam as discussões, repetem para si mesmos os argumentos adversários, conjuram o rosto um do outro enquanto rebatem em silêncio o que não foram capazes de replicar antes. Assim eram os dois. Muito tempo de olhares feios, respostas esgrimísticas, exasperação.

— Você pode achar que está morta, mas os homens estão vivos. Sei que não vai jogar suas vidas fora.

Ela riu.

— Não, Ganimedes. Eles estão mortos. Você está morto. Este é o Povo Morto.

E de imediato apertou os lábios, desfez a risada sarcástica, corou.

— É como seu povo nos chamava?

— Vamos seguir em frente. Se formos rápidos, podemos evitar o inimigo. Atacar Ruiturus antes que nos alcancem.

— Há também outra possibilidade. Rendição.

Penélope arregalou os olhos. A melhor comparação seria uma condessa que tivesse acabado de ouvir um chiste lúbrico, e estivesse prestes a desmaiar.

— Somos só um exército de esfarrapados, mas posso implementar um tribunal militar, Ganimedes. Posso executá-lo por traição.

— Pense. Acha que a Igreja conhece o nome e o rosto de cada soldado rebelde? *Nós* conhecemos os homens; os cardeais não chegam perto deles. Se o exército se espalhasse, nunca seriam encontrados.

— Nós seríamos.

— Estou disposto a me entregar, se isso evitar uma ruína maior. Fogueira para nós, vida para eles.

— Quer desistir sem tentar?

— Quer uma morte inútil?

Pausa.

— Quer mesmo dissolver o nosso exército? — disse Penélope. — O exército de Atreu?

E a resposta era não, claro. Ganimedes não iria comprometer o sonho de Atreu. Mesmo que não houvesse mais ataque surpresa, talvez Atreu, D'Agostini e Pugna não soubessem. Talvez estivessem navegando rumo à capital. Deixá-los sozinhos não era uma opção.

Então, em frente.

O único caminho era uma ravina. Dos dois lados, paredões altos. Podiam contornar, mas estariam em terreno alto e aberto, bem às vistas de qualquer um, e demorariam uma semana a mais. O chão da ravina formava uma trilha quase ideal para os soldados, um declive suave, uma espécie de estrada natural, larga o bastante para a coluna.

Mas era o melhor lugar para uma emboscada.

À medida que se aproximavam de Ruiturus, as noites em claro aumentavam. Não havia conflito entre Ganimedes e Penélope dessa vez. Sobre mapas, na tenda à luz do lampião, apenas repetiam o que já sabiam. Tentavam decidir entre a demora e exposição aos olhos inimigos e a vulnerabilidade total por pouco tempo. Nem mesmo os batedores ofereciam informação suficiente — embrenhados demais na ravina, seriam capturados antes de reportar. Contornando por cima, demorariam a ponto de se tornar inúteis.

— Vamos jogar uma moeda — disse Penélope. — Não sabemos de que lado está a morte.

— É hora de rezar.

Ela estava cansada; só massageou as pálpebras com as pontas dos dedos.

— Jogar uma moeda é irracional, Penélope. Urag nos deu cérebros para que entendêssemos o mundo, estudássemos Sua obra. Mas já estudamos, e não temos resposta. Então a coisa racional a fazer é pedir ajuda.

— Reze. — Ela ainda cobria os olhos. — Reze. Eu já não me importo.

— Você não tem um deus? Seu povo não tinha religião? Talvez devesse rezar, mesmo que a uma face diferente de Urag.

— Os xamãs do meu povo resolveriam essa situação. Se restasse algum.

— E só os xamãs podem rezar?

— Os xamãs iriam *agir.* Só padres passam o dia falando com seu amigo invisível e dizendo aos outros o que fazer.

Ganimedes rezou, procurou um sinal.

Penélope jogou uma moeda. Era um disco de bronze amassado, que girou e girou e caiu na terra socada e úmida. Enterrou-se de pé, sem mostrar nenhuma das faces.

O absurdo a fez rir. Decidiu seguir pela ravina, arriscar a emboscada e cuspir na cara da morte. O arqueiro não tinha chegado a uma decisão, mas não havia o que fazer para dissuadi-la.

Marcharam suando. À frente iam os melhores, escudos de prontidão e lanças em punho, seu equipamento carregado por outros. Caso houvesse o inimigo após uma curva, deveriam ser capazes de enfrentá-lo, sem apoio dos flancos. Se houvesse cavalaria, a chance era formar uma parede de escudos. E esperar que, como ouvi repetidamente, nenhum cavalo investisse contra a parede.

Ganimedes e Penélope encabeçando.

Aos lados, os paredões subiam cada vez mais, até que eles estavam numa espécie de fosso, o chão intocado pelo sol. Mais do que um inimigo, o pânico provocaria chacina. Se fossem atacados e começassem a fugir, os homens pisoteariam uns aos outros, prensariam os companheiros contra os paredões.

Enquanto as horas passavam e a fragilidade daquela posição ficava mais e mais clara, os generais criavam ideias sobre sua própria derrota. Se houvesse tropas do lado de cima, poderiam disparar flechas, ou mesmo derrubar pedras de catapulta e animais mortos. Poderiam esmagá-los. Seria como derramar água fervente num formigueiro.

Os homens sentiam seu medo, como crianças captando a apreensão dos pais. Uma forma de quebrar a tensão nos soldados e tirar suas mentes da morte eram as canções de marcha, as trombetas rítmicas. Mas isso seria anunciar sua posição, se a Igreja ainda não soubesse. E assim ficavam mudos, cada um com suas inquietações. Até mesmo o falatório entre os homens era silenciado.

Sob o retumbar ritmado da marcha, Ganimedes ouviu um som diferente. Fez sinal, e todos souberam que era o inimigo. A percepção se espalhou coluna abaixo, como uma enchente. A primeira linha ergueu os escudos, formou a parede e se preparou para o pior.

De trás de uma formação de rochas, surgiram seis cavaleiros, suas montarias fazendo o barulho seco de cascos em pedra.

— Vejam, é o inimigo — disse o líder dos cavaleiros sob o elmo, sem alterar a voz. — São muitos. Acho que fomos capturados.

Ganimedes levou um momento, mas Penélope foi enérgica. Seus guerreiros, sob o estandarte do cão de duas cabeças, enxamearam sobre os cavaleiros, derrubaram-nos das selas e apontaram lanças. Eles se renderam sem hesitação.

Mesmo assim, Penélope não relaxou. Mandou tirarem as armaduras, revistarem os alforjes. Não duvidava de que a Igreja tivesse mandado homens doentes para contaminá-los com uma praga, ou tentado algum outro truque. Mas Ganimedes já sabia a resposta.

Quando tiraram os elmos, o líder dos cavaleiros era um nobre. O Baronete Galeus, que servira sob seu comando no cerco a Sudário do Louco. O arqueiro mandou que deixassem-no em paz, e fez uma mesura.

— General — disse o baronete.

— Estamos em lados opostos agora — disse Ganimedes. — Preferia que isso não tivesse acontecido.

O homem deu um meio sorriso.

— Bem, general, agora estou no comando de um batalhão que persegue um exército rebelde. Fui capturado pelos rebeldes em uma expedição de reconhecimento, que azar! E agora que me torturaram, não tenho escolha a não ser revelar o que sei.

Ganimedes e Penélope se entreolharam.

— Os cardeais souberam de seu ataque. A marinha foi enviada à Baía dos Órfãos. Enfrentaremos cada uma de suas forças separado. Não haverá combate em duas frentes.

— Obrigado — disse o arqueiro.

— Nunca esquecerei os interrogatórios e maldades terríveis que sofri nas mãos dos diabólicos rebeldes. Graças a Urag eles entraram em contato com meus filhos, que pagaram o resgate por mim. — Fez um gesto aos alforjes.

Os guerreiros de Penélope tinham aberto as sacolas capturadas. Estavam cheias de ouro e joias.

— Espero que isso não lhe traga problemas.

— Os mapas e pergaminhos que vocês capturaram junto comigo serão um problema para a Igreja. Uma pena que nossa emboscada na ravina tenha sido frustrada.

Os homens apenas assistiam.

— Mas minha idade é uma bênção. Se fosse um jovem palerma, poderia guardar alguma lealdade por um comandante extraordinário chamado Ganimedes, mesmo depois de uma traição. Os anos e as decepções me fizeram descartar tudo isso, e hoje em dia não tenho pudores sobre emboscar um irmão em armas.

— Verá que os rebeldes tratam muito bem seus prisioneiros, Galeus.

— Ah, mas que crueldade implacável! Com tamanha violência e dor, serei obrigado a revelar onde estão as fazendas mais vulneráveis, e qual é o caminho mais seguro para a fuga.

Sem o Baronete Galeus, mas com seus mapas e seu dinheiro, voltaram em marcha acelerada. Não havia mais espaço para meio-termo. Os que não acompanhavam eram deixados para trás. Saíram da ravina, ganharam o terreno acidentado, sempre em movimento. Mas não sabiam para onde ir.

Sudário do Louco, o Farol dos Órfãos, alguma cidadezinha infeliz que sofreria ataque, pilhagem e ocupação. Todos levavam à morte.

— Eles estão muito perto da vitória total — disse Ganimedes. — Nem atrás de muralhas durante o inverno estaremos seguros. Vão continuar mandando tropas enquanto alguém puder viajar.

Ganimedes estudara aquilo a vida inteira. Conhecia os atos da Igreja — e conhecia Derionde. Convenceriam a população a se sacrificar. Usariam menestréis, arautos, boateiros ou escritores para criar a vontade do martírio. Fariam jovens acreditarem que estariam ganhando o paraíso se morressem de frio rumo a um cerco invernal. Prometeriam toda a riqueza de Urag na outra vida, quando eles mesmos não precisassem pagar. E a população estaria disposta. A Igreja sacrificaria tantos quantos fossem necessários para esmagar a rebelião, agora que só restavam dois generais e algumas centenas de lanças.

— Vamos dissolver o exército — o arqueiro insistiu.

— Nunca.

— É provável que Atreu, D'Agostini e Pugna já estejam mortos. Não há mais sentido.

— Então que a morte deles não tenha sido inútil.

Ganimedes retesado, como uma corda prestes a disparar uma flecha.

— Muito bem — disse. — Mas a decisão é *sua*. Pense em algum lugar aonde possa nos levar. Sigo seu comando, Penélope.

Por dois dias, não trocaram palavra. O exército apenas andou às cegas, afastando-se de onde estavam, sem ponto de chegada. Alguns ficavam para trás, alguns desertavam.

No terceiro dia, um batedor não retornou.

E, no quarto, o relato da nuvem de poeira mais perto. Era uma perseguição.

O exército rebelde era menor, mas exausto. A Igreja tinha mais cavalos, mais comida, mais empenho. A vaga sombra dos perseguidores foi vista a olho nu, da coluna principal, e eles não ousavam mais enviar batedores.

— Para onde estamos indo? — disse Ganimedes.

Sem resposta.

Mais um dia, mais nitidez na proximidade do inimigo, ele não suportou:

— Se existe um lugar seguro, são as terras do seu povo. Você diz que todos morreram, mas diz que você também está morta. Leve-nos para lá. Ou faça-nos parar de fugir, e vamos morrer de pé.

Penélope apoiou-se no cabo da lança.

— Por que você acha que meu povo estaria *do nosso lado,* Ganimedes?

Ele piscou.

— Vocês são o Povo Morto. É como as nações nômades os chamam. Vocês declararam guerra a nós muito tempo atrás, ninguém lembra quando. Mas foi Derionde quem venceu a guerra. Quem nos tornou Povo Morto também.

Aquilo não estava nos livros de história, assim como a chacina na Academia também não estava. Era recente, era embelezado. Era relatado como uma vitória simples: a Igreja combatera os selvagens nômades e Penélope fora capturada, mais tarde convertendo-se e jurando lealdade à civilização e a Urag.

A verdade era mais complexa. Houvera guerra, sim, e não fora tão fácil. Os nômades tinham armas, Penélope contou. Não disse que armas eram, mas tinham armas, e também xamãs. E eram todos guerreiros — não havia mulher ou criança que não empunhasse lâmina. Eles entravam em suas bigas e montavam em seus cavalos, escondiam-se entre as árvores e bebiam os preparados de seus xamãs. Os xamãs eram raros, o que destilavam nas poções era mais raro ainda. Mas era suficiente para ferir. A Igreja tinha seu maremoto constante de metal, as multidões infinitas de gente disposta a morrer para que o companheiro ao lado derrubasse um infiel. A Igreja era uma só, e os nômades eram divididos.

Derionde fez acordos com chefes nômades. Atacavam em conjunto uma nação rival, mesmo que mais tarde fossem vítimas. As nações demoraram a se unir. Quando se uniram, era tarde demais. Houve um conselho dos chefes, mas a guerra já estava decidida.

A Igreja sangrara e os nômades também. Até que Derionde propôs a paz. Tudo que queriam, afinal, era espalhar a palavra de Urag para quem desejasse ouvir. Apenas o direito de construir igrejas, designar missionários.

Os nômades concordaram, como um só povo — o que foi sua primeira morte. O Povo Morto construiu seus prédios e deixou as portas abertas. Os membros das nações nômades se aproximaram, primeiro com desconfiança, depois viram os confortos que o antigo inimigo tinha a oferecer. Concentraram-se perto das igrejas, deixaram aos poucos a vida migratória, e isso foi a segunda morte. Ninguém precisava se converter — mas os que se convertiam recebiam comida, ouro trazido da civilização, ajuda da comunidade para construir suas próprias casas. Criou-se a coisa mais simples: vizinhanças. E a vontade humana de ter o mesmo que o vizinho fez com que mais e mais se convertessem. Afinal, qual era o mal? Só umas palavras, um batismo, um pouco de prostração às vezes.

Eles passaram a viver nas casas feitas sem a supervisão dos xamãs, construídas de coisas mortas. Usaram ouro morto para fazer adereços. E rezaram dentro de prédios mortos. Deixaram de ser o Povo Vivo, como se chamavam, e uniram-se ao Povo Morto.

Para selar a amizade, os dois lados trocaram protegidos, ou reféns. Um importante general da Igreja foi viver com os selvagens (no conselho que agora governava todas as nações nômades). E a jovem Penélope, líder de guerra em seu povo, foi acolhida no seio da Igreja, onde tornou-se general.

— Todos se converteram? — disse Ganimedes. — Não sobrou ninguém?

— Como posso saber? Sou uma de vocês agora.

— Então...

— Então, se houver alguém vivo nas nações, eu devo levar *mais* mortos, para infectar o que resta? Entenda, Ganimedes. Os rebeldes são melhores que os cardeais, mas ainda usam armas mortas, roupas mortas. O mais nobre do Povo Morto não é digno de pisar nas terras do Povo Vivo.

— Nem Atreu?

— Atreu e eu dividimos a palha algumas vezes, mas isso não muda quem ele é.

E o inimigo chegava mais perto.

Eles arrastavam os pés. A marcha era desesperada, e não havia como acender as almas. Numa tarde, a Igreja esteve tão perto que começaram a disparar flechas. Foram cravar-se longe, bem antes do final da coluna rebelde, mas a mensagem estava clara: *estamos chegando e podemos desperdiçar munição.*

Viajando noite adentro, os rebeldes conseguiram se afastar. Mas no escuro perderam muita gente. Se houvesse um caminho, teriam perdido também.

— Já tomei minha decisão, Ganimedes.

Ele esperou em silêncio.

— Vamos para as terras nômades. Reze para que os mortos de lá sejam mais piedosos que os mortos daqui.

Com um propósito, tomaram o rumo. Precisavam de algum ânimo para os espíritos, e Ganimedes puxou cânticos religiosos. Penélope não fez objeção. Era, em tudo, a última chance.

A certeza de que Deus estava ao seu lado, mesmo que a Igreja não estivesse, amenizou a dor nos pés e o ronco nos estômagos. O cansaço se traduzia em pele amarela, olheiras, dedos fracos no cabo das armas.

E ainda, atrás, o inimigo.

Penélope conduziu o exército, saindo do terreno conhecido até áreas onde Ganimedes nunca pisara. A velocidade diminuiu mais uma vez, só havia fé como combustível. Os guerreiros da Igreja chegaram mais e mais perto. Disparavam suas saraivadas de flechas, e vez por outra avançavam com os cavalos, só ficando à vista, só para mostrar seu poderio. À noite, faziam muita algazarra, acendiam grandes fogueiras, que se podia ver mesmo do acampamento rebelde. Os homens salivavam com a comida adivinhada — sempre a preferida — e a lembrança de saciedade. A Igreja dormia mais horas, mas ganhava terreno a cada dia, porque a exaustão e a inveja eram chumbo nos pés.

Então, acabou a água.

Havia rios, aquilo não era um terreno de todo seco. Mas pouco tempo para encher os cantis. O que sobrava era racionado, as gargantas gretadas e os corpos sempre doloridos. Ninguém lembrava da última vez em que Penélope ou Ganimedes tivessem bebido mais que um gole.

Chegaram perto de um bosque, passaram um velho totem em forma de cervo com duas cabeças. Estavam no território que pertencera ao Povo Vivo.

E também o inimigo. Mais perto do que nunca, um estirão levaria a uma batalha.

— O que podemos fazer, Penélope?

— Só rezar.

Amanheceram de uma noite intranquila, quase cheirando os perseguidores. Marcharam de manhã, deixando tudo para trás. Equipamentos e até mesmo armaduras, na esperança de, mais leves, chegar primeiro ao objetivo que ninguém conhecia. Não adiantou: a Igreja redobrou a marcha. Estavam descansados, enviaram os cavalos na frente e quase já se podia discernir os estandartes.

— Talvez seja hora de enfrentar — disse Ganimedes.

— Não. Agora, se já estou morta e se vou apodrecer, que seja entre os vivos.

Quase correndo, deixando corpos exauridos como uma trilha, embrenharam-se no bosque. Era aberto, árvores esparsas, permitia a passagem de um exército com tranquilidade. O inimigo veio atrás, agora já percebiam os brasões com nitidez. Ouviram trombetas, perto o bastante para compreender o sentido. Os dois generais tentaram gritar ordens, mas seus homens estavam espalhados, desordenados. Não havia salvação, não havia disciplina.

Uma clareira no bosque: ocupada por uma igreja.

O inimigo disparou suas flechas incendiárias. Os soldados rebeldes caíram como paina. As árvores prenderam fogo. O incêndio começou a rugir nas terras do Povo Vivo, tornado Povo Morto.

E o exército rebelde se desfez, virou uma turba de apavorados, em corrida desordenada.

— Foi uma honra, Penélope.

— Preciso lhe dizer algo...

Mas foram interrompidos:

— *Carga!*

A cavalaria inimiga investiu de lanças em riste, sob os vivas e trombetas dos fiéis, e transformou os homens em retalhos. O barulho do incêndio, as árvores tombando, misturou-se à gritaria agonizante, ao som enjoativo de ossos partindo.

— Deus! Deus!

A cavalaria avançou em cunha, para o grupo de guerreiros sob o cão de duas cabeças, ao redor de Penélope e Ganimedes. Eles ergueram os escudos, incapazes de formar a parede ali, tentando só matar quantos podiam.

E as chamas explodiram de cada lado dos cavaleiros.

O incêndio ganhou vida. O fogo uniu-se num único turbilhão, engolfou homens e cavalos, enegreceu seus corpos e calou seus gritos. A parede de chamas se abriu, e os rebeldes viram o chão se erguendo, num terremoto, para derrubar outro grupo. O céu foi tomado de flechas, mas a copa das árvores se fechou sobre eles, formando um escudo.

— Eles estão vivos — disse Penélope. — O ar está vivo, o chão está vivo. Os guerreiros estão vivos.

A infantaria inimiga avançou e foram recebidos pela madeira do bosque, golpeando, esmagando, quebrando armas. O incêndio então projetou-se para fora, como um batalhão e atacou os inimigos numa onda. Logo além da orla, o chão se ergueu de novo, fez uma parede de terra sólida, bloqueou os perseguidores.

— Urag!

O brado veio de um flanco, um grupo de cavaleiros respingados de sangue, partindo numa última investida contra os generais.

O ar se encheu de uivos.

Formas escuras saltaram de trás das árvores num borrão, derrubaram os cavaleiros. O sangue se ergueu em jorros, através de armaduras rasgadas. O último sacou uma espada, seu cavalo empinou e relinchou, e um uivo cobriu todo o som.

Num salto, a figura de um homem animalesco surgiu sobre o cavaleiro. Usava armadura prateada, cobrindo peito e ombros com talas, e um saiote metálico. Uma capa vermelha, detalhes dourados e sandálias amarradas tornozelo acima. Todo coberto de pelos marrons, quase negros, a cabeça de lobo com os dentes arreganhados, as garras num bote. Com um safanão, a cabeça do cavaleiro voou. O homem-lobo então estripou o cavalo com os dentes.

— É um milagre — disse Ganimedes.

— Achei que não restasse ninguém — disse Penélope. — Eram tão poucos, desde o começo! Achei que não restasse nenhum.

Silêncio. Os últimos gemidos foram calados por barulhos de animal comendo. Não havia mais fogo. Não havia mais guerra.

Os homens-lobos aproximaram-se deles. A terra se ergueu e se moldou em três pontos, revelando a forma de três homens. Uma dúzia de árvores transformou-se em gente e outros vieram da orla.

— Estes são os xamãs? — disse Ganimedes.

— Não vê o que fizeram? São guerreiros. Talvez os últimos guerreiros vivos.

O líder dos homens-lobos tomou a frente, sua armadura reluzindo e sua capa empapada de sangue. Respirou fundo e sua carne tremulou, numa imagem que deixou Ganimedes nauseado. Ele tomou a forma de um homem curtido pela idade, com um pouco de gordura sobre seus músculos. Nariz largo, pouco cabelo, porte alto e sólido.

— General Dragomir — cumprimentou Penélope.

Dragomir, general da Igreja. Há tantos anos mandado aos selvagens em troca da chefe guerreira Penélope, como protegido, como refém. Ela sentiu um inchaço no peito, um tipo de alívio agonizante. Nem tudo morria. Às vezes, alguém do Povo Morto podia adquirir vida.

— Nunca pensei que você iria me salvar — disse Penélope.

— Não salvamos você. — Dragomir cuspiu um pedaço de carne que tinha se alojado entre seus dentes. — Você só estava junto.

Ela olhou em volta. Os guerreiros, ainda exultantes depois da mudança, mantinham vigília para quaisquer inimigos remanescentes.

— Você está morta. *Ele* — apontou para Ganimedes — ainda está vivo.

6

NÃO VI O QUE ACONTECEU LÁ FORA, O QUE LEVOU A ESTARMOS tossindo e escolhendo entre morrer na fumaça ou levar uma cáfila de desesperados pelo túnel que provocaria delírio, alucinação e frenesi. Também não ouvi um relato, que é o artifício que usei para mostrar Jocasta e a juventude de Atreu. Mais uma vez, em se tratando de Benedict, vou mentir. De todos, é o que menos conheci, o que mais foi meu personagem. Se eu fosse um mentiroso sincero, apresentaria a enganação como o que é: uma de minhas peças. Atreu e Jocasta, em conflito na minha frente, eram pessoas. Benedict e Oberon, longe da minha vista, eram personagens. Nossa fumaça era real, suas tochas eram objetos cênicos.

Mas não sou tão sincero. Então aqui segue mais uma mentira sobre Benedict, o que imagino ter acontecido acima do abrigo.

Som de madeira estilhaçando ao longe. Gritos. Eram as primeiras catapultas.

Oberon apressava-se atrás de Benedict, rumo à porta de saída.

— Está bêbado? Ficou tão louco quanto aquele bispo? O que...

— Estou indo embora, lacaio — disse o Cavaleiro Imaculado.

O ruivo deu meio passo para trás. Era a última coisa que esperava ouvir. Abafado, o estouro úmido de uma pedra de catapulta atingindo o mar.

— Estamos sob cerco! — disse Oberon. — Não podemos matar todos antes que eles entrem.

— O cerco acabou. A Santa Igreja chegou, com o julgamento para todos os pecadores.

O general encrespou o rosto numa expressão confusa.

— Você não pode ter certeza disso. Esse barulho pode ser qualquer coisa.

Trancafiados no farol, não podiam enxergar as velas. Benedict deduzia os acontecimentos. Para Oberon, a dedução parecia um poder sobrenatural. O mundo transformava-se rápido demais. Difícil aceitar que não houvesse os marujos em cerco ao Farol, que a situação tivesse mudado sem que ninguém avisasse.

— O que você está ouvindo é a marinha da Igreja, suíno — disse Benedict. — Os inimigos estão correndo para proteger seus navios imundos.

Dois Cabeças de Touro saudaram os generais. Sutilmente, mais respeito ao cavaleiro.

— A frota da Igreja começou o ataque — disse um deles.

Relataram: os marujos corriam como baratas, ensandecidos sem os oficiais, rumo aos navios. O cerco fora quebrado.

— É uma latrina e um açougue, meu lorde — completou o homem. — Pedaços de carne e calças borradas espalhados no mar.

O mundo transformava-se rápido demais para Oberon. Até mesmo seus homens eram arautos da confusão.

— Como sabem disso?

Benedict cuspiu.

— Operar um farol não é difícil — disse. — Você não pensou em manter o farol aceso, mas de lá pode-se vigiar toda a baía. E agora sabemos que a vitória chegou. E eu vou embora.

Os guerreiros retiraram as travas da porta. Viu-se o primeiro brilho das flechas incendiárias. O santo fogo da Igreja, trazido por mar.

— Você tem uma última chance de ser útil e ter sua vida poupada, Oberon — disse Benedict. — Arranque a garota da masmorra e entregue-a em segurança.

A chance era Jocasta. Sempre Jocasta.

Oberon voltou-se a seus homens:

— Só há um jeito de tirar insetos do buraco. Vamos incendiar tudo.

Sua resposta costumeira era a destruição.

Abrimos a saída secreta. Atreu e D'Agostini começaram a urgir o povo rumo ao túnel. Só a porta aberta já fazia arder minhas mucosas.

Cocei a cabeça e senti um tufo de cabelo desgrudando. Os primeiros a sair foram pescadores e suas esposas, membros da corte maltrapilha de Calímaco, e logo ouvi um berro.

Três passos dentro do túnel, um homem começou a agitar os braços, espantando qualquer enxame que existisse em sua mente. Outro, logo atrás, teve um acesso de risos, dobrou o tronco, desabou no chão. Vi-o ficar róseo, vermelho, roxo. Arranhava a própria garganta em busca de ar. Uma mulher disparou em corrida túnel adentro, tropeçando nos outros dois, ergueu-se e continuou, uivando o tempo todo.

Como salvamento, aquilo era um desastre.

Atreu foi em perseguição da fugitiva, antes que se ferisse demais. Seu passo cambaleante não conseguia acompanhar a corrida certeira da loucura. D'Agostini e um de seus capitães arrastaram os outros de novo para o abrigo, conseguiram deter os risos antes que o pescador sufocasse.

Atreu voltou, segurando a mulher que se debatia. Soltou-a, teve de se apoiar numa parede.

— Eles não vão conseguir — disse.

Fechou a porta.

Ouvi um grunhido, e então a masmorra estourou em algazarra. Um dos piratas chegara-se de mansinho por trás do capitão de D'Agostini, ocupado em atender ao pescador. Enfiara uma lâmina curta e improvisada em suas costas.

O capitão virou-se com um rugido, apenas para receber a mesma lâmina no bucho. D'Agostini saltou sobre o pirata, desarmou-o e derrubou-o no chão. Os outros oficiais se espalharam num instante, em busca dos fora da lei, e os Escudos do Sol sacaram suas lâminas. D'Agostini puxou o braço, preparando o golpe de misericórdia contra o pirata e outra luta já explodira num canto atrás da multidão.

— *Chega.* — A autoridade de Jocasta cortou o ar.

— Chega! — urrou Atreu.

Os dois se olharam.

Os Escudos do Sol seguraram os dois lados. Alguns piratas que haviam encontrado Urag (ou apenas fingiam bem) ergueram as mãos. Os fanáticos de Jocasta puseram-se a apartar, o oficial que se convertera imobilizou um de seus próprios companheiros. Pugna conteve o resto.

— Ninguém vai lutar enquanto estivermos aqui — disse Atreu.

— Com mil afogados, podemos sacrificar todos esses cães raivosos sem dificuldade. Então, não teremos mais que lutar!

— Eu disse *não,* D'Agostini.

Jocasta subiu em um monte de palha:

— Todos que colaborarem com a paz e se arrependerem serão perdoados. Rebeldes, piratas ou pagãos. Todos serão bem-vindos na Igreja.

— Não vamos perdoar piratas, mocinha — disse o almirante.

— *Todos* que pedirem a mim e a Urag serão perdoados. Até mesmo você.

Pharoux já estava de joelhos na frente da Voz.

— Você não é sincero — disse Jocasta. — Volte quando buscar Urag não for conveniente.

Atreu fez um curativo no oficial esfaqueado. Com sorte, o homem iria viver. Foi até um dos piratas. Achei que D'Agostini fosse desmaiar quando viu meu amigo limpando a ferida do criminoso e procurando agulha e linha para costurá-la. Ele tentou impedir, mas Atreu só balançava a cabeça, olhos fixos na tarefa. Inútil enfrentar a vontade burra da turba, e a turba queria a Voz.

— Eis o que vamos fazer — disse Atreu, levantando-se, falando a todos. — Eu, D'Agostini e os guerreiros vamos sair pelo túnel. Vamos invadir o farol pela porta da frente. Então, quando a batalha tiver acabado, abriremos o alçapão.

— Quem nos garante que vão mesmo nos libertar? — disse Jocasta.

Atreu fechou os olhos.

— Dou minha palavra.

— Você já traiu a Igreja uma vez. Por que eu deveria confiar em você? Já matou uma Voz de Urag. Por que não mataria outra?

— Menina, isso não faz sentido. Matei Desdêmona *a mando da Igreja.*

— Ou do diabo.

Os fiéis de todos os grupos se juntaram ao redor de Jocasta, em atitude protetora. Pugna Marco Segundo sempre a um passo. Os que sabiam dos milagres de Pugna espalhavam aos outros: o imortal defendia a nova Voz. Era um sinal.

— Já falei muitas vezes — disse Jocasta. — Benedict é vil, mas isso não significa que você não seja. Talvez sejam ambos Soldados do Diabo. Podemos confiar somente no pequeno povo de Urag, por enquanto.

— *Vocês vão morrer!* — Atreu deu um berro. — Não viu o que aconteceu com esses miseráveis?

Jocasta sorriu de leve, uma pequena expressão de vitória. E tinha certa razão. Atreu, lutando para libertar o povo. Atreu, enfrentando Deus e os cardeais, para abrir os olhos dos plebeus. Mas também Atreu, criado num castelo, nas letras e nas luzes, cheio de conhecimento acima dos mais altos nobres. Atreu, chamado de santo e demônio, herói ou monstro, mas nunca de homem comum. Atreu, ao lado do povo, não deixava de sentir pena, ser condescendente, desprezá-los um pouco. O povo pertencia a Jocasta, não a Atreu.

— Eu cresci com criadores de porcos, Soldado do Diabo — disse Jocasta. — Posso ver que não é um deles. Não é um de *nós.* Seu passado é uma mentira, você nunca foi o Guerreiro do Povo. Não confio em você. Vamos todos juntos.

Atreu abriu a boca, sabendo que perdia lealdades. Mas então sentimos o cheiro.

— Alguém deixou um peixe queimando? — disse o bispo.

O cheiro e depois o cinza. A fumaça começou a entrar pelas frestas no alçapão. Lenta, mas inexorável. Notei que o abrigo estava ainda mais quente. Além do ajuntamento de corpos, um calor que permeava as paredes. E a fumaça. Haviam posto fogo na construção acima de nós. Era o estilo de Oberon.

— Você ganhou, menina — disse Atreu. — Não temos opção.

A opção seria deixá-los morrer e isso não era uma opção de Atreu.

— Cordas! — ele disse. — Todas as cordas que conseguirem. E rasguem as roupas, façam tiras de pano. Vamos amarrar todos uns aos outros, imobilizar quem pudermos.

Os Escudos do Sol e marujos puseram-se à tarefa. Logo, atavam um pescador que se oferecera.

A fumaça escapava para baixo em velocidade cada vez maior, já formando uma textura de algodão sujo.

— Não precisamos disso. — Jocasta tocou o pulso de Atreu, que deu um repelão involuntário.

— Estou tentando salvá-los — sem força para desperdiçar naquilo.

— Não vai conseguir amarrar todos a tempo. E como vocês vão arrastar tantas pessoas? Nunca vai funcionar.

Atreu ia falar algo, mas deteve-se. Olhou fundo naqueles olhos enormes e castanhos, sob as sobrancelhas sempre arqueadas de entusiasmo, preocupação ou ira. Não eram os olhos mortiços de um fanático, fechados por tanto tempo que esqueciam como enxergar. Atreu quase descartava todos os crentes, como tolos ou idiotas. Mas, entre os devotos, havia Ganimedes e Jocasta. Impossível descartá-los.

— O que fazer então, menina?

— Esqueça as cordas. Deixe Deus guiá-los.

Ele teve de rir. Sim, ela *era* igual a todos os outros. Uma garota dentro de uma caixa.

— Deixe-me tentar! — falou a Voz. — Sei que vai dar certo. Eu e Deus podemos levar todos para a segurança.

Fumaça.

— Digamos que você *não* seja milagrosa. — Atreu fez uma última tentativa. — Mesmo assim funcionaria?

— Eu *sou* milagrosa.

— E se não fosse?

Pausa.

— Funcionaria.

— Então vá em frente.

O ar já estava todo áspero, difícil encontrar um bolsão limpo. Eu tossia muito. Vi, através de uma cortina de fuligem, Calímaco escutando, muito interessado, algo que Pharoux dizia. Fui me aproximar, mas a Voz de Urag interrompeu com mais um discurso.

— O caminho à frente é traiçoeiro — disse ela. — E qual caminho não é? Os que estão comigo desde o início sabem que a estrada até Urag passou por uma Voz falsa, pelo pecado e pela morte. Esta provação não é diferente.

Tossiu, esganiçou um momento ao forçar as cordas vocais.

— O túnel que vamos atravessar é impregnado de uma energia misteriosa. E só existem duas fontes para algo como isso. Deus ou o diabo!

Foi assustador para muitos.

— O diabo não tem poder sobre os devotos. Então só pode ser o poder de Urag. Vocês sentirão dor. Verão coisas fantasmagóricas. Terão reações incontroláveis. Porque a presença de Deus é forte demais para nós! Ninguém está preparado. Devemos aceitar nossa incapacidade, nossa impotência frente a Ele.

Ela sorriu.

— Só peço uma coisa. Fechem os olhos e deem-se as mãos. As visões assustadoras não vão desaparecer. Mas vocês devem ignorá-las. São fruto de suas mentes, que não conseguem aceitar a divindade. Deem-se as mãos e sigam na mesma direção que seus irmãos. Só isso.

Os fiéis começaram a se organizar, dedos apertando dedos. Um cântico surgiu em meio à tosse. Primeiro tímido, depois ganhando força, à medida que conquistou gargantas. Jocasta se uniu à cantoria. Fez sinal para que a porta fosse aberta e Pugna obedeceu. Ela fechou os olhos, encabeçou a fila.

E andou.

Logo ouvi o primeiro berro. E uma gargalhada. Mas o hino religioso continuava. As pessoas cambaleavam, não sabiam para onde andar. Mas bastava seguir o irmão da frente, que seguia o irmão da frente, que seguia Jocasta. Eles gritavam a canção, num êxtase pleno de felicidade. Ignoravam o que estava ao redor, o que estava em suas mentes. Era a religião: o poder de ignorar.

— Vá com eles, Iago — disse Atreu.

— Não sou um deles. Sou um de vocês.

— Agora nós vamos matar. Não é o seu ofício.

Tossi. Atreu: estudioso, sábio, médico, artista. Conhecedor da música, hábil na matemática, versado na história de nossa terra. Ator durante a guerra civil, dramaturgo na juventude selvagem. Seu ofício era matar. Em outro tempo, em outra terra, sob outro deus, o que teria sido? Qual seria sua escolha? Tossi.

— Então prometa algo — falei. — Apenas mate. Não morra.

— Nem você. Já perdi amigos suficientes.

Abraçou-me, senti as velhas costelas doerem.

Corri para alcançar o último da fila. Agarrei-lhe a mão, no instante em que a primeira quimera surgiu em minha vista. Ele cantava com entusiasmo, rosto cinzento cortado de lágrimas. Eu não precisava de um cântico em nome de algo em que não acreditava.

Mas vi serpentes se enroscando em minhas pernas e fechei os olhos.

O cântico preenchia o túnel. Todos estavam tão empenhados, tão *juntos* naquilo. Um arrepio subiu-me a espinha. O hino reverberando nas paredes. Atrás das minhas pálpebras, mãos de muitos dedos tentavam tocar meu rosto. Senti os lábios secando, ficando gretados. Precisava distrair minha mente, concentrar-me na mão que eu segurava. Um bando de vespas com rostos humanos. Quis afastá-las, mas o desconhecido à frente não deixou, agarrou minha mão com força.

Estavam tão satisfeitos, cantando!

A época anterior, de Pugna Marco Terceiro, de Ashcroft e Azabeth, surgiu num relâmpago, em meio aos horrores. Achei ouvir a música da Diva, mas lembrei que a canção era outra.

Eu precisava de algo para me focar, para tirar da minha frente as alucinações. Apenas por isso, disse a mim mesmo. Apenas por isso vou cantar também. Repeti a mim mesmo que não acreditava. Juntei a minha voz, senti um êxtase, meu coração bateu forte porque eu fazia parte da multidão, unida numa mesma ideia.

Será minha vergonha para sempre — mas ali conheci os encantos da conformidade. Troquei minha mente por um delicioso cabresto. Entendi porque nada — nem lâminas nem fome e nem minério divino — podem abalar os que abrem mão de si mesmos. Eles se entregam a um poder maior, dependem de qualquer coisa que venha de fora. A sensação de impotência era maravilhosa.

Pugna Marco Segundo não era mais um rebelde. Seguira com a Voz, chamando-a de rainha. Restavam só os Escudos do Sol e Atreu e D'Agostini, sozinhos, no abrigo inundado de fumaça. O ar com textura de lixa.

— E agora? — disse o almirante.

— Seguir pelo túnel ou forçar o alçapão.

Ouviram um som de arrastar.

— Saia daí, vadia de Urag! — rugiu Oberon, lá de cima.

A decisão fora tirada deles. Viram as dobradiças girando.

— Você é teimosa, sua putinha! — disse Oberon.

O alçapão estava aberto. Não sobrava nada entre os rebeldes e os soldados do traidor.

— Venha aqui! Ninguém quer uma santa bem-passada.

Mas, na escada de mão, o que surgiu foi o sorriso lupino de Atreu.

— Veja, Oberon. É um milagre.

7

ESTRANHO COMO ESCULPIMOS TANTOS DESTINOS NAQUELE DIA, no Farol dos Órfãos. Eu não conhecia aquele porto discreto, aquela fortaleza de um bispo louco, aquela masmorra que fora abrigo de rainhas. Mas tornaram-se as coisas mais importantes da minha vida, da vida de muita gente.

Foi onde construímos o mundo.

Oberon fez força, quis empurrar o alçapão de novo, trancar Atreu lá dentro, mas meu amigo enfiou uma adaga entre as dobradiças. A portinhola emperrou e ele deu um salto felino, rolando no chão da fortaleza.

O farol estava em chamas. Era a melhor ideia de que Oberon era capaz: incendiar tudo, mesmo que ele ainda estivesse dentro. Porque, em sua cabeça, nunca morreria num incêndio. Quem morria eram os outros. Uma alegre destruição servia-lhe bem, era um prazer adicional, no meio das obrigações. As colunas de madeira que sustentavam o teto ardiam, a estrutura toda já estalava. O ambiente estava cheio de fumaça, como um véu áspero. O ruivo suava em borbotões. Seu peito nu, coberto de músculos, gordura e pele flácida, era tingido de rosa e cinzento. Num relance, Atreu examinou tudo em volta, e os Cabeças de Touro estavam prontos, machados e espadas na mão, num semicírculo em volta da abertura. Esperavam arrastar uma menina, mas surgira um alvo mais difícil.

— O que está fazendo aqui? — Foi o que Oberon conseguiu formular.

— Matando você — disse Atreu.

E atacou.

Sacou a espada num movimento rápido demais para enxergar, fez um arco largo, um corte longo e raso no peito de Oberon. O ruivo cambaleou para trás, no instinto de evitar o golpe, e era isso que Atreu queria; deu-lhe tempo de puxar o escudo.

Eu vira Atreu lutando em Sudário do Louco, mas aquela era sua fúria real. Causava medo imaginar que ele, racional e contemplativo, possuísse aquele ódio animalesco, a gana de soldado. Naquele momento, Atreu era só um guerreiro, um assassino, e Oberon era só um inimigo.

Os guerreiros da cabeça de touro não precisaram de ordem para atacar. Fecharam o semicírculo em Atreu, ao mesmo tempo, lâminas em punho. Ele dobrou os joelhos e se abaixou, ergueu seu escudo, bloqueando uma espada curta e um machado. Os impactos empurraram seu braço para baixo. Bloqueou duas outras armas com sua lâmina, mas uma estocada encontrou suas costas, perfurando a armadura de couro e arrancando um grunhido. O general recolheu a espada, viu as lâminas quase roçando em sua fronte, estendeu o braço e perfurou uma virilha. O homem rugiu, Atreu girou sobre um pé e golpeou com a outra perna atrás de um joelho, derrubando outro guerreiro. Num instante, havia uma brecha, ele se ergueu e saltou, rolou sobre o escudo e ficou de costas para uma parede em chamas.

— Por que me obrigou a fazer isso, Atreu? — disse Oberon. — Eu era seu amigo. Por que me fez matá-lo?

— Este é o seu problema, Oberon. Quando é hora de palavras, só sabe lutar. E agora quer falar. Mas é hora de sangue.

Dois Escudos do Sol haviam surgido pelo alçapão e atacaram os guerreiros de Oberon por trás, antes que estivessem preparados. Uma estocada curta na base das costas partiu a espinha de um deles, o homem emitiu um berro de dar pena e caiu. O outro bateu com a lâmina no pescoço do inimigo, mas atingiu um torque de metal que ele usava. A arma resvalou e o Cabeça de Touro virou-se para encará-lo.

— Esqueçam os soldadinhos! — disse o general ruivo. — Matem Atreu!

Quatro homens obedeceram. Correram lado a lado, gritando e de armas erguidas. Atreu recuou um passo, quase tocando as chamas atrás de si, estendeu um pé e chutou um pedaço de madeira comprido, coberto de fogo, solto no chão. Quando o objeto estava no ar, Atreu chutou de novo e a coisa voou para o rosto de um dos inimigos. Atingiu-o em cheio, o homem levou as mãos aos olhos, seu cabelo incendiou.

Atreu girou o corpo, tomou o lugar do atacante que agora se debatia, ao lado dos outros três. Um deles tinha um machado duplo erguido, pronto para um golpe monumental, os dois braços estendidos acima da cabeça. Atreu estocou na axila desprotegida, enterrou a espada fundo e a torceu. O machado caiu, Atreu empurrou o homem contra os outros dois, afundando ainda mais o metal em sua carne, abalroou-os. Um deles tropeçou e caiu, os outros dois continuaram de pé. Atreu firmou a bota contra o peito do inimigo, fez força e puxou a espada, que se desgrudou com um som nauseabundo de coisa molhada. Deu-lhe um encontrão com o escudo e o sujeito bateu de cara contra as chamas. O último girou um machado, certeiro em direção de sua cabeça, Atreu se abaixou e evitou o golpe.

Oberon puxou seu próprio machado, encharcado de sangue, do cadáver de um dos Escudos do Sol. Na outra mão, o martelo de guerra, com pedaços de crânio e miolos grudados. Os soldados rebeldes tentavam sair da masmorra, mas o ruivo e seus guerreiros haviam se debruçado sobre o alçapão, golpeando o que vissem.

— Chegou a hora do açougue para os seus frangotes, Atreu! Aposto que cada morte faz você chorar.

Ainda abaixado, Atreu levantou de repente, espada em riste, enterrando-a no bucho de um inimigo. Tamanha a força, a ponta rompeu a cota de malha, o metal se alojou ao longo do tronco do homem. Seus dedos amoleceram e ele soltou o machado. Atreu pegou a arma no ar e a arremessou, atingindo a nuca de um Cabeça de Touro de tocaia no alçapão.

Um som horrendo anunciou a ruína da fortaleza. Mil estalos e o estilhaçar de madeira. Uma viga do teto desabou, chovendo farpas e fagulhas por tudo. Soterrou um dos Cabeças de Touro feridos e Atreu pulou para evitar o destroço.

Oberon correu, machado e martelo em punho contra o general rebelde. Atreu estava desarmado, equilibrando-se do salto, e o ruivo desceu as duas armas em seu ombro.

Emergimos do pesadelo.

Estávamos no meio da trilha pedregosa, ainda perto do Farol dos Órfãos. Mas, provavelmente, fora do alcance da luta que rugia lá embaixo. As alucinações do túnel me assombravam, e também as marcas de queimadura em meus braços, a sensação de ardência nos olhos e sob a língua. Vi os fiéis de Jocasta prostrados no chão, derramados sobre as pedras. Alguns sangravam pelos ouvidos ou narizes, outros tinham manchas compridas, altas e vermelhas no rosto. Pelo menos um cuspiu dentes.

Jocasta ofegava, com a mão sobre o peito. Tentava falar algo. Vi que uma de suas unhas se desprendera, mas ela escondeu os dedos e não deu importância. O Bispo Calímaco, Pharoux e sua tripulação de criminosos, todos recuperando-se da experiência e o que julgavam ser o contato mais direto com Deus. O urso dançarino fora sacrificado pelo choroso menestrel. Pugna, ao lado de Jocasta, sustentou-a com a mão, embora ele mesmo tivesse dificuldade para se manter de pé.

— Não estamos salvos! — disse a Voz. — Apenas em Ruiturus vamos ter segurança. Precisamos da Igreja.

Acompanhei o olhar de todos e vi a cena no vilarejo. Poderíamos sair despercebidos, se ficássemos quietos. Seria necessário escalar boa parte do paredão, mas parecia melhor do que enfrentar o que ocorria no centro de tudo.

As chamas altas escalavam a torre do farol e lambiam o céu. A frota da Igreja já estava perto, em distância de batalha, e disparava catapultas e saraivadas de flechas. Diversas naus rebeldes ardiam, e o ataque estendia-se além dos navios. Os pedregulhos atingiam casebres do povoado e até o próprio farol, embora Oberon estivesse lá. Os guerreiros de D'Agostini corriam para o mar, para seus botes, na tentativa de chegar aos navios. Os soldados da Igreja usavam seus próprios botes para desembarcar, encontrando os rebeldes nos píeres, na água rasa.

— Santidade, seja piedosa — choramingou alguém.

— A piedade não é minha. O inimigo não é piedoso! Aqui estamos à mercê de Benedict, dos rebeldes, do fogo e dos falsos soldados de Urag. Precisamos chegar aos navios, ou a jornada nunca vai acabar.

— Urag fala por Sua Santidade! — disse o Bispo Calímaco, para minha surpresa. Parecia muito satisfeito em voltar até lá.

De repente, Pugna agarrou o cabo de sua espada. Trilha acima, bloqueando a passagem para longe da baía, estava Benedict. Junto dele, um grupo de soldados e Cabeças de Touro. Nossa escolha era passar por eles ou fugir rumo aos navios.

Corremos para o fogo e os gritos.

A lâmina se enterrou fundo no ombro de Atreu, enquanto a cabeça rombuda do martelo fez o osso trincar. Suas pernas cederam. Oberon puxou o machado e ergueu-o para um golpe final. Meu amigo levantou o escudo, bloqueou o metal, sentiu o braço estremecer.

— O que me diz agora? — berrou Oberon. — Aonde sua baboseira levou, pederasta empolado? Desafiou seu amigo, e agora vai chupar o pau do demônio por toda a eternidade!

O machado cortou o ar fumarento como uma avalanche. Atreu rolou para o lado, o impacto quebrou a pedra do chão. Um dos Cabeças de Touro atacou-o por trás, Atreu agarrou o pulso do homem, ainda de costas, torceu-o e ele largou a espada. O general então segurou a arma, a tempo de aparar o martelo.

— Eu deveria saber desde o início — disse o ruivo. — Nenhum bostinha do Instituto de Urag é homem de verdade. Devia ter matado você em sua primeira missão, garoto. Seria melhor para todos nós.

— Mas você está obedecendo a um bostinha do Instituto, não é? Você agora é a prostituta de Benedict.

Oberon urrou e golpeou de novo, girando o machado num arco horizontal. Atreu dançou para o lado, evitando o golpe, mas Oberon moveu-se como um relâmpago, numa pancada curta e o atingiu no rosto com o martelo. O nariz de Atreu se espatifou, ele ficou cego por um instante, Oberon chutou seu joelho de cima para baixo.

A perna de Atreu fraquejou, o machado surgiu de novo, zunindo rumo à sua têmpora. Ele ergueu a espada para bloquear e a lâmina se partiu com a força do golpe. Mas também conseguiu desviá-lo e apenas a madeira do cabo o atingiu.

Em volta do alçapão, um dos Cabeças de Touro grunhiu, uma lâmina fina e comprida brotando em sua nuca.

— Alcouceiros e sifilíticos! — rugiu D'Agostini. — Vou limpá-los como peixes!

O almirante puxou o sabre, estendeu ambas as mãos para fora do alçapão. Com a espada fina e uma adaga, aparou lâminas dos dois lados, usou os braços para impulsionar-se para fora, deu um salto acrobático pela abertura.

— Quer ajuda com o suíno, Atreu?

— Este é o nosso duelo — rosnou meu amigo. — Ele vai aprender a respeitar regras.

Então, D'Agostini investiu contra os Cabeças de Touro. Dobrou o corpo, evitando uma espada e perfurou um bucho, puxando o sabre para rasgar a pele e espalhar as tripas. Cortou um supercílio com a adaga, o sangue inundou a vista do inimigo, o sabre atravessou sua garganta. Dois vieram em ataques selvagens, machados subindo e descendo como um estouro de manada. D'Agostini saltitou para trás, num passo elegante de esgrimista, cortou o pulso de um deles, fazendo-o derrubar a arma.

Arremessou a adaga no outro, atingindo-o na bochecha e avançou como um raio, perfurando a coxa. Quando puxou o sabre, o ferimento esguichou sangue com força, indo estalar nas chamas, o homem caiu em instantes e o bigodudo recuperou a adaga. O primeiro voltou a atacar, segurando o machado com a mão esquerda, mas o movimento era desajeitado. D'Agostini evitou-o com facilidade e cravou-lhe a adaga no olho.

Espada quebrada, Atreu procurou algo para ferir. Agarrou um pedaço de madeira em chamas, saltou de pé, brandiu a coisa como uma arma.

— Você e Benedict são iguais — disse Oberon. — Pouco importa a quem obedecer. De qualquer forma, vou ouvir um moleque arrogante e, talvez, um bando de velhos fanáticos. Que seja então num palácio, e não dormindo com os cavalos.

— Você não será mais general da Igreja, Oberon. Acha que Benedict vai cumprir a palavra? Acha que os cardeais querem um touro raivoso?

— Eu vou pegar a menina! Eles precisam de mim!

— A garota louca não está mais aqui. Somos apenas nós dois e este inferno que você criou.

Atacou-o com o pedaço de madeira, enfiando a ponta em brasa bem no seu rosto.

Uma pedra de catapulta zuniu sobre mim, indo destroçar um casebre logo atrás. A água salobra se espalhou como uma chuva, senti milhares de estilhaços de madeira atingindo-me nas costas. A gritaria tornava o mundo incompreensível, olhei para trás numa fascinação mórbida com o projétil que quase me atingira, tropecei em algo. Despenquei com o rosto na água, ergui-me para ver que o obstáculo era um cadáver. O mar estava róseo em volta, era uma mulher cravejada de flechas.

Algum som retumbante e trêmulo preencheu o ar, eu não sabia o que era.

Os fiéis de Jocasta passaram correndo por mim, ouvi uma trombeta ao longe. Eu já conhecia o sinal, joguei-me no chão alagado de novo, puxei o cadáver para me proteger. Flechas. Uma nova saraivada nasceu dos navios da Igreja, encontrou as velas rebeldes e também o Farol dos Órfãos. Vi hereges, piratas, membros da corte do bispo despencando sob a chuva afiada. A morta sobre mim foi atingida por mais duas setas, mas acho que não se importou.

Mais à frente, os guerreiros de mar e terra enxamearam sobre um bote levando homens da Igreja. Eles ergueram lanças, enfiaram-nas nos estômagos dos marujos e foram atingidos por sabres e cutelos. Alguns dos homens de D'Agostini agarraram as amuradas do bote e o viraram, derrubando os inimigos no mar. Assim, espalhados, foram como peixes em um barril e os marujos retalharam-nos com selvageria.

Mas outros botes chegavam por toda a baía. Os navios da Igreja não eram apenas marinha. Eram transportes de tropas. Estavam cheios de soldados que corriam pelo vilarejo enquanto seus companheiros faziam chover flechas incendiárias e pedras. Vi um deles morrer pelo fogo amigo, mas acho que estava convencido de sua entrada no paraíso.

Os marujos de D'Agostini quase chegavam aos navios. Enxerguei dois botes, remando à toda velocidade, protegidos por escudos. E, também, havia muitos nadando, sem opção, tentando qualquer coisa para chegar ao objetivo. Acima de tudo, a frota rebelde não podia queimar, não podia ser capturada.

E, então, a Igreja despejou seu óleo.

Eu não sabia o que era, embora Atreu depois tenha me explicado. Uma mistura espessa e perigosa, que gruda na pele e não se apaga com a água. Cobriu extensões de mar, em traçados sinuosos, respingou sobre os nadadores. A Igreja então disparou no mar suas flechas incendiárias, e o óleo segurou o fogo.

Era a visão do inferno. O mar em chamas, os marujos morrendo queimados enquanto tentavam nadar. Os botes manobrando para evitar os trechos incendiados, ondas jogando fogo sobre as naus. Um dos navios rebeldes foi cercado pelo óleo, pelo incêndio e logo começou a arder também. Meros respingos da substância encontravam fagulhas de outra parte e iniciavam novos focos. Quando notei, já eram três navios engolfados nas chamas e outros que começavam a morrer.

— Venha para mim, Jocasta. — Ouvi as palavras límpidas, num tom melodioso.

Benedict não parecia temer coisa alguma. Estava bem atrás de nós, sobre uma plataforma, entre dois casebres. As chamas não podiam tocá-lo, as catapultas hesitavam frente a ele. Liderava cerca de vinte — alguns Cabeças de Touro, o restante, soldados desembarcados. Estendeu a mão para a Voz de Urag.

— Não vou mais ouvir suas mentiras, Benedict. Vamos chegar sozinhos a Ruiturus. E então vou condená-lo à fogueira.

— Estamos do mesmo lado. Vou levá-la à capital.

— Você quer glória para si mesmo.

— Chega de conversa. Matem os mendigos, prendam a garota.

Eles correram, e num instante havia alguém sobre mim. O ar à volta rugia — com chamas, com o impacto das pedras, com o mundo transbordando horror, e por isso não ouvi o que ele berrava. Bateu em meu rosto com o escudo, senti o lábio inferior rasgar contra os dentes, caí sentado. Era um soldado comum, rosto muito jovem transfigurado pelo ódio e pela fé.

Ergueu a espada e a desceu rumo à minha cabeça. Não sei por quê, mas me atirei contra ele, abracei sua cintura. O homem perdeu o equilíbrio, caiu para trás, estirado no chão. Eu berrava sem palavras, montei sobre ele em fúria. Fechei o punho e o esmurrei. Os dentes cortaram a pele das minhas juntas, e achei que não fazia efeito. Segurei então seu pescoço, enfiei os polegares em sua garganta, sabendo que era inútil, a qualquer momento ele iria me golpear com a espada nas costas, eu estaria morto.

Mas ele ficou rosado, depois vermelho. Esperei o desenrolar natural, mal ousando olhar para trás, ver a razão de ainda estar vivo. Fiquei fixando seu rosto. Os olhos arregalados, a língua foi se projetando para fora. Ele tentou chamar por sua mãe. Vi então a vida se esvair aos poucos, sob os meus dedos. Ele tremeu um pouco, esperneou. Estava morto.

Uma pedra de catapulta despencou a poucos metros de mim, afogando-me em água salobra e lodo.

O nariz de Oberon partiu sob o impacto da madeira, as chamas o cegaram. Ele não largou o machado e o martelo, seu corpo de manada era resistente demais para fraquejar. Mas parou por um momento. Atreu encontrou a primeira espada e apanhou-a do chão. Àquela altura, tudo que era de metal estava quente, feria ao toque, eles suavam, e os olhos não conseguiam ficar limpos de tanta fumaça.

Um dos Cabeças de Touro fez menção de atacar Atreu, antes que ele pudesse aproveitar a distração do ruivo, mas D'Agostini exigiu sua atenção com o sabre. O bigodudo enfrentava vários ao mesmo tempo, dançando ao seu redor, ficando de costas para o fogo, esgrimando com as duas armas e mantendo as lâminas inimigas à distância. Enquanto isso, os Escudos do Sol e oficiais do mar emergiram do abrigo e já não havia mais chance de um massacre.

— Leve seus homens para fora! — gritou Atreu para o almirante.

D'Agostini evitou a lâmina de um machado, seu rosto foi respingado de sangue quando um dos Escudos do Sol rachou o crânio de um inimigo.

Oberon, mesmo sem enxergar, investiu contra o som da voz, o martelo passou a um centímetro. Atreu recuava, procurava algo dentro da construção em chamas.

— Quer que mate mais alguns? — disse D'Agostini.

— Salve a frota!

O almirante deu um comando, liderou seus oficiais através do fogo e fumaça, através dos inimigos, para a porta da frente. Os Escudos do Sol fizeram uma parede, defendendo-os do ataque dos guerreiros de Oberon. A entrada do farol era uma cortina de chamas, mas eles conseguiram quebrar a porta com uma viga que desabara. As faíscas banharam todos e os marujos ganharam a baía.

No mesmo instante, um pedregulho atingiu a torre do farol. O interior estremeceu, mais uma coluna se partiu, enviando uma onda de fogo por todos os lados. Parte do teto de madeira e tijolos desabou sobre os Escudos do Sol, quebrando a parede de escudos e soterrando dois. Os Cabeças de Touro aproveitaram a brecha e atacaram, concentraram-se em um dos soldados, dilaceraram seu pescoço.

Atreu dançava com as chamas, pelos corredores da fortaleza, Oberon logo atrás. É o fascínio e a superstição falando, mas aquele homem parecia mais fera do que gente. Não enxergava, cego pela dor e pelo fogo, as chamas consumiam seus cabelos ruivos, mas perseguia Atreu como se pelo cheiro, por um sentido animalesco que os humanos não têm. Cada golpe selvagem fazia uma rachadura nas paredes, levava o farol mais para perto do colapso total.

Então, Atreu achou o que procurava. A cozinha.

Sobre uma prateleira, dois jarros de cerâmica, enormes, com pescoços finos brotando dos bojos arredondados. Oberon apareceu naquele ambiente minúsculo, berrando impropérios, e Atreu arremessou os dois objetos contra ele. Partiram-se em mil pedaços. O óleo cobriu o traidor. As chamas de seus cabelos espalharam-se pelo corpo todo, Oberon tornou-se uma criatura de incêndio.

— Você está me matando, seu filho da puta!

Ergueu o machado e atacou.

Ergui-me do cadáver de meu jovem inimigo, zonzo, com o nariz e a garganta ardendo de toda a água salgada e lodo que eu engolira. O chão oscilava sob os meus pés. Não havia mais lados, todos os combatentes estavam misturados. Guerreiros da Igreja no meio dos hereges, cortando seus membros. Aldeões e piratas correndo pelas plataformas de madeira, entrando e saindo das casas sobre palafitas.

Ouvi o zumbido das flechas, olhei em volta por proteção, mas era tarde. Senti a fisgada tremenda, uma dor que se espalhou no tronco inteiro, nas juntas. Fui arremessado para a frente, pois uma seta cravara-se em minha omoplata.

Outra pedra de catapulta explodiu o chão a alguns metros. O barulho ensurdecedor virara uma massa indistinta. Eu imaginava de onde vinham os enormes rangidos, como se Urag estivesse arrancando a baía da terra, decidindo que aquele caos era demasiado. Devia ser o farol rachando, ponderei estupidamente.

— Para trás, Benedict! — gritou Jocasta. — Urag vai puni-lo.

Os soldados da Igreja chapinhavam no mar tingido de sangue, água até as canelas, pisoteavam cadáveres recém-fabricados. O povo de Jocasta havia se espalhado, restavam com ela uns poucos, mas defendia-os como Urag mandara. Pugna Marco Segundo brandia sua espada imensa contra os inimigos, prestando muita atenção a cada passo de recuo.

— Nós queremos a mesma coisa — disse o Cavaleiro Imaculado. — Não seja teimosa, vou levá-la a um navio.

— Você é um falso apóstolo, mas eu não sou uma falsa profetisa. O guardião da Voz está comigo. Os homens vão jogá-lo ao mar, se ousar pisar em uma de *minhas* naus.

— Deve haver outra vadia bonitinha aqui que possa ser a Voz.

Os soldados investiram. Jocasta tentou gritar que seus fiéis corressem, mas a devoção era grande demais para obedecer. Alguns haviam conhecido-a há poucos dias, mas jogaram-se em sua frente, no caminho das lâminas, com o mesmo fervor.

Pugna empurrou-a para trás, Jocasta por pouco não tropeçou. Subiu em uma plataforma, um píer curto semidestruído. Alguns dos seus conseguiram chegar lá também, acossados pelos soldados.

Pugna Marco Segundo manteve sua expressão esquisita, retorcida, mas impassível, quando investiu contra Benedict. A espada imensa cortou o ar, o cavaleiro aparou com sua própria lâmina garbosa. O impacto foi tremendo, fez vibrar o corpo inteiro de Benedict e reverberou em sua armadura. Os soldados da Igreja moveram-se para cercar o general rebelde. Golpearam seu peito, seus ombros, sua cabeça, rasgando a casaca e arrancando sangue, mas sem conseguir reação. Pugna olhou em volta muito deliberadamente, demorando um tempo enorme para compreender o que se passava, e então mais vários momentos preciosos para posicionar a espada.

Um enorme pedregulho atingiu uma plataforma a dez metros, esmagando rebeldes e soldados de Urag.

Pugna descreveu o arco com sua espada, sob a chuva de golpes. Partiu em dois o corpo do primeiro soldado, estraçalhou o esterno do segundo, rasgou o estômago do terceiro. Deteve-se no quarto, decepando seu braço e enfiando a lâmina entre suas costelas. Um momento para pensar, outro para se equilibrar, e ergueu a arma sobre a cabeça, olhos em Benedict.

— A vida por Nungaland! — entoou Pugna, em uma voz desafinada.

— O que é você, seu monstro? — disse Benedict.

O golpe de espada o errou por pouco. Benedict gritou por Deus! Pela Igreja! e seus homens não hesitaram em morrer para defender o escolhido. Com a mesma fé dos devotos de Jocasta, fizeram uma parede — não de escudos, mas de corpos. Pugna acertou a lâmina na clavícula de um deles, continuou o golpe, rasgando seu tronco até a virilha, fazendo o homem em dois.

Vi a sombra de mais uma pedra de catapulta.

Pugna recuperava o equilíbrio, quando Benedict olhou para cima e saltou.

Com os braços esticados, abalroou Pugna, fez com que caísse no mar raso. O cavaleiro ergueu-se de um salto, correu para longe, sem a menor dignidade de santo. O bizarro general tentava se erguer, quando a sombra o cobriu. A pedra de catapulta atingiu-o de raspão, fez seu corpo girar, ele caiu de joelhos no barro.

Benedict subiu em uma plataforma. Imaginei o que era aquele rangido trêmulo. Os soldados chapinharam no mar em direção a Jocasta e os fiéis. Um cheiro esquisito, me lembrava algo, eu não sabia o quê.

— Entregue-se, Jocasta. Quem está matando essa gente é você.

Ela olhou para os soldados:

— Nem mais um passo! Urag irá puni-los!

Pugna se erguia, quase traindo a urgência da dificuldade de se mover. Os olhos de Jocasta ficaram brancos. Ela começou a estremecer, primeiro uma perna, depois o resto do corpo. Espuma branca transbordando dos lábios. Sua boca emitiu um jorro curto de sílabas desconexas, depois outro. E então uma enxurrada de glossolalia. Os soldados avançaram.

E um relâmpago caiu dos céus. Atingiu o mar raso, a metros dos soldados da Igreja. A água transportou a fúria de Urag para os inimigos de Jocasta, enquanto seu povo estava em segurança, sobre o píer. Eles caíram fumegando.

O homem em chamas desceu o machado sobre Atreu. Ele se jogou para o lado, a arma encontrou a parede da cozinha, destroçou uma prateleira cheia de cerâmicas e utensílios, quebrou outro pote de óleo que foi se derramar em Oberon também. Atreu tentou estocar o monstro, mas um descuido fez com que tocasse o guarda-mão de sua espada, que o queimou e fez seus dedos se abrirem. O ambiente era minúsculo, o fogo cobria tudo e Oberon não fazia menção de parar.

O machado zuniu de novo, Atreu rolou por baixo — mas, sem alternativa, sobre as chamas. Seus longos cabelos loiros incendiaram. De novo, a parede sofreu o golpe, Oberon insistiu. Atreu ergueu o escudo, conseguiu bloquear, mas a madeira se partiu, o sol pintado dividido em dois. Então derrubou outra prateleira sobre Oberon. Madeira, vidro, tudo quebrando contra o ruivo em chamas, estilhaços enterrando-se em sua pele, mas ele não desacelerava.

— Eu fui seu amigo, moleque arrogante! Eu lhe dei seu estandarte!

Um novo golpe imenso, Atreu mal conseguiu se deixar cair para evitá-lo, os cabelos em fogo. A lâmina do machado de novo na parede, na mesma rachadura. A parede quebrou, o farol tremeu de novo.

— Por quê, Atreu? Por quê?

— Você é burro. Gente burra causa a morte.

O ruivo investiu mais uma vez, a parede estourou para fora, o farol começou a desmoronar. Oberon pulou para o ar livre, correndo sobre a pedra que formava o abrigo, brandindo machado e martelo para todos os lados. Atreu saltou para fora, pulou na água e deixou o mar apagar suas chamas. O farol desabou, a queda enviou faíscas por toda a baía. Achei ter ouvido os gritos de Escudos do Sol e Cabeças de Touro morrendo sob os escombros.

D'Agostini levara seus oficiais para a praia, gritara até que alguns dos marujos conseguissem ouvi-lo. Estava dentro de um bote, com um ajuntamento patético de seus homens, sobrevivendo às flechas e desviando do mar em chamas. Era difícil remar: havia cadáveres boiando por toda parte, as pedras de catapulta atingiam pontos aleatórios, espalhando a morte em várias formas. Consegui notar quando ele sumiu atrás de um navio rebelde e não o vi mais.

As naus estavam em movimento. Acho que alguns marujos tentavam navegar mesmo sem seus oficiais. Alguns navios rebeldes haviam sido tomados pela Igreja, e também havia outras explicações, como eu descobriria.

Oberon, sua carne calcinada e negra ainda ardendo, conseguiu enxergar Atreu lá embaixo, erguendo-se no mar pela cintura. Um dos olhos do ruivo já derretera, mas o outro estava são. Os sentidos da fúria, que eu não sabia e não sei explicar, guiaram-no também. Correu e pulou, machado e martelo sobre a cabeça, querendo apenas a morte.

Mais uma pedra caiu a um metro de mim. Então, as flechas. Senti a seta cravada em minhas costas balançando, o mundo balançando com ela. Minha escolha era morrer ali ou me juntar a Jocasta e seus fanáticos escolhidos por Deus. Meu melhor amigo era o Soldado do Diabo e, por isso, escolhi a fuga. Corri às cegas. Um grupo de soldados da Igreja foi ao meu encontro, dancei à sua frente, evitei-os para um lado. Chapinhei rumo ao mar, só sabia que precisava chegar a um navio, pois tudo o mais fora perdido.

Quando não podia mais correr, a água chegando ao meu estômago, tomei impulso e espadanei com os braços estendidos, no melhor arremedo de natação de que era capaz. As flechas zuniram. Mergulhei, duas afundaram com violência logo acima de mim. Senti falta de ar, nadei para cima, vi um brilho que não era o sol: eu estava sob uma área de óleo incendiado. Com esforço terrível, evitei emergir, nadei com os pulmões dilacerados. Até que não consegui mais, precisava respirar, mesmo que fosse fogo. Chutei a água, subi, não pude conter a inspiração, comecei antes de estar na superfície, o mar entrou por minha boca e narinas. Mas então — *ar!*

Tossi, vomitei, tentando ficar à tona. Olhei em volta, havia um casco. Nas amuradas, os homens da Igreja me olhavam de volta, seus arcos virados para baixo. Havia pouca gente para matar, e eu era um alvo tão bom quanto qualquer outro. Mergulhei de novo, de novo sem o fôlego de que precisava, as flechas feriram a água.

Notei que minhas botas eram pesadas, estavam encharcadas. Emergi de novo, perigosamente perto do fogo, comecei a puxar a bota esquerda. Livrei-me dela, e uma onda arremessou chamas sobre mim. Submergi, mas estava de boca aberta, acabei engolindo água salgada. Minha garganta queimou. Emergi de novo, uma bota e um pé descalço, flecha cravada nas costas, deixando uma trilha de sangue. Outras flechas caindo em volta. Bem perto, um casco — uma pedra de catapulta atingiu-o assim que enxerguei, banhando meu rosto em farpas.

Um marujo boiava de rosto para baixo perto de mim. Vi um navio, um navio qualquer. Não importava o que era, não importava o fogo ou a morte que houvesse no caminho. Eu não conseguiria mais nada e pus minha vida em nadar até ele.

Senti algo na coxa, a perna ficou mais pesada, então endureceu. Mesmo nadando, eu estava com muito calor, a água fervendo chegou a me queimar. Eu alternava constatações estúpidas com a realidade do que acontecia ali e tentava não pensar, nem ver, não lembrar.

Só um braço depois do outro.

Segurei uma corda. Era uma rede presa ao casco. A outra mão, e comecei a subir. De repente, a mão de outro segurou meu antebraço, puxou-me para cima.

Então tudo ficou preto e amortecido.

Ninguém ousava enfrentar Urag. Ninguém, exceto os rebeldes. E os rebeldes estavam mortos.

Os soldados da Igreja se ajoelharam ao redor de Jocasta.

Ela despertou de seu transe para ver seu povo muito maior. Tinha suas próprias lanças, seus próprios escudos. Seu próprio guardião imortal, de novo ao seu lado.

Benedict foi até ela, cabeça baixa.

— Faça comigo o que quiser, Santidade. Eu obedeço.

A água enfim apagou as chamas de Oberon. Era uma ruína. A carne calcinada tinha buracos imensos, via-se ossos. Boa parte simplesmente derretera, transformando-o numa massa em um vago formato de homem. O rosto era uma caricatura, os lábios haviam grudado nas gengivas.

Atacou.

Atingiu Atreu no estômago, o sangue espirrou longe.

— Você é o maior traidor que conheço, Atreu — rugiu, mal compreensível. — Quantos amigos já enfrentou?

— Sou mesmo um traidor. Mas você é um capacho.

Oberon golpeou com o martelo, Atreu agarrou o cabo da arma no meio da trajetória. Deu um puxão forte e o arrancou da mão do ruivo. Os dedos grossos haviam derretido em parte, era difícil manter a empunhadura firme. Meu amigo bateu com o martelo no rosto do inimigo, atingindo o olho são. Gosma prateada espirrou, o osso do crânio rachou. Mesmo assim, Oberon atacou de novo, cego, girando o machado para todos os lados. Atreu se jogou na água, ficou em suas costas. Antes que o ruivo conseguisse virar, acertou o martelo em sua nuca. A cabeça de Oberon sacolejou para frente e para trás, ele deixou cair o machado.

Atreu arrancou o escudo em ruínas, puxou as tiras até desprendê-las. Armou-se das alças de couro flexível, enrolou-as por trás no pescoço do inimigo.

Apertou.

— Devia ter matado você — disse Oberon.

Suas manzorras tentavam esmagar os dedos de Atreu, as unhas fazendo sulcos fundos na pele.

Apertou.

— Que jeito idiota de morrer.

Apertou.

— Morrer assim — grunhiu Oberon. — Você é um bosta.

— Todos nós somos.

Oberon deu um último engasgo. Suas pernas afrouxaram, ele desabou de rosto na água.

Atreu vencera.

Olhou ao redor, e era o último. Os destroços do farol queimavam, os soldados da Igreja cercavam-no por todos os lados. Ele era o último general, o último rebelde, tudo que restava do sonho.

— Prendam o infiel — disse Jocasta.

Abri os olhos. Gemi.

Tentei me mexer, não pude. De início, achei que estava amarrado, mas não. A imobilidade vinha de dentro, minha carne incerta, curando-se lentamente. Cada movimento doía. Notei que alguém fizera curativos em mim. O mundo oscilava. Eu estava dentro de um navio.

Emergi de minha cabine e deparei-me com o Bispo Calímaco. Mãos no ar, à altura do peito, encostando e separando as pontas dos dedos. Não enxerguei terra em parte alguma, apenas mar, até onde a vista alcançava. Um marujo fedorento, desdentado, passou por mim e sorriu.

— Oh, finalmente está acordado! — disse o bispo ao me notar.

Gemi em resposta.

— Ficou muitos dias dormindo — explicou. — Tivemos medo.

Eu tentava montar o quebra-cabeças do que acontecera. Estremeci com a impressão de que uma pedra de catapulta podia me atingir a qualquer momento.

— Garoto dorminhoco, sua mãezinha nunca explicou que a preguiça leva ao inferno, onde estão os meninos maus? — disse uma voz empolada e grossa, como se seu dono tivesse um ovo alojado no fundo da garganta.

O pirata Pharoux deu-me tapinhas no ombro, fazendo reverberar ondas de dor. Postou-se ao lado do bispo. Seu sorriso enorme de dentes de ouro reluzia no sol.

— Onde estamos? — eu disse, mas mesmo em meu estado notei qual seria a resposta do pirata, então fiz uma pergunta mais inteligente. — Para onde estamos indo?

Calímaco emitiu um pequeno guincho de felicidade.

— O senhor Pharoux explicou-me por que nunca achei a reencarnação de minha amada Felícia. Não é óbvio? Ela não está na Baía dos Órfãos.

Mas Pharoux sabia onde ela estava. E sabia como chegar lá.

— Estamos viajando rumo ao paraíso — disse o bispo.

8

MAS TALVEZ SEJA TUDO MENTIRA.

Quem pode garantir que Oberon morreu dessa forma? Que um relâmpago fulminou os inimigos de Jocasta? Que Atreu, até onde sabíamos, era o último rebelde?

E vou continuar mentindo, porque sempre saio impune. Não presenciei nada do que vou narrar agora; só ouvi relatos de uns poucos trechos. Nem conheço alguns dos personagens. Mas vou imaginar o que ocorreu. E não há outra versão. Este é um ato de tirania. Eu escrevo a história.

O Palácio Eterno da Voz estava intacto. Se os homens lá dentro não estivessem planejando o tempo todo, poderiam nem tomar conhecimento de que, em outros lugares, tantos morriam na tentativa de destruí-lo. Os cardeais guerreavam comendo brioches, bebendo vinho. Vestiam batinas refinadas, bordadas com fio de ouro, em vez de armadura. Começava a esfriar e os príncipes da Igreja não toleravam o desconforto. Assim, a lareira estava acesa. Tinham uma pequena mesa de pés retorcidos, que apoiava uma bandeja de comidinhas enfeitadas. Cada um com sua própria cadeira fofa. Era bom estar do lado de Deus.

— Ela acredita — disse o Cardeal Melquíades. — Acredita de verdade.

— E esse foi o problema com a última. — Simas bebeu um gole.

Com a última Voz e com outras no passado. Havia uma história secreta, ou ao menos discreta, nos anais da Santa Igreja. Para que os cardeais do presente pudessem governar, os atos de seus antecessores eram registrados. Assim, a gloriosa morte da Voz Albertine, martirizada no fogo para acabar com uma guerra entre feudos, revelava-se como um sutil envenenamento. O milagre da Voz Thersia, que ascendeu sem morrer, era explicado como o desaparecimento de alguém que, atacada por uma peste, tornara-se feia demais para liderar. Nem os registros da Igreja conheciam as origens da primeira Voz, ou coisa alguma sobre os antigos, exceto vagas referências às Grandes Rainhas. Mas havia informação suficiente sobre como, vez por outra, a fé daquelas mulheres tornava-se maior que a obediência, e era necessário um fim rápido.

— Não há por que aceitar o risco — disse o Cardeal Simas. — Quantas meninas já temos no convento, prontas e educadas?

— Pelo menos quatro com potencial — disse Melquíades.

— E essas foram criadas por nós, sem acesso a ideias hereges, sem ter visto o mundo lá fora.

— Desdêmona foi assim e o resultado está aí.

— Subestimamos Desdêmona. Ela viajou demais, moveu-se demais. Que tal fabricar algumas limitações para uma das meninas do convento? Uma Voz cega e aleijada seria amada pelo povo e muito mais fácil de controlar.

Os olhos de Melquíades se acenderam. Era uma ótima ideia. Barsoom estava calado, sem tocar nos brioches ou no vinho. Derionde sorria, as pálpebras sempre fechadas.

— Sei como ama suas garotinhas, Melquíades — disse o líder dos cardeais. — E sei como se preocupa com nossa discrição, Simas. Posso imaginar o quão adorável seria uma ceguinha, confinada à liteira, dedicada apenas a Urag!

Eles ficaram em silêncio, uma pergunta implícita: *"Mas?"*.

— Mas a pequena herege conquistou os homens. Tem a lealdade de Pugna Marco Segundo. Um milagre foi testemunhado.

— Milagre ou obra do diabo — disse Simas. — Podemos pintá-la como outra cria do inferno, criar uma bela história para a inválida que irá derrotá-la.

— Outra meretriz do demônio? De novo?

— Foi feito uma vez.

— E por acaso temos o jovem Iago? O senhor conhece alguém que possa escrever algo do mesmo nível?

Admito minha presunção aqui. Mas eu fora útil a Derionde, é impossível negar. Eles não optaram por mais uma ficção.

— Acho que fomos abençoados e não podemos virar as costas ao presente de Deus — disse o velho cardeal. — A garota nos veio pronta, diferente de tudo que já tivemos, já com o guardião, amada e milagrosa. Talvez seja hora de fazermos algo inusitado.

— Por que mudar o que acontece há tanto tempo? — disse Melquíades.

— É preciso. Assim como decidi não tolerar a academia de hereges ou as nações selvagens. Às vezes, é preciso mudar.

Os outros três ficaram expectantes. Derionde continuou sorrindo, comeu um brioche e tomou um gole de vinho.

Por fim:

— Vamos trazê-la para junto de nós. Cortar seus problemas pela raiz, torná-la perfeita. Vamos iniciá-la nos mistérios.

Atreu chegou a Ruiturus acorrentado, como chegara vinte anos antes. De novo, seus pés queimaram nas pedras escaldantes de sol, embora o frio já se insinuasse. Ruiturus foi mais hostil. Já não guardava segredos. Ele fora hóspede do palácio, guerreiro santo, herói e libertador. Agora chegava como prisioneiro e degenerado, sob o estandarte das três trombetas, escoltado por um batalhão inteiro.

O povo se aglomerava nas docas. Queriam ver o rosto do Soldado do Diabo. Aqueles que já o conheciam desejavam saber se a revelação da apostasia o mudara. Entre o assombro e a insolência, formaram um corredor, passagem para as tropas e o homem agrilhoado. Atreu tinha um colar de ferro, correntes fundidas ligando-o a algemas grossas nos pulsos e tornozelos. Era conduzido de longe, para proporcionar uma bela visão à plateia, empurrado por varas compridas com ponta de forquilha, enganchadas em seu pescoço e braços. Cavaleiros com as mãos no cabo das espadas iam ao lado, assim como besteiros de prontidão.

Conduzido daquela forma, acompanhado por uma maré de gente, era o ponto central de uma procissão. Nos limites do porto, os guardas estacaram. Bateram atrás de seus joelhos, fazendo com que se abaixasse, e empurraram as varas para baixo. Assim, prostrado, Atreu ficou em exibição.

E a primeira pedra voou, atingindo-o nas costas.

Outra pedra e um pedaço de repolho apodrecido. Um punhado de bosta de cavalo e outra pedra, outros vegetais.

— Herege!

— Lacaio do diabo!

Os soldados deixaram que Atreu fosse apedrejado e aviltado, o lixo de Ruiturus misturando-se a seu sangue, emporcalhando os cortes. Então, uma trombeta soou. Puxaram-no de volta para cima e conduziram-no pelo resto do caminho. Ele não disse nada. Não havia o que dizer.

Jocasta estava sozinha. Um frio na boca do estômago, estendendo-se por suas costas. Os braços e pernas pareciam distantes do resto do corpo. Ela imaginou se aquilo era efeito da meditação, do nervosismo ou da fome.

Na torre mais alta do Palácio Eterno da Voz. Ao lembrar de onde estava, riu sozinha, como uma menina. Incrível que estivesse mesmo lá, que tivesse falado com os cardeais, que eles tivessem olhado-a com reverência e curiosidade, perguntado sobre suas experiências e verificado seus milagres.

— A senhora é especial — dissera o Cardeal Derionde. — Deus me perdoe, eu não deveria estar falando isso. Mas acho que é nossa nova Voz.

E eles haviam feito todo tipo de testes. Nua, haviam examinado seu corpo, em busca de qualquer marca ou pinta que pudesse denotar toque do diabo ou bruxaria. Haviam pedido que tocasse num Discurso Santo, e depois que ficasse na presença do sagrado dente da Voz Edda. Os banhos de ervas, cânticos, orações, tudo para determinar se poderia mesmo ser a próxima Voz de Urag. Haviam entrevistado as testemunhas de seus milagres, ouvido o relato de Pugna, verificado livros antigos em busca de paralelos e referências.

Jocasta não sabia o que haviam feito com Benedict. Tentou afastar a lembrança do traidor. Deveria estar em meditação serena.

Naquele ponto mais alto, a torre não tinha paredes, só um teto e colunas. O vento passava de todos os lados, puxava seus mantos cerimoniais. Ela deveria ficar um dia inteiro em meditação, com vista em todos os lados para a capital e o mundo além. Deveria olhar aquele mundo, ver o que estava por trás, notar a ilusão. Testemunhar ali um alvorecer e um crepúsculo. E no novo alvorecer estaria pronta, e sua vida iria se transformar.

Os cardeais haviam se trancado durante um dia inteiro, para confabular e tomar uma decisão. Quando emergiram, ela achou que seria santificada ali mesmo, tornada a próxima Voz de Urag. Mas nada era tão simples.

— A senhora é especial — repetira Derionde. — Antes de sua ordenação, será iniciada em mistérios que poucos conhecem.

Jocasta não lembrava de ter sentido alguma vez aquela antecipação, aquele entusiasmo infantil. Os dias de festival, quando criança na aldeia, não traziam aquilo. A incerteza sobre o amor de um rapaz nunca se aproximara. Deus lhe perdoasse, nem a perspectiva de ouvir Urag mais uma vez, falar na língua dos anjos, fora uma tortura tão deliciosa. Jocasta aguardava a manhã, quando conheceria os mistérios. Tentava adivinhar quais seriam. De novo e de novo, fazia força para desinflar as próprias expectativas. Não deveria estar ali em busca de diversão ou provas — a fé era o bastante, e aquela era uma ocasião muito séria.

Mas será que veria a face de Urag? Será que caminharia no paraíso? Talvez aprendesse o segredo do batismo ou a maneira de enxergar a alma dos fiéis.

Um dia inteiro, sem comida e sem água, apenas com Urag para mantê-la viva. E não deveria dormir — como de fato não dormira. Jocasta pensara em estratégias para se manter acordada, alguma posição desconfortável ou beliscão sorrateiro, mas a necessidade fora o bastante. Passara aquele tempo envolta em Deus e em si mesma, no passado e no futuro. Achava que era o certo. Que era a meditação. Sentia-se pronta.

A primeira luz surgiu no horizonte.

Atreu acordou com o barulho de choro. A mulher agarrava seu filho mais uma vez, apertando o corpinho contra seu peito murcho, na tentativa de fazê-lo sugar algo que não estava ali. Um dos homens grunhiu, virou para o lado.

A carroça ia aos solavancos, o fedor era insuportável. Os corpos sujos, em contato perene, criavam um ambiente repulsivo. No início, ele achara que nunca conseguiria adormecer ali, mas as pessoas adaptam-se a tudo, eu acho. Atreu ficou surpreso ao notar a rapidez com que o bom senso do desespero se instalara. Quanto mais dormisse, menos precisaria ouvir os lamentos da mulher, enxergar as feridas dos outros prisioneiros. Menos precisaria lembrar de onde estava.

Não sabia quantas carroças, mas pelo menos quatro. Escoltadas por soldados e cavaleiros, alguns estandartes que reconhecia. Dentro delas, aqueles que, por uma razão ou outra, não haviam queimado, não haviam dançado na ponta de uma corda. Apenas rumavam para a reeducação.

A carroça começou a balançar. Sempre havia os que fornicavam, numa tentativa desesperada de extrair algum alívio.

— Quando será minha execução? — Atreu lembrou-se da cena, mais uma vez.

O Cardeal Simas riu com gosto. Olhou a face machucada do meu amigo, balançou a cabeça como quem fala com um tolo.

— Você nunca aprende, Atreu. Insiste em morrer, matar. Sempre que nos vemos, acha que vou matá-lo!

— Se me deixar viver, vou matar todos vocês.

— Não, Atreu. Não vai. Há quinze anos tivemos uma conversa muito parecida. Você não vai me matar, nem matar nenhum dos cardeais. Todos nós vamos morrer muito velhos, em nossas camas, cercados de religiosos e raparigas inconsoláveis.

— Quando será minha execução?

— Nunca, é óbvio.

— Por quê?

Simas riu de novo.

— Sua memória é péssima. *Você é minha ferramenta, Atreu.*

— Nunca fui. Não vou ser.

— Não seja modesto. Venceu uma guerra civil quando precisei. Matou uma Voz de Urag. Até mesmo trouxe uma nova Voz! Acho que você é a melhor arma que já tive, Atreu.

Silêncio.

— Sempre acho graça quando você pensa que age por conta própria. Não vou matá-lo. Você é muito precioso.

Apenas precisava de um tempo para se acalmar, e uma mudança de perspectiva.

E assim, Atreu rumava ao campo de reeducação, junto a tantos outros hereges e criminosos.

A viagem era imensa. Atreu há muito perdera a conta dos dias, mas a barba em seu rosto denunciava pelo menos um mês. Alguns haviam morrido na imundície da carroça, seus corpos jogados na beira da estrada. Outros haviam deteriorado a olhos vistos, adaptando-se às condições animalescas. As moscas, as fezes e urina eram companheiras constantes — e, com elas, as doenças. Alguém fora assassinado por outro prisioneiro, desejoso de sua papa diária.

Lá fora, um guarda gritou uma ordem. A carroça parou. Não era hora de comida, nem de deixar os prisioneiros defecarem fora do veículo. Todo o comboio ficou parado um longo tempo, as pessoas tornaram-se inquietas. Escureceu.

Na manhã seguinte, retomaram viagem, e os solavancos denunciaram que a velocidade redobrara. Um cheiro de sal e água misturou-se ao odor de miséria. Não pararam durante o dia, não abriram a carroça para o último arremedo de dignidade dos prisioneiros. Quando a fome foi demasiada e os gemidos aumentaram, um guarda surgiu pela porta entreaberta, sem que a carroça parasse. Ameaçou de morte todos que não se calassem. Atreu espiou pela fresta, viu o mar, viu que eles andavam por um trecho úmido de areia. Encostou o ouvido na parede oposta e adivinhou que, do outro lado, também havia o mar.

Como depois descobrimos, eles viajavam por um ínfimo estreito, que surgia apenas em algumas épocas do ano, durante pouquíssimo tempo. Ligava nossa terra a outra, muito maior, do outro lado do oceano.

Não descansaram durante a noite. Alguns cavalos devem ter morrido de exaustão, porque uma carroça foi abandonada e seus prisioneiros foram jogados dentro do veículo que levava Atreu.

Depois de uma semana, o estreito quase sumia. Animais e homens já chapinhavam no mar, quando chegaram ao destino. Descanso, e mais viagem em terra seca. A escolta foi trocada, assim como os cavalos.

Mais um mês, e as muralhas do inferno.

Os prisioneiros foram descarregados já no interior do campo. Era cercado de paliçadas altas, com torres de vigilância. Guardas, cobertos de cima a baixo com armaduras e máscaras, conduziam detentos até as pedreiras, sob o sol. Atreu viu que os de mais alta patente, sargentos ou oficiais, tinham uniformes estranhos — também escondiam-nos por completo, e eram cobertos de padrões abstratos. Era a arte que protegia contra o minério divino.

O campo tinha galpões e dormitórios. Estava repleto de gente vestida com o mesmo pano branco encardido, ostentando queimaduras e deformidades. Muitos não tinham cabelo, unhas ou dentes. Assim que chegou, Atreu foi levado a um depósito, vestido em uma túnica de prisioneiro. Deram-lhe uma picareta.

E levaram-no, junto a seus colegas de viagem, a uma das minas, escavar os fragmentos tão preciosos e letais.

Escuro.

— Beba isto.

E Jocasta bebeu.

Estava em algum tipo de sala sem janelas, hermética, pois luz alguma entrava. Fora levada por mãos gentis em seus braços, ajoelhada sobre uma superfície áspera. Dor, como prostrar-se no milho. Então, mais escuro: antes que suas pupilas se acostumassem, a bebida fez efeito, e ela foi privada da visão.

Era um batismo.

Outra bebida, que lhe tirou o cheiro de incenso e o paladar de si mesma. Mais uma, o corpo amortecido. Não tinha sensação de nada, nem os joelhos. Mas não era bem um batismo, pois não lhe haviam tirado a audição.

De repente, em seu ouvido:

— Estes são os mistérios de Urag.

Coração disparando. O som ribombante parecia mesmo as palavras de Deus, mas era Barsoom.

— Você agora faz parte da mais santa e secreta ordem — disse Melquíades. — Agora compreenderá o que governa o céu e a terra. Algo que nem mesmo as Vozes sabem.

Sem perceber o ar, sentir qualquer cheiro, as palavras eram incorpóreas, súbitas, alarmantes.

— Este é o primeiro mistério — foi Simas. — O mais importante. A grande verdade. O sentido de tudo.

Então, surgiu a voz do Cardeal Derionde:

— *Deus não existe.*

Agradecimentos

Este livro não teria sido possível sem o apoio, paciência e confiança de algumas pessoas. Aos olhos de Urag, a ingratidão vale pelo menos uns dois ou três séculos no purgatório, então vamos lá.

Obrigado aos criadores originais de Tormenta, por terem me dado a primeira oportunidade, através de *O inimigo do mundo*. Muito do que eu sei sobre ser escritor foi aprendido compartilhando o mundo de Arton e trabalhando com editores que nunca me deixaram relaxar. Obrigado a Rafael e Guilherme Dei Svaldi, por estarem com as portas abertas, e a Karen Soarele, por trazer estes livros de volta à vida.

Obrigado a Emília Giuliani, por ter pedido e aceitado este livro tantos anos atrás. Obrigado a Roberto de Sousa Causo, pelo tempo e pelo interesse. Obrigado a Greg Tocchini, por traduzir em imagens até mesmo o que eu não disse. Obrigado a Elisa Rocha, pela dica veterinária; a Maurício Dias, por uma ideia que ainda será utilizada, e a Giacomo de Rocchi e André Rotta, pela inspiração dos personagens. Obrigado a todos que jogaram comigo nesses últimos anos e proporcionaram os momentos de puxar o caderninho e anotar algo. Obrigado a quem escreve melhor do que eu, pela inquietação que empurra.

E principalmente obrigado a todos que leram este e os outros, que comentaram, elogiaram, criticaram ou só guardaram na prateleira. É graças a vocês que posso inventar histórias e chamar isso de trabalho.

Agora, rumo ao próximo.

Continua em

Deus Máquina

Para acompanhar as novidades da Jambô e acessar conteúdos gratuitos de RPG, quadrinhos e literatura, visite nosso site e siga nossas redes sociais.

www.jamboeditora.com.br

facebook.com/jamboeditora

x.com/jamboeditora

bsky.app/profile/jamboeditora.com.br

instagram.com/jamboeditora

threads.net/@jamboeditora

youtube.com/jamboeditora

twitch.com/jamboeditora

Para ainda mais conteúdo, incluindo colunas, resenhas, quadrinhos, contos e material de jogo, faça parte da Dragão Brasil, a maior revista de cultura nerd do país.

Participe também de *Duelo de Dragões*, primeira grande campanhade RPG coletiva de *Tormenta 20*.
O Brasil todo está jogando!

www.dragaobrasil.com.br

www.catarse.me/revistatormenta20

Rua Coronel Genuíno, 209 • Centro Histórico
Porto Alegre, RS • 90010-350
contato@jamboeditora.com.br